Les souvenirs et les regrets aussi...

Catherine Allégret

Les souvenirs et les regrets aussi...

Éditions J'ai lu

A Benjamin,
à Clémentine,

aux survivants.

Le titre de cet ouvrage est extrait de la chanson
Les feuilles mortes, paroles de Jacques Prévert, musique
de Joseph Kosma © MCMXLVII éditions Enoch & Cie

Quand les saltimbanques, les enfants trinquent.

Jean-Claude DAUPHIN.

1

Le 9 novembre 1991, un homme est mort. Il est mort seul, dans le service de réanimation de l'hôpital de Senlis, et il s'en est fallu de peu que je n'apprenne sa disparition par la radio...

Le secret de son malaise survenu la veille alors qu'il achevait le tournage d'une séquence du film *IP 5* a été jalousement gardé par ceux qui ignoraient mon existence ou qui commençaient déjà à la nier.

Un coup de fil m'a avertie vers 11 h 30 du matin qu'il avait été victime d'un léger infarctus... à 13 h 10, il était mort.

Pas le temps de courir auprès de lui pour échanger un dernier mot, un dernier sourire, une dernière vacherie. Ni le temps, ni la possibilité, car mon interlocutrice m'assura alors qu'il ne souhaitait voir personne, que d'ailleurs il allait beaucoup mieux et qu'elle me ferait savoir plus tard à quelle heure nous aurions la possibilité de lui rendre visite à l'hôpital.

Lorsque le téléphone sonna « un peu plus tard », c'était pour me dire qu'il était mort. A cet instant de sa propre vie on regrette amèrement d'être restée sagement à sa place.

Le 9 novembre 1991, Ivo Livi dit Yves Montand s'est éteint pour l'état civil, victime d'un ultime infarctus, victime de ses colères, victime de la vie qu'il s'était mis en tête de vivre jusqu'en 2009...

Il y avait pourtant un moment qu'il me reparlait de la couverture. La couverture, c'est un gigantesque plaid formé de carrés de mohair. Maman l'avait confectionnée de ses mains et elle trônait depuis sur son lit parisien. Je doute qu'en la fabriquant ma mère ait jamais eu conscience qu'elle était en train de crocheter le linceul de son mari, et pourtant !

Après la mort de Maman, Montand venait souvent se ressourcer dans la pénombre du 15, place Dauphine, souvent désigné par l'appellation de « roulotte », lorsqu'il était de bonne humeur, ou par celle, moins célèbre, de « trou à rats », lorsqu'il était de moins bonne humeur.

Il aimait retrouver, en haut du minuscule escalier qu'il ne pouvait emprunter qu'en réduisant sa haute stature, sous très peu de hauteur de plafond, ce qui avait été leur chambre. Je crois ne pas être indiscrète en précisant que, durant les années qu'a duré leur formidable passion, la hauteur sous plafond de cette pièce ne devait pas les gêner outre mesure, vu qu'ils y vivaient beaucoup couchés.

Rien n'avait bougé dans cette chambre depuis la disparition de Maman. Et tel Charlie Brown qu'il affectionnait tant, Montand venait se réfugier contre sa couverture. Il s'allongeait sur le lit, je crois bien qu'il venait là pour parler à Maman.

Un jour, une belle maison sortit de terre, face à l'Atlantique, sur le rivage breton. Dans cette maison il y avait un antre spécialement conçu pour Montand. Il nous l'avait demandé, afin de savoir qu'il y avait, quelque part en France et près de nous, un coin où il pourrait s'abriter si la pression du monde se faisait trop forte sur lui.

C'est ainsi que la chambre de la roulotte fut installée face à la mer et que la couverture de mohair maternelle prit l'air. Montand vint une fois à Saint-Gildas, le premier été ; il vint seul. Puis il refit sa vie... Non. Comme il le dit lui-même, il continua de vivre.

Nous n'avions pas conçu notre maison pour y « continuer de vivre » mais pour y vivre, tout simplement. Maman était là, parmi nous, en photo sur le mur, dans les airs, sur les rochers de la plage où les marées même n'avaient pas réussi à effacer sur la roche fidèle ses pas d'enfant dans lesquels se glissaient, pressés et attentifs, ceux de ses petits frères, Jean-Pierre et Alain.

Et Montand ne revint plus à Saint-Gildas.

La couverture veillait toujours sur le grand lit vide.

Le temps passa encore.

Montand donna la vie et continua de vivre.

Vers l'été 1989, il commença à s'enquérir du devenir de ladite couverture et me demanda avec une certaine insistance de la rapprocher de lui. En septembre 1989, elle fit partie du voyage de retour de vacances et emménagea, en même temps que nous, dans notre maison des Yvelines.

Lorsqu'il vint visiter notre nouvelle demeure, après s'être extasié sur la beauté des poutres qui ornaient notre séjour, il me demanda aussitôt des nouvelles de la couverture. Il fut rassuré de constater qu'elle veillait à présent sur notre sommeil. « Cathou, si je meurs, je veux être enterré dans la couverture de Maman. »

C'était donc ça ! Depuis la disparition de Maman, il envisageait sa propre mort.

La dernière fois que nous l'avons vu vivant, c'était après son soixante-dixième anniversaire, au cours d'un dîner familial qu'il avait tenu à organiser dans son lieu de survie, boulevard Saint-Germain. C'était le mardi 5 novembre...

Nous étions réunis autour de la table. Il paraissait extrêmement fatigué, mais en même temps il ne parlait que de Bercy, Bercy où il ferait sa rentrée en mai prochain. Selon son habitude, il commença à nous raconter de quelle façon il voyait son entrée en scène, puis l'enchaînement de son spectacle, chantant *a cappella*, faisant tous les instruments, en marquant le rythme avec ses couverts.

Puis il porta la main à son cœur.

– Qu'est-ce que tu as ?

– Ce n'est rien ; j'ai pris froid en tournant... et puis, de toute façon, maintenant je suis serein, je peux partir tranquille.

Et cette fois-là, il n'a plus reparlé de la couverture. Il est allé se coucher.

Nous sommes restés encore un peu, puis nous sommes partis. La porte palière qui venait de se refermer derrière nous s'ouvrit à nouveau. Dans l'embrasure s'encadra le visage de Montand qui nous adressait un dernier au revoir plein de chaleur et de tendresse. Son visage était impressionnant.

Dans la voiture, nous restâmes un moment silencieux, Maurice et moi. Puis nous nous fîmes la réflexion que nous ne voyions pas bien comment il pourrait faire Bercy dans cet état-là. Nous avons même eu cette terrible pensée : « ... ou alors, s'il va jusque-là, il mourra le soir de la "générale" en chantant *Les Feuilles mortes...* »

Mais il ne fallait pas avoir de ces sortes de pensées. Quelqu'un veillait sur lui, et puis dans l'immeuble vivait un éminent cardiologue, il ne pouvait donc rien lui arriver...

Le samedi suivant, à 13 h 10, dans la solitude d'une salle de réanimation de l'hôpital de Senlis, un homme est mort, seul.

Ivo Livi dit Yves Montand, un immense acteur, un extraordinaire interprète, une pensée de ce siècle, diront les journaux. Pour moi, il était surtout l'autre moitié de ma mère, et Mon-tand, tout simplement. Désormais, nous ne pourrions plus la retrouver ensemble.

Le monde du spectacle perdait une figure, et moi je voyais disparaître une ultime frontière avant l'âge adulte. Il a emporté avec lui les derniers pans de mon enfance et tout un monde de fous rires et de complicité qui m'ont permis de surmonter la solitude dans laquelle la passion qui l'unissait à ma mère m'avait plongée.

Lorsque je les envisage, dans la splendeur de leur vie amoureuse, c'est toujours cette scène qui me revient : Je dois avoir quatre ans. Je suis seule avec ma mère dans le salon, nous attendons Montand qui doit rentrer de voyage. Brusquement j'entends la porte d'entrée qui se referme avec son bruit mat sous la poussée du *Groom* et je me cache derrière un fauteuil. Montand entre. Il tient quelque chose derrière son dos. Peut-être est-ce un cadeau pour moi ? Je me prépare à sortir de ma cachette pour lui faire la surprise de ma présence mais je n'en ai pas le temps. Déjà il enlace ma mère après lui avoir remis une petite mallette en cuir entre les mains. Ils s'embrassent. Et ce baiser dure... dure tant, qu'il dure encore dans ma mémoire aujourd'hui. Et moi, je n'ose plus sortir... j'ai peur de déranger. Je crois bien que, ma vie durant, je me suis sentie prisonnière derrière ce fauteuil, avec, plantée au creux du ventre, cette peur de déranger quelque chose ou quelqu'un.

Dans le box où il repose torse nu sous un drap blanc, je regarde le visage de cet homme qui fait le mort comme aux plus beaux jours de rigolades à Autheuil-sur-Eure où il lui prenait brusquement l'idée de nous faire la tronche du mort, à table, entre une tartine de rillettes maison et une part de tarte aux-pommes-du-jardin. Et j'ai presque envie de rire parce qu'il fait exactement la même tête ! Et je l'entends qui me dit, en riant, alors que je proteste parce que je ne trouve déjà pas ça très drôle : « Mais si, Cathou, regarde ; habitue-toi, j'aurai cette tête-là... »

Je ne me suis jamais habituée.

Senlis, le boulevard Saint-Germain... ce sont des choses auxquelles on ne peut pas se résoudre lorsque l'on a vécu pendant près de quarante ans aux côtés de l'homme le plus drôle, le plus méchant et le plus irrévérencieux du monde. Voir s'organiser, autour de la dépouille de l'être le plus rieur qu'il vous ait été donné de connaître, tout un ballet compassé, média*tic*... *et toc*, non, on ne peut pas s'y résoudre, même si tout cela est à l'image de ce que furent ses toutes dernières années, surtout, devrais-je dire.

Ne pas être écoutée spontanément lorsque j'ai timidement rappelé à l'aimable assemblée que Montand avait toujours dit qu'il souhaitait être enterré auprès de Maman et dans sa couverture, cela non plus je ne peux pas l'oublier.

Montand n'a pas laissé de veuve. Il était veuf de ma mère depuis le 30 septembre 1985... mais d'aucuns se sont crus autorisés à laisser planer le doute, voire à alimenter la rumeur, malhonnêtement.

Il a laissé une mère et un orphelin puisqu'on l'avait fait père. Un orphelin, un seul.

Quant à moi, l'orpheline totale et définitive, il ne me restait plus qu'à entrer dans mes souvenirs.

La dernière fois que j'ai vu Montand mort, c'était le 13 novembre 1991. Cette fois-ci, et contrairement aux jours précédents, il ne souriait plus. Avec ce qui se disait parfois dans la pièce à côté, c'était un peu normal. Et puis, comme l'a dit notre vieux pote José Artur : « Il fait la tronche parce qu'il sait qu'il va se faire drôlement engueuler par Simone quand il arrivera là-haut ! »...

Moi, ce jour-là, je n'ai plus vu qu'une enveloppe vide couchée dans un lit.

Il ne souriait plus parce qu'il était parti, ne pouvant probablement pas supporter plus longtemps toute cette mascarade car son naturel était sans doute en train de reprendre le dessus. Montand n'avait jamais eu beaucoup de goût pour la chose mortuaire bourgeoise et traditionnelle. Il a dû trouver que chez lui ça ne rigolait pas beaucoup et que les coups à boire étaient rares.

Peut-être même a-t-il eu honte. Alors il a préféré s'en aller au plus tôt pour retrouver ses amis et la femme de sa vie avec lesquels il a dû enfin passer un bon moment en observant la suite des événements.

J'avais apporté la couverture crochetée par Maman : je savais que c'était son désir. Désormais, son image publique reposerait aux côtés de celle de ma mère au cimetière du Père-Lachaise, là où, fidèles à nos traditions familiales et personnelles, nous irions le moins souvent possible, car nous, nos morts, nous les gardons près de nous.

2

Debout devant la cheminée du salon, mes mains reposent sur la corniche de brique rouge qui domine le foyer. Le feu brûle doucement, anesthésiant mon corps, picotant ma mémoire.

Mon regard s'arrête sur une petite photo Polaroid posée là, au milieu d'autres, et d'autres choses. Travelling avant : Autheuil. Une grille, deux montants en pierre de taille, un muret à colonnades, deux vasques. Un parterre de gazon, quelques marches, un perron, une porte, jamais ouverte. Presque jamais. Cette maison toute blanche et son toit d'ardoise grise avec les deux cheminées qui encadrent la girouette. Derrière, le ciel... bleu. Tiens, il fait beau !

Je regarde les cinq fenêtres du premier étage. Ce sont de belles grandes fenêtres à petits carreaux. Maman... l'antichambre... le couloir... l'antichambre... Montand.

Ils ne sont plus là.

Ils sont partout, tout autour de moi.

Maman court à perdre haleine sur une voie ferrée qui traverse le piano de répétitions de Montand, et le rejoint enfin, dans un éternel baiser, sur le banc de pierre à côté du lavoir, sous un figuier, devant la Colombe d'Or à Saint-Paul-de-Vence.

Montand, lui, danse en frappant dans ses mains sur ma photocopieuse, devant le rideau de tulle tendu sur la scène du Henry Miller's Theater. Chaque fois que je copie un document, la photo s'anime au rythme du chariot, et ce n'est pas triste.

Enfin, ça l'est moins que cette ombre qui nous salue sur la réplique en miniature d'une colonne Morris, silhouette noire sur fond blanc, qui nous annonce en lettres rouges : Montand à Bercy.

Montand qui nous adresse un ultime salut, ombre parmi les ombres. Montand qui ne descendra jamais de cette affiche pour se réchauffer et nous éblouir dans la chaleur de Bercy.

Montand sur le piano, à tout jamais vivant dans mon histoire.

Ailleurs, sous une lampe presque toujours allumée, la photo insolite de deux belles mains tenant fermement serrée contre le cœur de leur propriétaire une statuette étincelante : l'Oscar.

L'Oscar, dont la tête masque le cœur en brillant qui n'a jamais quitté le cou de ma mère et qui est désormais autour du mien.

L'Oscar qui est là maintenant, terni, sans chair et sans os à côté de cette photo presque anonyme.

Il faut lui rendre son visage ; il y a donc tout près, adossé à la statuette, le portrait de ma mère, resplendissante à l'aube de sa quarantaine.

Pour que l'ensemble soit conforme à la réalité, Montand doit la rejoindre. Il va descendre de la photocopieuse et danser désormais près d'elle, comme il l'a fait en cette soirée du 4 avril 1960 où le monde du spectacle avait les yeux braqués sur eux, et sur la scène de ce théâtre d'Hollywood où avait lieu la remise des Oscars.

« *And the winner is... Simaun Siggnoret !* »

Comme il était heureux, Rock Hudson, de prononcer ce nom-là ! et comme elle courait, ma mère, dans l'allée du théâtre, dans sa belle robe en plumetis noir, pour recevoir la précieuse statuette...

Travelling arrière : Me voici revenue dans ce salon où le feu brûle dans la cheminée. Depuis le mois de septembre 1989, nous habitons la maison de Papa et de Michèle Cordoue, sa femme, partis eux aussi dans la folle course aux disparitions dont le départ a été donné par Maman le 30 septembre 1985. Une course où Montand aura trouvé, une fois n'est pas coutume, une place de dernier.

Avec la complicité bien involontaire de Nicéphore Niepce, j'ai un peu déformé l'histoire en réunissant tous mes participants pour un dernier cliché sur une bonnetière à côté de la cheminée.

Mon père, ma mère, Montand et moi dans le même cadre, sous le même cadre ! ct si ce n'est pas la vraie vie, autant que ce ne soit pas la vraie mort non plus ! Manque Michèle. Je n'ai pas osé. Il y a suffisamment de bruits étranges dans la maison la nuit comme ça ! A moins que...

Me voici donc dans cette belle maison de mon enfance où je n'ai précisément pas ou peu de souvenirs d'enfance puisque je n'y ai pour ainsi dire pas vécu. Je savoure, avec un cynisme douloureux mais certain, l'exquise liberté d'être totalement orpheline, et je réalise enfin qu'il m'a réellement manqué quelque chose jusqu'ici : oser.

Voilà, c'est ça, oser ! Oser conjuguer tous les verbes d'état. Etre, paraître, sembler, demeurer, rester, devenir !... alors que jusqu'à présent je n'ai su en conjuguer qu'un seul : avoir l'air.

Et si pour une fois j'allais jusqu'au bout ?

Mes placards débordent d'ouvrages de dame inachevés qui voisinent avec d'autres, tout neufs et que je m'interdis d'entamer tant que je n'aurai pas terminé les premiers (insoluble et déchirante situation !...). On y trouve aussi des pulls qui n'auront jamais de manches, des gilets jamais de bordure, des bordures jamais de boutons... On peut même se régaler les yeux en ouvrant certains cartons remplis de pelotes de laine aux camaïeux rares et séduisants qui ne deviendront jamais ni châles ni couvertures... mais qui sauront sans doute patienter dans leurs buvards de naphtaline...

« Commence tout, finit rien » ! Velléitaire enthousiaste et désordonnée, voilà ce que je suis dans bien des domaines et, sans vouloir en référer à papa Freud, il doit bien y avoir une raison à tout cela.

Il me semble qu'en essayant de raconter je vais finir par trouver, qui sait même retrouver des choses.

Freud, justement, disait que pour faire une analyse il fallait trois choses : premièrement du courage, deuxièmement du courage, troisièmement... du courage.

De l'analyse à l'écriture il n'y a pas loin...

Et puis tant de gens se sont mêlés de couvrir des pages et des pages au moyen de piquante-z-anecdotes glanées çà et là, plutôt çà que là d'ailleurs, certains n'hésitant pas à paraphraser, voire à plagier, *La Nostalgie*, que je me suis dit : « Courage, ma fille, courage ! courage... »

3

Je suis née le 16 avril 1946 de mère célèbre et de père « inconnu »... et qui le resta pendant les deux années qui suivirent ma naissance. Ma mère m'a souvent raconté que si une jolie carrière n'était pas allée se dessinant de plus en plus précisément devant elle, jamais mon père n'aurait senti poindre en lui la fibre qui a fini par le mener devant une employée de mairie à qui il a déclaré être le papa de la très jeune Catherine-Enda Kaminker. C'est ainsi que, vers 1948, je perdais à jamais ce beau nom juif polonais pour devenir Catherine, Enda, Allégret, fille de Yves Edouard Allégret, cinéaste, mais également petite-fille d'Elie Allégret, pasteur et missionnaire protestant !

Et puis Papa a épousé Maman, ce qu'il ne pouvait pas faire avant puisqu'il était déjà marié et pas encore divorcé de sa première femme, dont il avait un fils, Gilles, mon frère, qui devait mourir à l'âge de dix-neuf ans dans un accident de la route.

J'ai dix ans.

Je me rappelle très nettement cette scène dans le rez-de-chaussée de la place Dauphine.

Je suis assise sur le canapé gris perle. Maman et Montand chacun dans un fauteuil en face de moi. J'ai le souvenir d'un feu croisé de paroles dont il ne reste que quelques phrases aujourd'hui... Qu'il fallait faire très attention en traversant la rue... Que c'était dangereux, la route, et dangereux les voitures... Qu'on pouvait mourir dans un accident... et que, d'ailleurs, je ne savais pas qui était mort comme ça ?

Gilles ! Oui, Gilles... alors hein, attention aux voitures !

Je ne pleure pas.

Un éclair vient de me frapper de plein fouet avec un grand bruit qui me pétrifie, quelque chose comme « zing ».

Non, je ne pleure pas.

Ma mémoire d'enfant est-elle fidèle ? Je crois que oui.

Et puis, comment annoncer à une petite fille que son unique frère (nous avons toujours refusé les appellations restrictives dans le genre demi-juive, demi-frère...), que son frère donc vient de mourir dans une voiture conduite par un copain qui a pris le volant de peur qu'il ne s'endorme... Pour finalement venir s'écraser lui-même contre un arbre quelques kilomètres plus loin...

Papa adorait Gilles. Sa vie a basculé lorsqu'il est mort.

Maman était fière de son Patrick, leur premier enfant, mon grand-petit frère né deux ans avant moi et mort de froid, à neuf jours, à la clinique...

Papa et Maman n'auront pas eu de chance avec leurs garçons. Lorsque je suis arrivée, je ne suis pas tout à fait sûre que le côté « fendu » de ma personnalité ait totalement réjoui ma mère.

Bref, en y réfléchissant, tout cela me faisait un étrange départ dans l'existence...

De ma petite enfance il ne me reste que quelques fragments d'images. Une chaise haute bleu ciel, de la gelée de coing, une couverture bois de rose... mon père qui se rase et qui me regarde en réflexion dans le miroir de l'armoire de toilette, un regard qui en dit long sur la solitude d'un homme de quarante-cinq ans en tête à tête avec une toute petite fille.

Bien peu de chose en vérité.

C'est comme si ma vie n'avait commencé que lorsque Maman est entrée dans la vie de Montand, et qu'une vie familiale s'est enfin organisée. Il semblerait donc que j'aie joyeusement occulté toute la période durant laquelle Maman est partie avec Montand, me laissant derrière elle avec Papa.

J'avais trois ans.

Je sais aussi que, du temps où elle vivait avec mon père, elle travaillait beaucoup, plus que lui, elle me l'a souvent répété, si bien que, même à cette époque, elle n'était pas très présente non plus.

Mais avec l'arrivée du « chanteur italien » les choses devaient changer. C'est sûr qu'elles ont changé !

Et du coup, j'ai pris place au sein d'une nouvelle famille, mais toujours flanquée de ma nurse, la fidèle Hermine.

A Saint-Paul-de-Vence d'abord où ils se sont mariés. J'étais là, mais je n'étais pas là. Les mariages, ce sont des histoires de grandes personnes. Juste un coup d'œil sur la pièce montée avec Pierrot, le barman de la Colombe d'Or, un petit chou volé et dégusté sur place, sur le seuil de la chambre froide, et je disparais.

Où ? Je ne sais plus. Ce 22 décembre 1951, j'ai

cinq ans et demi et je n'ai aucun souvenir de l'endroit où l'on m'a rangée ce jour-là.

Peut-être est-ce bien ce jour-là justement que, un peu livrées à nous-mêmes dans la maison des Prévert, tandis que Jacques et Jeanine étaient à la noce, nous avons, leur fille Minette et moi, fumé notre première cigarette.

Nous étions tranquillement accoudées au balcon de la terrasse, tirant avec application sur les Gauloises de Prévert que Minette avait subtilisées dans son bureau. Nous ne nous cachions pas, nous n'avions que cinq ans et demi et pas encore la notion de ce qui était interdit. Une brave dame passa, qui faillit mourir de stupeur.

– Mes petites filles, vous n'avez pas honte ? C'est très mal de fumer à votre âge !

Minette s'est alors tournée vers moi avec un sourire lumineux et, tout en soufflant négligemment la fumée de sa cigarette, elle a répliqué de sa voix légèrement traînante et avec une parfaite évidence :

– On n'est pas des petites filles, on est des naines !

Elle avait déjà l'esprit de son père.

Jacques, je l'aimais. Il abordait les enfants avec une curiosité éblouie. Il nous faisait rire, nous racontait des histoires et tentait de nous effrayer en imitant le gorille. Il traversait, en short et en sandales, la terrasse de la Colombe d'Or à Saint-Paul-de-Vence en hurlant d'une voix rauque, un éternel mégot collé au coin de la bouche : « C'est le gorille qui marche en se frappant la poitrine tout en poussant des cris épouvantables... » et bien sûr, cela ne nous faisait pas peur. Les enfants ne se font pas peur entre eux, ils jouent...

Il me fascinait. J'ai mis des années à comprendre

pourquoi j'aimais porter une chaîne d'or à la cheville. Il y a à Autheuil, accrochée sur le mur du salon, la fameuse photo de Prévert lisant son journal, les pieds sur une table. Il ne porte pas de chaussures. En la regardant, j'ai reconnu les pieds du gorille de mon enfance, ses jambes maigres et presque glabres, et, autour de l'une de ses chevilles, la fine chaîne en or qui avait impressionné la chambre noire de mes souvenirs.

Prévert fut, en compagnie de Paul Roux, témoin au mariage de Maman et de Montand, ce fameux 22 décembre...

A partir de ce moment j'ai été nourrie, habillée, chaussée, aimée avec le plus grand soin par une mère qui faisait ce qu'elle pouvait et dont le plus bel acte d'amour maternel fut d'avoir l'humilité de reconnaître que je serais mieux élevée et choyée par ma Tatie et mon Tonton, au cinquième étage du 15, place Dauphine, que remisée dans une chambre-bureau minuscule au rez-de-chaussée de ce qui allait devenir la « roulotte ».

C'est ainsi qu'Elvire, Julien et Jean-Louis Livi sont entrés dans ma vie, et qu'Hermine en est sortie. « *Pussy Cat, Pussy Cat, where have you been ?...* » Je dois quand même à cette femme mes premiers mots d'anglais et les facilités que j'ai eues par la suite pour cette langue, mais je lui dois aussi mon horreur de la soupe.

J'ai tout de suite aimé Elvire Livi, cette tante providentielle, aussi brune et menue que ma mère était grande et blonde. Elle s'est occupée de moi avec autant d'amour et d'affection qu'elle le faisait pour son fils Jean-Louis, mon cousin, de cinq ans mon aîné.

Avec son petit nez plus parisien que celui d'une cousette, malgré ses origines italiennes, et ses grands yeux noirs qui n'arrivaient jamais à être méchants, j'avais du mal à craindre ses colères qui étaient d'ailleurs assez rares. Jean-Louis et moi, nous la faisions surtout « bisquer », comme on dit à Marseille.

Pour Tatie, je suis devenue la petite fille qu'elle n'avait pas eue, et du même coup elle m'a donné ce frère dont je rêvais.

J'ai aimé cette femme plus que ma mère pendant de longues années, je le lui disais, et elle m'expliquait qu'une maman c'est toujours une maman parce qu'on n'en a qu'une, de maman... et elle avait raison.

Mais si elle n'avait pas été là, elle, je ne serais probablement plus là, moi, pour le raconter aujourd'hui, ou alors dans quel état ?

Pour celles et ceux qui envieraient l'enfance qui fut la mienne, et sans vouloir la leur faire sur l'air de la « Pauv' petite fille riche », je me dois de préciser ceci : j'ai grandi au milieu de gens exceptionnels qui côtoyaient d'autres gens exceptionnels... Mes parents ont vécu une passion violente, exclusive et... exceptionnelle, dans laquelle il n'y avait de place pour personne. Et ma solitude d'enfant fut souvent exceptionnelle.

Ma mère avait un sens très ambigu de la famille, du moins de la sienne. C'est donc du côté des Livi que je me suis trouvé des oncles, des tantes, des cousins, des grands-parents et même une « marraine », sans avoir jamais été baptisée. Tous émigrés italiens de Marseille, ils ont mis beaucoup de soleil dans mon arbre généalogique, et du même coup beaucoup de bonheur dans ma vie d'enfant à partir de ce moment-là.

Je n'ai pas le souvenir d'avoir jamais connu le pasteur, mon grand-père paternel, ni sa femme alsacienne, ni vraiment aucun de mes oncles ou tantes de la branche Allégret, qui étaient au nombre de six.

J'ai beaucoup entendu parler de ma tante Valentine qui habitait tout près du Flore et à qui Papa rendait souvent visite sous l'Occupation, davantage pour piquer dans ses réserves, qui étaient luxueuses en ces temps de guerre, que pour lui témoigner sa tendresse.

Ma mère la haïssait, tout comme elle haïssait mon oncle, le colonel Frédéric Allégret, qui lui avait donné du « Mademoiselle » long comme une année d'Occupation, alors qu'ils étaient venus déjeuner au mess des officiers avec Papa et qu'elle était enceinte jusqu'aux yeux de mon « grand-petit frère ».

J'ai à peine connu mon oncle Marc, autre cinéaste et pas des moindres, qui est à l'origine de ma filiation avec Gide et dont mon père me disait en ricanant qu'il était mon grand-oncle. Cet obscur mystère familial s'est brusquement éclairci le jour où j'ai compris, un peu aidée par ma mère, qu'en fait de grand-oncle, Gide était plutôt ma grand-tante, et mon oncle Marc, sa nièce...

J'ai dîné une fois avec l'oncle André Allégret, un oncle d'Amérique qui est mort peu de temps après sans nous laisser le moindre héritage, ce qui la fout mal pour un oncle d'Amérique.

Voilà pour la branche Allégret.

Mais il y avait aussi mon oncle Alain, un Kaminker celui-là, adorable, délicieux, tendre et drôle de tonton cinéaste qui m'emmenait parfois aux Invalides en compagnie de son frère Jean-Pierre pour voir la statue du général Fayolle. Il se noiera dans le raz de Sein en décembre 1958, en réalisant un film sur la vie des marins-pêcheurs de l'île.

Quant à ma grand-mère Kaminker, Georgette, mais Jo pour les intimes, elle n'était pas du genre à venir prendre le thé chez sa fille, l'actrice qui vivait avec le saltimbanque, pas plus d'ailleurs qu'elle n'était tentée de m'emmener au cirque le jeudi. Pour le cirque, elle préférait se rendre chez son fils Alain qui avait le mauvais goût de vivre avec une certaine Colette. Colette lui déplaisait presque autant que Montand parce qu'elle avait de grands cheveux qu'elle passait au henné dans l'évier de la cuisine... ce qui n'était pas propre. En fait, la malheureuse avait surtout le tort d'exister. S'ensuivaient des scènes abominables entre Alain et sa mère qui, à bout d'arguments, quittait les lieux en emportant toujours une poêle ou une casserole.

Après son départ, Alain se précipitait régulièrement sur le téléphone pour appeler sa grande sœur et l'informer de l'état de démembrement progressif de sa batterie de cuisine, ce qui les faisait beaucoup rire.

Les rares fois où j'ai vu ma grand-mère place Dauphine, c'était lorsqu'elle venait me faire essayer les robes ou les manteaux qu'elle confectionnait pour moi. Elle était très habile de ses mains, et ses réalisations étaient de pures merveilles de couture. Seulement je n'aimais pas beaucoup porter ces robes blanches qui soulignaient ma silhouette trop ronde, ni encore ces manteaux de gros drap qui m'engonçaient et me piquaient le cou malgré leur doublure.

C'était une grande marcheuse, ma grand-mère. Je pense ne pas faire d'erreur en disant qu'elle venait de la rue Vaneau à pied, armée de ses cabas. En tout cas, j'ai le souvenir d'être allée en trottinant, à sa suite, voir les vitrines de Noël du Nain Bleu dont elle n'avait d'ailleurs pas tout à fait repéré l'emplacement exact sur le moment. Ça nous a donc fait une belle balade dans la rue Saint-Honoré.

Elle adorait la musique et affectionnait particulièrement notre Pleyel dont elle faisait vibrer le quart de queue avec force et sentiment dans le rez-de-chaussée du 15, place Dauphine, juste avant mes essayages.

C'était un personnage extraordinaire, Georgette Kaminker. Elle était très drôle et très cultivée. Mieux valait quand même lui plaire pour apprécier tous ses talents, car elle savait aussi être d'une rare méchanceté.

Elle cuisinait fort bien, et j'ai un souvenir ému de sa pintade aux choux.

Je n'ai jamais vraiment su ce qui avait empêché qu'une véritable relation s'établisse entre elle et ma mère adulte. Toujours est-il que, lorsque je suis devenue moi-même adulte, ma mère s'est complètement déchargée sur moi de ce qui aurait dû être son devoir : en plus de subvenir aux besoins de ma grand-mère, la prendre aussi moralement en charge. Sans doute l'avait-elle déjà trop portée dans son enfance.

Je n'ai pas non plus beaucoup sauté sur les genoux de mon grand-père André Kaminker, interprète à l'O.N.U., inventeur de la traduction simultanée, et par ailleurs assez distrait puisque, après avoir quitté sa famille pendant la guerre pour rejoindre de Gaulle à Londres... il oublia un peu de rentrer à la maison à la Libération.

C'est à partir de ce moment-là, sans doute, que ma mère, qui était l'aînée de la famille, a dû sentir s'éveiller en elle la fibre « paternelle »...

Des parents de sang parfois présents dans mon enfance, il ne me reste que Jean-Pierre, mon oncle survivant et chéri, l'éternel étudiant. Maman a déjà raconté comment tout le monde crut crétin ce petit garçon qui parla si tard... ce crétin qui fut le plus jeune agrégé de grammaire de France vers l'âge de vingt-trois ans, et qui ne veut d'ailleurs pas qu'on en parle – pas de son pseudo-crétinisme, mais de ses succès universitaires. Il est aujourd'hui maître assistant en linguistique à la faculté de Perpignan et vient de présenter, avec succès, sa thèse à l'âge de soixante ans.

Tonton, pourquoi tu tousses ?

Comment et où me situer dans cette famille où, à quelques exceptions près, j'avais le sentiment que personne n'aimait personne ? Maman n'aimait plus Papa, Papa n'aimait pas sa mère, mon grand-père Kaminker avait fui sa femme qui lui vouait depuis une haine farouche et une rancune tenace... jusqu'au jour où elle devint veuve et s'affubla pompeusement du nom de Madame veuve André Kaminker. Cela faisait ricaner ma mère et il m'a fallu attendre de lire *La Nostalgie* pour réaliser que, finalement, elle avait beaucoup aimé ses parents. Peut-être d'ailleurs ne l'a-t-elle elle-même compris qu'en l'écrivant. Pour ma part, j'ai aussi longtemps cru que je n'aimais pas mon père...

Mais moi, est-ce que l'on m'aimait ?

Enfant, je n'ai pas le souvenir d'avoir vécu une seule fête de famille, pas même un Noël. Maman détestait Noël. Encore une vieille blessure ? Il y a des parents qui reproduisent, et puis il y a ceux qui réparent... L'éparpillement familial de mon père et de ma mère était sans doute irréparable.

Toujours est-il qu'entre les pasteurs, les graines de prof, les linguistes, les juifs ashkénazes, les colonels et les intellectuels de tout poil, il était vraiment temps qu'un grand garçon d'origine modeste et méditerranéenne, mais promis à un bel avenir, vînt secouer les branches de cet arbre généalogique. Il apportait avec lui quelques beaux fruits, aux pieds solidement plantés dans la terre, pour étayer les parois d'un édifice familial quelque peu lézardé.

4

15, place Dauphine. C'est là que j'ai grandi, bercée par les gammes que Bob effectuait chaque jour pour entretenir la souplesse de ses doigts. Les études de Bach n'ont aucun secret pour moi, du moins pour mon oreille !

Bôôôôbi' ! modulait Montand de sa voix élastique. Bob Castella, il est tout petit, pas très baraqué, et à l'époque il était rondouillard. Le « Bôôô » évoquait bien le côté rond de sa personne. Il était émis dans le grave, dans une note tenue et large. Puis venait le « -bi ! ». Bref, aigu, resserré comme le haut de son corps. Généralement Montand accompagnait ce cri d'un geste circulaire de son index qui venait, pour finir, se poser délicatement sur le crâne de Bob, Bob qui souriait comme un petit garçon en levant son visage vers le haut de son « maître-86 » qui le taquinait gentiment.

La relation entre Bob et Montand n'est plus à décrire. En perdant Montand, Bob a perdu du même coup son père, son frère, son fils, la moitié de lui-même, et je n'ose pas imaginer ce qu'il serait advenu de Montand si Bob était mort avant lui.

Mais je suis encore toute petite. Le rez-de-chaussée du « 15 » résonne des répétitions avec les musiciens, des hurlements de Montand, et des fous rires de ma mère.

Tandis que j'apprends le verbe chanter à tous les temps de l'indicatif, à côté, dans le salon, on fait les travaux pratiques.

Et moi je suis pétrie de plaisir et d'admiration dans cette minuscule chambre-bureau-salle à manger où l'on relève le lit la journée pour pouvoir déplier des tablettes abattantes sur lesquelles je fais mes devoirs en fredonnant.

Je connais toutes les chansons de Montand par cœur, et souvent avant lui !

En 1980, quand il décide de rechanter et qu'il me demande de travailler avec lui (faute de quoi il ne remontera pas sur scène, rien que ça !), l'une de mes premières tâches consiste à taper les textes de toutes les chansons qu'il pense mettre dans son programme. Je les sais encore !

Et pourtant, il en est passé, des Beatles, des Souchon et autres Jonasz dans mon univers musical, et mon intérêt de groupie s'est souvent fixé sur d'autres idoles. Seulement voilà... les chansons de Montand, c'est un peu comme mes déclinaisons latines... elles me sont entrées dans l'oreille pour ne plus jamais en ressortir, et je ne parle pas de ce qui m'est entré dans l'esprit et dans le cœur en même temps que lesdites chansons.

Jamais on ne vit rez-de-chaussée plein nord autant baigné de soleil ! Nous vivons à la lumière électrique toute la journée. Montand doit baisser la tête pour franchir la porte et grimper le tout petit escalier qui mène, au premier, à l'unique chambre de cette drôle de tanière, mais ça ne fait rien. Nous avons la sensation de vivre au dernier étage d'un immeuble plein sud, sous trois mètres de hauteur sous plafond.

Je n'ai pas de vraie chambre, je ne peux jamais inviter de copains à la maison, et je ne saurai jamais ce que c'est que de donner un goûter d'anniversaire, mais j'ai le plus grand et le plus mystérieux terrain de jeux que l'on puisse connaître à mon âge : la place Dauphine.

Imaginez : les années cinquante-soixante, pas vraiment de voitures, des arbres plutôt. Des marronniers et des marrons, beaucoup de marrons par terre à la saison. Je vais à l'école communale de jeunes filles rue du Jardinet. J'y vais à pied, accompagnée d'abord, mais jamais par ma mère, puis seule un jour, mais pas sans que Montand me suive à mon insu, en robe de chambre écossaise et en mules de cuir noir, les seules pantoufles que je lui aie jamais connues. Il me suit en rasant les murs et en s'embusquant sous les porches des immeubles jusqu'au bout de la place Dauphine, pour être sûr que je fais attention en traversant la rue.

Arrivé devant chez Mlle Danloup, la libraire, il rebrousse chemin.

C'est là que s'arrête sa filature. C'est là aussi que commence un autre pays où l'on ne se promène pas en robe de chambre écossaise et en chaussons, même en chaussons de cuir. Les frontières de la place s'arrêtent au Pont-Neuf !

« Et voilà, elle est partie dans la vie ! » C'est comme ça qu'il résume la situation à Maman qui voudrait sans doute en savoir aussi davantage sur l'effet produit par une sortie matinale sur la place Dauphine dans cette tenue.

Mais lui n'a vu qu'une chose : partir seule en

classe ce matin-là, c'est le commencement de toute une vie.

Le Pont-Neuf, la rue Dauphine, la rue du Pont-de-Lodi, je passe devant l'école de garçons, je coupe la rue Saint-André-des-Arts, je m'engouffre dans le passage, et je déboule dans la cour de Rohan. Mon école est à quelques mètres.

La directrice, Mme Coste, veille sur ses jeunes filles avec une sévérité maternelle. Elle arrive du fond du couloir qui mène à son bureau, petite femme un peu ronde, pas jeune, toujours bien proprette sous son châle parme crocheté main. Elle est très gentille avec moi, très attentive aussi. Il faut dire que je suis bonne élève, assez souvent malade, et que Maman se repose beaucoup sur le corps enseignant pour assurer les intérims pendant ses absences qui sont fréquentes.

Je n'ai qu'une idée en tête : bien travailler pour rapporter à la maison les fameuses croix d'honneur qu'on nous remet chaque fin de semaine pour récompenser nos efforts et que l'on a le droit de porter jusqu'au mercredi suivant. Elles font ma fierté et j'espère aussi celle de mes parents dont je réussis à mobiliser un peu l'attention à travers mes succès scolaires. Mais les meilleures choses ont une fin et j'entre en sixième au lycée Victor-Hugo.

Pauvre Victor ! Il doit frémir d'horreur à l'idée qu'un établissement aussi terne porte son nom.

De retour de l'école, les devoirs vite expédiés, j'enfile un short blousant bleu marine sous ma jupe, LE short immortalisé par Diane Kurys dans *Diabolo-menthe*, ou, selon la saison, un survêtement acheté à La Belle Jardinière, et je cours rejoindre notre petite bande.

Daniel Casalta, notre chef, jouit d'un prestige particulier à nos yeux parce que son père est concierge au Palais de Justice. Nous organisons donc, sous sa conduite et sous son autorité, des descentes dans les sous-sols du Palais : derrière les lions de pierre et les barres de bronze qui les encadrent, l'aventure nous attend, à moins que ce ne soit le contraire... De lourdes grilles de fer sont disposées dans le sol, alternant avec des dalles de marbre. Elles abritent de mystérieux recoins, et leurs croisillons en forme de losange offrent de bonnes prises à nos petites mains. Il est donc décidé d'aller voir plus loin...

Quelques jours avant l'exploration, les filles entreprennent la confection des cordes qui serviront à descendre dans les sous-sols. Nous réunissons tout ce que nous pouvons trouver de morceaux de cordes et de ficelles afin de les nouer et de les tresser entre elles.

Le résultat est assez satisfaisant mais, pour juger de la solidité de notre fabrication, les garçons décident de tester d'abord les cordes en effectuant une descente à l'air libre depuis la corniche sur laquelle reposent de grandes statues de chaque côté de l'escalier central du Palais de Justice.

Casalta et « La Puce » (autre enfant du Palais, ainsi surnommé parce que tout petit déjà il était tout petit !) se rendent donc sur la corniche, et Casalta procède à l'essai en faisant descendre La Puce accroché à notre ouvrage, depuis le bord de la corniche jusqu'au sol. Cette descente, qui nous paraît longue et périlleuse, a lieu sans incident. Nous pouvons passer aux choses sérieuses.

Nous voici donc planqués derrière le lion, ce brave lion gauche, témoin complice et silencieux de toutes nos frasques enfantines. Si le lion droit pouvait parler, il n'aurait rien à raconter car nous étions toujours derrière l'autre.

Nous unissons nos forces pour arracher cette grille de son support. Ça y est, elle a bougé ! Encore un petit effort, voilà, nous y sommes. Il y a maintenant un trou qui mène Dieu seul sait où.

« On y va ? » « Pas moi, j'ai la trouille. » Oui, j'ai la trouille, et alors ? J'ai toujours eu peur de tout, je ne vais pas commencer à explorer les sous-sols du Palais de Justice pour faire la fière ! Moi j'ai tressé : moralement je suis descendue ! Je fais le guet, c'est bien suffisant.

C'est donc La Puce qui va commencer : il partira en éclaireur, il nous dira ce qu'il y a là-dessous. De plus, ce premier sous-sol donne sur un autre, où l'on ne peut accéder par aucun escalier. Il faudra donc que deux garçons descendent, l'un en avant de l'autre, pour s'aider mutuellement à aller plus bas. Quelle aventure !

Les voilà au premier niveau, Casalta et La Puce, nos héros.

La Puce scrute le second niveau avec sa lampe de poche.

– J'y vais ! lance-t-il.

Casalta l'aide donc à glisser au bout de sa corde. Brusquement, merde ! la corde se rompt, sans doute un peu usée par le test de solidité le long de la corniche rugueuse. Plus de peur que de mal. Nous bricolons quelque chose qui tienne la route le temps de ramener La Puce vers le premier niveau, mais Casalta ne veut pas redescendre, ni personne d'autre du reste, et notre épopée façon « Club des Cinq » s'arrête là.

Nous continuerons à faire le cochon pendu sur les barres de bronze, à escalader le lion gauche, à nous abriter derrière lui des regards indiscrets lorsque Casalta décidera de nous embrasser toutes sur la bouche...

Mais ce n'est vraiment pas notre principale préoccupation. Nous avons tant d'autres choses à faire ! Notamment organiser de gigantesques chasses au trésor sur des terrains qui s'étendent de la place Dauphine au quai de l'Horloge en passant par le quai des Orfèvres. A cette époque, il n'y a pas de code pour pénétrer dans les immeubles, et les escaliers sont accueillants. Nous avons donc de vastes champs d'action pour cacher nos petits messages et délivrer nos signes cabalistiques à la craie le long des murs. Il faut simplement éviter les foudres de quelques concierges qui en ont assez d'être importunées par les sonnettes que nous tirons par la même occasion.

Je n'ai pas vraiment le droit de quitter la place, mais l'ivresse de nos expéditions dans les deux grands magasins au bout du Pont-Neuf me fait largement oublier les risques encourus si je me fais prendre à désobéir.

C'est grisant de prendre les escaliers mécaniques de la Samaritaine à contresens. Pas mal non plus de se faufiler entre les comptoirs de La Belle Jardinière !

Là, bizarrement, je n'ai pas la trouille, j'ai simplement délicieusement peur. Malgré mon aspect grassouillet, je suis assez mobile, et les escaliers roulants sont, avec les patins à roulettes, deux exercices dont je me tire assez bien.

J'ai pour voisin Claude Worteman, dit « le fils Paul » parce que ses parents tiennent le restaurant Paul.

Il a du mal à intégrer le groupe. Les enfants sont méchants. Comme sa mère s'obstine à lui mettre des culottes courtes et qu'il est encore plus gros que moi, ses cuisses offrent une jolie surface de tir à la saison des feuilles mortes qu'à l'époque nous ne ramassons pas à la pelle mais dont nous récupérons les queues pour équiper notre arme diabolique, le lance-tiges : un grand élastique de cageot de fruits plié en deux et noué à chaque extrémité pour y enfiler le pouce et l'index.

De l'autre main, on replie ces tiges de marronnier à cheval sur l'élastique étiré à la limite de la rupture. Paf ! Aïe !... et je te marque du « V » de la victoire.

Ça claque fort sur les cuisses du « gros Paul » et ça n'est pas pour me déplaire. Il m'agace, à la fin, celui-là ! Il a tout mieux que moi ! Quand je reçois une patinette pour Noël, il en reçoit une aussi, mais à pédale, lui. Il a eu avant moi le vélo que mon père m'avait promis à chacun de mes anniversaires et que je n'ai jamais eu, jusqu'à ce que ma mère se lasse d'être une bonne mère d'enfant de divorcés, celle qui ne doit pas empiéter sur le domaine du papa. Le papa se faisant de plus en plus rare, un beau jour elle m'achète ce fameux vélo. Claude Worteman sillonne déjà la place, sans les mains, sans les pieds, mais, fort heureusement, toujours avec les dents.

Il a une cousine, aussi rose que lui, et qui porte les mêmes lunettes. Elle vient de temps en temps lorsque sa mère rend visite à madame Paul. Si elle se risque sur la place avec son cousin, c'est l'horreur. Parce que elle, elle porte toujours une robe chichi blanche et un gros chou dans ses cheveux roulés en longues et gracieuses anglaises. Pas de culottes courtes, mais des manches ballons et les bras nus ! et vlan, le « V » de la victoire !

Pauvre Claude, comme il a dû souffrir de tout cela !

Pour tout arranger, s'il joue avec nous sur les marches du Palais, il lui faut subir nos quolibets lorsque, vers six heures du soir, sa mère se poste sur la porte de son restaurant et l'appelle dans un souffle aigu et imperceptible. Claude, pétri de honte, fait celui qui ne voit pas, car en fait l'appel de madame Paul se voit plus qu'il ne s'entend. Difficile pourtant de le rater, ce cri, énorme dans sa robe noire, sur le pas de son restaurant d'abord, puis assez vite presque au milieu de la place. « Claude ! ta mère t'appelle ! » et nous imitons son cri, semblable à celui d'une sirène noyée au loin, très loin dans la brume : « Cleu-eu-eud... »

Madame Paul était l'une des figures de la place Dauphine. Avec son imposante stature de matrone, toujours impeccable dans des robes noires ou grises, quelquefois même blanches à fleurs ou à pois, elle aurait pu inspirer Daumier pour l'une de ses caricatures.

Le temps n'avait, semble-t-il, jamais eu de prise sur elle. Ses joues étaient lisses et roses, son large sourire découvrait des dents importantes, et ses cheveux étaient toujours roulés dans le même mouvement autour de sa tête.

Son restaurant faisait courir le Tout-Paris, la province, l'étranger, et même les voisins, et mes parents n'étaient pas les derniers à y avoir leur table. Les gens réservaient longtemps à l'avance pour goûter à la célèbre escalope en papillote, manger des sardines servies dans leur boîte d'origine et déguster un baba à la gelée de groseille et flambé au rhum dans son plat en inox.

Madame Paul n'avait pas très bon caractère, disons simplement qu'elle avait du caractère. Elle ne devait pas être si terrible que cela puisque certaines des serveuses de mon enfance sont encore là, dans leurs tenues noires et tabliers blancs. Et puis elle devait mener son affaire toute seule, son fils unique étant encore trop jeune pour remplacer monsieur Paul, prématurément disparu.

Madame Paul avait donc ses têtes, et la magie de cette histoire est que celles de notre famille avaient l'heur de lui plaire, sans restriction. Je veux dire par là qu'elle n'était pas plus sensible à la notoriété de mes parents qu'elle ne l'était à la gentillesse de Tatie, de Tonton ou de Bob. Elle aimait ses voisins, c'est tout, et nous le lui rendions bien.

Nous échangions un traditionnel brin de muguet au premier mai, des œufs en chocolat à Pâques, et plus nous avancions dans la belle saison, plus j'allais l'embrasser en rentrant de l'école car j'adorais les cerises. La vitrine de son restaurant offrait aux passants la vision appétissante de petits paniers remplis de belles cerises luisantes, et je repartais rarement sans avoir goûté à quelques-uns de ces fruits rouges et juteux qui semblaient n'attendre que moi aux pieds d'un petit ramoneur savoyard en porcelaine.

Dans ces années-là, la place était un vrai village. Il y avait l'épicerie de M. et Mme Rousseau, chez qui nous nous fournissions en élastiques. Il y avait aussi la buvette, tenue par une dame sans âge chez qui nous allions acheter nos « boules changeantes », nos boîtes de coco Boer dans lesquelles nous faisions un trou et qui laissaient sur nos langues des fragments de peinture rouge, jaune, verte ou bleue, et les inévitables « Mistral », gagnants ou non...

C'est là que j'ai acheté mes premiers « Carambar », ceux-là mêmes avec lesquels j'ai réussi à dessouder les bagues qui retenaient l'un de mes appareils dentaires, en mâchant vigoureusement ces pâtes brunes et sucrées sous le regard ému du lion gauche du Palais de Justice. Pauvre docteur Desseles, je lui en ai fait voir de toutes les couleurs avec mes dents ! Il faut dire qu'en ce temps-là je suçais mon index tout en m'agaçant jusqu'à l'éternuement l'intérieur de la narine avec un cheveu que je m'arrachais sur le sommet du crâne. En cessant de sucer mon index, j'ai échappé à une calvitie précoce.

Beaucoup plus tard, alors que je ne portais plus d'appareils depuis un certain temps, j'ai eu la joie, la surprise, et surtout l'émotion de recevoir une petite carte de visite du même docteur qui disait ceci : « Le docteur Desseles vous félicite pour votre talent et votre joli sourire. »

5

A l'époque des Carambar la vie est vraiment belle. Ma mère a passé le relais à ma Tatie Livi. J'ai donc, en plus des arbres, des marrons et des élastiques de cageots, une famille toute neuve, agrémentée d'un grand frère puisque ma mère, qui ne trouve pas normal que ce petit Livi continue d'être élevé par sa tante et ses grands-parents dans la banlieue de Marseille, décide de reconstituer leur triangle magique en installant Elvire, Julien, puis Jean-Louis au cinquième étage du 15.

Tatie et Tonton abandonnent la banlieue parisienne où ils vivaient jusqu'ici sans leur fils. Tatie quitte la Snecma où elle était secrétaire, quant à Tonton il poursuit sa fonction de secrétaire général de la Fédération de l'alimentation française.

A cette époque on ne parle pas encore de « roulotte », mais la notion en est déjà introduite dans notre existence. Enfin Jean-Louis arrive à Paris, et c'est rougissante et intimidée que je fais sa connaissance.

Il est bien sûr beaucoup plus grand que moi. Il est un peu joufflu, mais moins que moi. Il a des cheveux coupés en brosse et un terrible accent marseillais dont il a un peu honte. Son oncle, Ivo Livi dit Yves Montand, prend un malin plaisir à lui faire raconter ce qu'il a mangé. Le « saussissong » qu'il a dégusté au début du repas chante encore à mon oreille.

Très vite, Jean-Louis s'adapte à sa nouvelle vie. Il devient copain avec un autre « grand » de la place, Alain Dhénaut, qui habite quai de l'Horloge. En grandissant, ils deviendront de vrais amis.

Je me rappelle un jour où j'ai humilié Jean-Louis sur le trottoir devant le 15. C'était très méchant. Il en a conçu un vif chagrin au point qu'il m'a caftée à Tatie. J'en ai été bien triste moi aussi parce que je l'aimais. Parfois, je me demande s'il ne m'en veut pas encore. En fait, je devais être jalouse. Jalouse parce qu'il était plus grand que moi et qu'il avait la chance d'habiter avec ses parents.

Et puis, il nous avait piqué Alain, Alain dont j'étais secrètement amoureuse.

Mais on rigole bien au cinquième. Nous partageons la même chambre. Je n'ai donc toujours pas de chambre à moi, Jean-Louis non plus d'ailleurs, mais j'ai un grand frère, lui une petite sœur très bavarde, même au beau milieu de la nuit si l'orage vient ouvrir une fenêtre mal fermée ou secouer la porte.

– C'est drôle, cet orage, hein, Jean-Louis ? On n'aurait pas dit, avec le beau temps qu'il a fait aujourd'hui, qu'il allait pleuvoir, pas vrai ?

– Blablablablablabla... rendors-toi, demain il fera beau.

J'ai enfin une vraie vie de famille.

Un frère à qui je peux parler la nuit quand il pleut, un « papa » qui réveille les enfants avant de partir au travail, à l'italienne, avec un doigt de café bien fort et bien sucré dans le fond d'une tasse, et une « maman » qui prend le petit déjeuner avec nous, le tout avec vue imprenable sur les quais de la Seine et sur le Pont-Neuf, ce qui pour moi est très nouveau.

Pas la vue imprenable, mais les petits déjeuners en famille. C'est vrai que jusque-là mon rythme de vie au rez-de-chaussée avait été tout différent.

Il y avait bien sûr chez nous une « dame-qui-travaille-à-la-maison », car on ne disait pas « bonne », et à juste titre d'ailleurs, car, s'il avait fallu qu'il y eût une « bonne », je pourrais dire qu'à certains égards c'eût été plutôt moi. En tout cas, la bonne de la bonne c'était moi. C'est moi qui me levais la première, qui faisais le petit déjeuner pour nous deux, qui déjeunais souvent seule après avoir dévoré le petit mot que ma mère me laissait tous les soirs sur la table de la cuisine et qui disait toujours plus ou moins : « Ma souris, travaille bien, je t'aime, je t'embrasse. Maman. »

A côté, il y avait souvent un autre mot : « Réveil 11 heures. Merci. » Et puis un jour, je me suis aperçue qu'il y avait une faute à « Merci », une cédille au « C » ! Je crois que ça a été l'une de mes premières fiertés. Constater une faute d'orthographe chez ma mère. Ainsi, elle aussi elle pouvait faire des fautes d'orthographe ! Incroyable ! Elle n'a d'ailleurs pas admis tout de suite qu'il y avait une faute, la règle du bon docteur Bled y a à peine suffi.

Après mon petit déjeuner, je montais sans bruit dans la salle de bains qui était en face de la chambre de mes parents, je faisais ma toilette et je redescendais m'habiller. Je quittais la maison vers 7 h 30, après avoir rincé mon bol et nettoyé ma table. Avant de partir, je réveillais la bonne avec son petit déjeuner... au lit.

Cette période se situe dans mes premières années de lycée, j'avais quand même onze ou douze ans. Ça me mettait en forme pour aller attraper mon « 96 » devant le Palais de Justice.

Ah, ces dames qui travaillaient chez nous ! Marcelle fut la personne qui m'accompagna à la communale pour la première fois, j'avais six ans. Tatie n'était pas encore dans ma vie.

Elle était mariée à Georges, qui avait eu une enfance difficile. Il venait de l'Assistance publique. Il avait grandi en milieu rural, placé très tôt comme garçon de ferme dans la région du Morvan, ce qui lui valait un accent paysan presque caricatural.

Georges, malgré sa maigreur due à un séjour en Indochine dans la Légion étrangère, était débardeur aux Halles, si bien qu'ils vivaient un peu à l'enseigne du « veilleur de nuit et de la femme de ménage ». Au bout d'un moment, ils ont décidé de changer de vie. Ils ont choisi d'aller travailler ensemble, et de jour, dans un bar-tabac.

C'est ainsi que Marcelle a cédé la place à Hortense. Nous changions de tête, mais pas de région. Hortense venait d'Objat. La Corrèze et la Dordogne étaient « payses », et elles devinrent amies pendant la passation de pouvoirs.

Hortense avait une santé précaire, le certificat d'études et une orthographe à toute épreuve. Elle me faisait faire mes devoirs, et ma mère était éblouie par son savoir et son aptitude pédagogique. De son côté, Hortense compensait avec moi le vieux rêve d'institutrice qu'elle n'avait pu assouvir du fait de sa petite santé et des difficultés financières de sa famille. Il y avait encore un petit frère qui devait faire des études, et elle s'était sacrifiée.

Je lui dois une partie de mes succès scolaires d'alors, c'est pourquoi je ne saurais lui en vouloir de certains verres d'eau glacée qu'elle me jetait parfois à la figure à table, pour me (se ?) calmer les nerfs.

C'est à cette époque que Maman et Montand ont acheté la maison d'Autheuil.

Maman s'est vite souvenue que Georges du Morvan avait toujours aimé la campagne et les bêtes. Le départ de Marcelle s'était effectué sans heurts, avec juste assez de tristesse, de regrets et de reconnaissance pour que les portes restent largement ouvertes.

Georges n'aimait pas trop cette vie de bistrot : la clientèle cessait de l'amuser après onze heures du matin, quand les habitués des Halles laissaient la place aux clients de passage. C'est donc tout naturellement que Maman est allée leur proposer Autheuil. Pour les retrouver, elle n'a pas eu beaucoup de chemin à faire, le bar-tabac était au bout de la place Dauphine.

Georges et Marcelle auraient pu patienter un peu dans leur bar et prendre la gérance du lieu, mais ils ont préféré la Normandie et la famille Montand.

Hortense mariée, puis mère de famille, Colette est arrivée. La grande Colette, avec ses grands pieds, ses grandes dents et son large sourire qui découvrait des gencives aussi grandes que ses dents. Un sacré numéro ! Elle avait le mérite d'avoir beaucoup d'humour et pas mal de goût pour arranger la maison, ce qui lui a permis de faire avaler la plupart de ses fredaines à mes parents qui avaient bien du mal à résister lorsque, à Pâques, elle servait le petit déjeuner, sérieuse comme un pape, la tête entourée d'un gigantesque nœud récupéré dans une des multiples corbeilles de fleurs qui arrivaient à la maison en ce temps-là.

Quand elle est entrée chez nous, elle était enceinte, et elle ne l'a pas dit, bien sûr. Comme elle était maigre comme un coucou et plate comme une limande, ça a tardé à se voir. Vers le sixième mois de grossesse, Tatie a découvert le pot aux roses, ou aux choux, qui sait ? Et ce qui devait arriver arriva. Mes parents gardèrent la mère et l'enfant ! C'était la joie dans la maison. Je me demande si Maman, qui avait perdu deux enfants de Montand après six mois de gestation et qui avait donc vécu deux vrais deuils prénataux, ne nous faisait pas une maternité par personne interposée.

Donc Autheuil se meuble et s'organise petit à petit. Le ventre de Colette grossit, et elle accouche au mois de juin d'un petit garçon qu'elle prénomme Georges-Yves, bien sûr. En fait, cet enfant tombe bien. Marcelle et Georges non plus n'ont pas d'enfant.

Et moi au milieu, je continue à être la bonne des bonnes. C'est fou ce que je fais comme progrès en arts ménagers à cette époque.

Et cela ravit mes parents. Il n'était pas moral qu'une gamine se fît servir, et je me demande même jusqu'à quel point ils jugeaient moral de se faire servir eux-mêmes. Je me retrouve donc être le bouc émissaire de leur culpabilité, leur train de vie leur paraissant jurer avec leurs convictions politiques.

C'est probablement pour les mêmes raisons que toute leur vie, ou presque, ils auront beaucoup de mal à se comporter en patrons. Cela leur a d'ailleurs valu ce ravissant surnom de « patron d'gauche » que Marcelle et Georges ME jetaient au visage lorsqu'ils étaient en pétard contre Maman ou Montand qui parfois étaient obligés de leur rappeler qu'ils étaient quand même chez eux, chez eux !

6

En dehors des élastiques qui entourent ses cageots de fruits, l'épicier de la place a quelque chose d'infiniment plus précieux pour moi : ce sont ses deux filles, ce sont mes amies, Michèle et Yvette Rousseau.

Toutes nos vacances, nous les passons à Autheuil, avec ou sans mes parents, ce qui ne change pas grand-chose d'ailleurs car nous ne prenons jamais nos repas avec eux.

Nous mangeons avec Marcelle et Georges à la cuisine et, quand il y a du monde, on se dépêche de débarrasser pour que la cuisine soit claire.

Nous faisons d'abord notre vaisselle, puis celle des parents et des invités, à tour de rôle : une qui lave, deux qui essuient. Celles qui essuient, et qui bien sûr n'aiment pas ça, prennent un voluptueux plaisir à rejeter impitoyablement dans la plonge toute pièce de vaisselle douteuse.

Puis nous montons dans l'aile de la maison qui nous est réservée, et où ma mère a installé notre dortoir. Nous avons chacune un sac à linge en espèce de toile cirée à carreaux verts et blancs dans lequel nous nous débarrassons de nos vêtements sales, hormis nos dessous que nous lavons nous-mêmes à la main dans le lavabo de la salle de bains avec du savon en paillettes Lux.

Nous partageons cette salle de bains avec Colette, la grande Colette qui a une chambre au bout de notre aile, ce qui lui permet de vérifier si nous sommes bien endormies lorsqu'elle traverse notre dortoir pour aller se coucher, et souvent même avant, car elle a la fâcheuse manie de venir écouter à notre porte. Sa manœuvre pourrait passer inaperçue si l'on faisait abstraction de l'espace existant entre le bas de la porte et le carrelage de l'aile qui, pour être fort beau, n'en est pas moins irrégulier puisqu'il est ancien. Cet espace, en contre-jour avec la lumière du couloir, laisse voir des pieds qu'elle a très grands ! Telle l'autruche qui croit qu'on ne la voit pas lorsqu'elle enfouit sa tête dans le sable, elle colle sa grande oreille contre la paroi pour entendre si tout dort. Dans sa mission, elle en oublie sa paire de 42 fillette qui se dessine sous la rainure de la porte. Nous, nous sommes dans le noir depuis un bon moment déjà, extinction des feux oblige. Nous avons l'œil aiguisé et une solide habitude de son manège. Nous lançons un cri de guerre pour nous signaler que nous sommes épiées. « Belzébuth Colette ! Belzébuth Colette ! » répétons-nous à voix haute afin qu'elle sache qu'elle perd son temps.

Ce cri est efficace de jour comme de nuit, si bien qu'une fois, en plein milieu d'un après-midi pluvieux, un jour qu'elle écoute encore à la porte avant d'entrer, nous entonnons très fort : « Belzébuth Colette ! »

Une furie fait irruption dans la pièce, car en plus d'être indiscrète elle doit sans doute être un peu sourde ; elle a compris : « Belle et bête Colette ! » Pourquoi belle ? On se le demande.

Bien sûr ce sont les vacances, mais rien ne change

du bon esprit qui régit mon éducation : nous faisons chaque jour notre lit... et celui de Colette, et notre salle de bains rutile après son traitement au Curémail. Je la vois bien, cette boîte de pâte rose, ronde, en métal bleu ciel.

Nous faisons les vitres au Glassex qui, à l'époque, était un liquide rose et épais, présenté en bidon grenat métallisé. A la façon dont je me rappelle la marque et le conditionnement de tous nos instruments de travail, il semblerait que je sois au bord du traumatisme ménager.

Il faut aussi prendre son tour d'aspirateur. Allez, tant pis, je le cite, c'est un Hoover. C'est ma bête noire. Il est horriblement lourd. Il a une espèce de grosse tête chercheuse éclairante, montée sur roulettes, et un grand manche qui porte le sac à poussière, maintenu par une pince et un ressort. L'horreur, c'est quand quelque chose se prend dedans. Il faut débarrasser le rouleau de ses cochonneries et, bien souvent, la courroie rend l'âme... mais il reste malgré tout beaucoup de temps pour la rigolade, même quand Colette défait nos lits sous prétexte qu'on les a bâclés.

C'est à cette époque que nous sommes confrontées aux rudesses de l'existence, rudesses que nous appréhendons par l'intermédiaire d'un roman-photo d'une grande cruauté.

Un jour que nous nous trouvons dans la chambre de Colette, pour y faire son ménage, nous découvrons par terre, à côté du cendrier où traînent quelques mégots de Balto, une petite revue dont la couverture monochrome bleue représente un couple de mariés, de dos, dans le chœur d'une église.

Barrant la photo en travers, dramatiquement souligné d'un trait épais, on peut lire : « Sans alliance et sans fleurs d'oranger ». Palpitante, cette histoire doit être palpitante ! Au point que, lorsque l'occasion se présente, nous la lui subtilisons et nous la cachons dans notre cabane au fond du parc.

C'est Georges qui nous a aidées à la construire en branches de noisetier. Et comme il adore les enfants, il passe beaucoup de temps à nous apprendre la nature et à nous faire construire des cachettes. L'ennuyeux, c'est qu'une fois qu'elles existent, ces cachettes, il est le premier à les connaître !

Et c'est ainsi qu'un beau jour du mois d'août nous le voyons débarquer au bord de la piscine, drapé dans sa dignité de responsable de l'ordre des enfants. Il nous fait jaillir de l'eau sous l'œil ébloui de ma mère qui ne cherche même pas à savoir ce que nous avons pu faire qui justifie un tel courroux et une telle sanction.

Nous sommes assez morveuses, persuadées que nos lectures déplacées sont découvertes. En fait, il ne s'agit pas de cela. Heureusement qu'à la traditionnelle question : « Vous savez pourquoi ? » nous répondons : « Non », à tout hasard... autrement, c'en était fait de notre culture !

Ce qui nous est reproché n'a rien à voir avec nos craintes. Nous avions, selon notre bonne habitude et pour agrémenter nos lectures haletantes, dégommé quelques pommes vertes et néanmoins succulentes à l'aide d'une gaule, en noisetier bien sûr. Puis nous nous étions embusquées dans notre antre, munies de nos réserves. Là, le plaisir avait été total. Nous avions savouré tantôt une bouchée de pomme, que nous avions recrachée délicatement après en avoir sucé tout le jus, tantôt goûté quelques lignes de cette excitante histoire dans laquelle survenait, sur le seuil de l'église, dont les portes étaient restées ouvertes pendant la cérémonie de mariage, une femme qui hurlait : « Paul, Paul ! Ne dis pas oui, c'est moi, Hélène ! »... et c'était la fin de l'épisode, et pour nous la fin de l'histoire : Colette n'a jamais acheté la suite.

Ce qui a déclenché ce drame, en dehors du ravage des pommiers, c'est la découverte de ces goulées de cidre perdu, jonchant le sol de notre cabane et sous lesquelles, mêlé au sable ocre qui la tapissait, personne ne savait que nous avions enterré l'objet de notre fascination.

Nous en avons été quittes pour une belle engueulade et, il faut bien l'avouer, un léger mal de ventre.

Georges Mirtilon est mort en juin 1990. Il était tombé malade en même temps que ma mère... qui le croyait incurable et qui le plaignait beaucoup. Il a tenu cinq ans de plus qu'elle. Comme quoi, ce sont toujours les meilleurs qui s'en vont. C'est du moins ce que j'ai pensé à sa mort à elle en le voyant lui, debout et vivant, dans le hall de la maison, verser des pleurs sur le cercueil qui emportait vers le cimetière l'un de ses deux « patrons d'gauche ». Mais aujourd'hui, je mesure le chagrin que me procure sa mort. Il a entraîné avec lui quelques bribes de mon enfance.

J'ai neuf ans. Je suis dans le potager avec Georges. Je porte une salopette, un petit pull-over rayé à manches courtes (aujourd'hui, on dit T-shirt) et, sur mes cheveux courts, une casquette en toile bleu marine, la même que la sienne.

Tout me revient en vrac.

Je désherbe, je ramasse des betteraves à vache dans la cour de la ferme. Je plante des petits pois : trois ou quatre graines rondes, pas plus, dans les trous qui traversent le carré à distances régulières le long du cordeau. Il est fier de moi, je suis heureuse.

Il m'a appris à buter les asperges, à les cueillir. A ramasser les haricots verts, à récolter les petits pois que nous avions semés. Avec lui, j'ai connu le goût des framboises sur l'arbuste ; j'ai englouti des fraises et la terre dans laquelle elles avaient poussé. J'ai bu du lait aujourd'hui interdit, celui, moussu et tiède, qui sort tout juste du pis de la vache. J'ai appris à traire. Georges m'a appris à traire. Il m'emmenait dans le champ, j'avais mon seau et mon tabouret. Un trépied qu'il m'avait confectionné, identique au sien, mais juste à ma taille. La seule fois où ma mère est venue me voir traire, croyant que mon seau n'était pas correctement placé, elle a voulu le bouger. La vache a pris peur, elle a buté dans le seau, et tout le lait s'est répandu dans l'herbe. Ce fut un chagrin terrible pour moi, pour ma mère aussi.

C'est sur la 4 CV de Georges que j'ai appris à conduire vers l'âge de quatorze ans. Parfois nous allions braconner la nuit avec Jean-Louis, Alain et le facteur. C'est moi qui conduisais la traction du facteur à travers champs tandis que les garçons, assis sur les ailes de la Citroën, tiraient sur les lièvres qui s'affolaient dans la lumière des phares... et à dix-huit ans, j'ai réussi mon permis de conduire du premier coup.

Et puis j'ai pêché des écrevisses dans le ru qui serpentait alors généreusement le long des chemins. J'ai reconnu des champignons. J'ai sculpté des cannes dans le bois tendre des branches de noisetier. J'ai monté des cabanes, tendu des arcs, taillé des flèches. J'ai aidé des veaux à venir au monde en tirant sur la corde que Georges avait nouée autour de leurs pattes et attachée à un morceau de bois. Grâce à lui, la campagne n'avait plus aucun secret pour moi.

Du jour où mes parents ont acheté cette vaste demeure dans le bocage normand, j'ai un peu perdu de vue les rivages marins et j'ai dû attendre longtemps pour connaître le vertige de dévaler les pentes d'un massif enneigé. Je ne voudrais pas revenir sur le cas de la malheureuse enfant qui s'étiolait sur les terres familiales tandis que tant d'autres goûtaient aux joies multiples des colos où l'on pratiquait certains sports, mais tout de même : j'ai tenu ma première raquette de tennis vers l'âge de trente-huit ans, j'étais alors enceinte de ma fille Clémentine... Quant à la première fois où je me suis risquée sur le dos d'un cheval, j'ai failli faire de mon fils Benjamin un très jeune orphelin !

Comme il est loin le temps de Jane et de Tarzan, et celui de Maureen O'Hara ! Ces noms de bataille, c'était pour nous inventer des histoires. Nous en avions des choses à nous raconter ! Nous en avions tant que nous nous écrivions en dehors de nos périodes normandes.

Yvette ne voulait jamais dormir sur le ventre parce que ça empêchait les seins de pousser, moi j'aimais Alain en secret (de Polichinelle) et Michèle, qui était plus âgée que nous, a bien failli épouser Jean-Louis.

La terre du parc et les dalles de la terrasse auraient pu garder pour l'éternité la mémoire de nos jeux, les traces des pas de ma mère ou le souvenir du froissement des feuilles quand Montand s'embusquait dans les buissons avec sa caméra super 8 pour filmer les monstresses que nous devions être lorsque, déguisées en Indiens, et mises en scène par ses soins, nous effectuions une danse du scalp autour du beau cow-boy Alain Dhénaut...

Les arbres auraient sans doute un jour raconté à leurs feuilles et à leurs petites-feuilles tous les rires et tout l'amour qui sont passés dans cette maison... avant.

Heureusement, il reste la mémoire, plaignons ceux qui l'ont perdue.

7

En dehors des périodes de vacances, ma vie se partage en deux. Dans un premier temps, en rentrant de l'école, je fais mes devoirs au rez-de-chaussée puisque Tatie assure maintenant le secrétariat pour Maman et Montand. Puis je monte avec elle au cinquième après avoir fait les courses « à la rue Dauphine ». Nous rencontrons souvent son amie Jeanine Demay, sa compagne de cellule du Parti communiste du premier arrondissement. Fascinée par leurs conversations, je peux suivre, jour après jour, l'évolution de l'état de santé d'une de leurs amies qui semble leur tenir particulièrement à cœur, une certaine Staline, je crois...

Oui ! il y a bien Claudine, Pauline, Rosine, alors pourquoi pas Staline ?

La rue Dauphine de mon enfance est très commerçante. Quand je deviens un peu plus grande, je vais faire les courses toute seule. A ma question : « Qu'est-ce que je te prends, Tatie ? » elle me répond toujours : « Porte-moi un sou de tout ce que tu vois. »

C'est aussi avec ma Tatie que j'assiste à ma première manif' : « Libérez Henri Martin ! Libérez Henri Martin ! » Il était joli, le petit béret de marin bleu marine à pompon rouge qu'on avait accroché au revers de mon manteau et que beaucoup portaient, en signe de solidarité avec ce marin condamné en 1951 pour ses activités contre la guerre d'Indochine.

C'est aussi ma tante qui lave à la main les mouchoirs maculés de sang de mon oncle Jean-Pierre, le petit frère « crétin » de ma mère qui prépare son agrégation de grammaire dans le pigeonnier au-dessus de chez Tatie et Tonton et qui se fait taper dessus au cours de manifestations antifascistes sur le boulevard Saint-Michel.

Et puis c'est encore elle qui me soigne quand je suis malade, qui me console quand j'ai du chagrin, qui trouve mille phrases pour excuser la dureté de ma mère dans ses rares moments de présence, elle qui me couvre quand je fais une bêtise.

C'est elle aussi qui m'achète ma première paire de bas. Des bas Dimanche en mousse opaque (très opaque) et ma première paire de chaussures à hauts talons (très bas) pour accompagner Jean-Louis et Alain le dimanche au cinéma, car je leur colle souvent aux semelles.

Et lorsque en cet après-midi du 22 juin 1960 je vois mes règles arriver pour la première fois, c'est à elle aussi que je montre fièrement les premiers signes de ma féminité. Ma mère étant encore absente, elle lui télégraphie : « Simone, aujourd'hui ta petite est devenue jeune fille. »

Et pour que ma joie soit complète, elle m'envoie à la papeterie Gaubert acheter le stylo dont je rêve : un beau Waterman noir avec une plume en or.

La papeterie Gaubert se trouve à l'entrée de la place, sur notre territoire. J'en connais les moindres recoins. J'y passe de longs moments lorsque je ne suis pas en classe. Je me sens chez moi dans cette boutique qui a la particularité d'avoir aussi une entrée qui donne sur le quai de l'Horloge. Elle est tenue par un monsieur qui s'appelle Jacques.

Petit à petit, j'y prends une vraie place en venant aider le jeudi et certains soirs après l'école. J'emballe les paquets dans du papier kraft et je les ferme avec du papier gommé dont on tire les morceaux d'un dévidoir à réserve d'eau et que l'on humecte sur un petit rouleau avant de le déchirer sur un bec cranté.

Je rends la monnaie et je note chaque entrée de caisse sur une fiche détaillée que j'empale ensuite sur une pique. J'ai des responsabilités, on me fait confiance et c'est très important pour moi.

Chez Gaubert, on vend le papier au poids. Les cotes de plaidoiries, le papier pelure d'oignon, le papier japon de différentes couleurs et de différents grammages sont entreposés dans des casiers de bois. Sur le comptoir, il y a une balance en fonte émaillée noire, dont l'un des plateaux est absolument plat, et différents poids. Je joue à la marchande et j'adore ça.

Le papier, c'est doux et ça sent bon. Jacques me récompense de mon travail à coups de stylos bille puis, plus tard, de feutres et crayons en tout genre, et les copies Clairefontaine ne coûtent jamais très cher à ma famille. De cette époque me vient un amour immodéré pour la papeterie sous toutes ses formes et pour les stylos en général.

Mon apprentissage de papetière coïncide avec le début du lycée. La petite bande de la place Dauphine commence à s'étioler. Nous jouons moins. En fait, nous avons déjà commencé à vieillir, l'adolescence se profile sournoisement à l'horizon.

Le lycée Victor-Hugo, c'est ce que j'ai vécu de pire dans mon histoire scolaire ! Il ne me reste aucun souvenir précis de cet établissement si ce n'est une impression générale de rombières et de chipies.

A part une prof d'anglais qui nous a enseigné toute la grammaire sous forme de comptines et qui, pour nous donner une idée de l'accent britannique, nous a fait répéter à la manière d'une vieille Anglaise : « Les dames de Perpignan prennent du thé avec des petits gâteaux secs », jusqu'à ce que nous ayons l'air de venir d'Oxford, je ne me rappelle aucune enseignante, aucune copine, rien, personne. Personne à part Hélène Boisseau. Nous étions en quatrième ensemble et d'assez médiocres élèves.

Elle me fascinait. Grande, brune, mince, elle portait les cheveux longs. Elle avait l'air d'une femme, elle mettait des bas et elle voulait être dessinatrice de mode. Elle habitait rue de Rivoli avec sa mère, Christiane. Je n'ai jamais connu son père.

Elle était plus âgée que moi, elle avait déjà embrassé un garçon, et elle collectionnait les crocodiles Lacoste des étiquettes de chemisettes. Elle était amoureuse d'un certain Patrick qui bien sûr portait des chemises Lacoste et qui voulait faire Navale. Je ne l'ai jamais vu non plus, lui. Mais Hélène avait des tas d'histoires à raconter. Ses vacances à Marolles, Marolles-en-Hurepoix ! Je n'ai jamais su où c'était, mais ça ne faisait rien : elle en avait vécu, des choses, à Marolles-en-Hurepoix, et ce nom me faisait rêver !

J'ai ramené Hélène à la maison, je suis allée chez elle aussi, et puis elle est venue à Autheuil pendant des petites vacances. Mon cousin Jean-Louis était là avec son copain Alain, et elle m'a piqué Alain !

En fait, elle ne m'a piqué personne parce que Alain ne me regardait même pas. J'étais la « petite

sœur » de son copain Jean-Louis, j'étais petite, bou-
lotte, j'avais les cheveux désespérément courts,
j'avais l'air du bébé que j'étais et je n'avais jamais
embrassé de garçon.

Et je ne lui en ai pas voulu, à Hélène. Au
contraire, j'avais un peu l'impression de vivre par
personne interposée. J'ai beaucoup fonctionné
comme ça dans mon enfance.

Cela n'a rien changé à notre amitié, il fallait continuer à se serrer les coudes en classe où décidément
les choses n'allaient pas très fort. Les années se suivaient et se ressemblaient au lycée Victor-Hugo ;
l'ennui s'installait, et ma scolarité commençait à se
dégrader sérieusement.

Et cette année scolaire 1959-1960 aurait continué
de me dispenser ses vapeurs maussades dans la gri-
saille de son établissement de jeunes filles du quartier du Marais si Norman Granz, P.-D.G. de la
« Verve Records » et imprésario des plus grands
noms du jazz américain, ne s'était mis en tête de
faire chanter Montand à Broadway.

Maman et Montand sont donc partis ensemble
une fois de plus, me laissant derrière eux comme
d'habitude, mais avec un espoir fou dans le cœur :
si la première était un succès cela signifierait que
le spectacle allait durer un moment, donc, c'était
promis, je les rejoindrais.

Et le succès arriva. Ce fut même un triomphe, et
je fis mes valises.

8

Pour m'accompagner et s'occuper de moi à New York, Maman demande à Colette d'être du voyage. Non pas Belzébuth-Colette, mais Colette, tout simplement, tout tristement. La fiancée de mon oncle Alain, celle qui passait ses cheveux au henné et qui déplaisait tant à ma grand-mère. L'année précédente, mon oncle s'était noyé. A présent, elle était seule avec son chagrin, et Maman, qui avait elle aussi beaucoup de chagrin, avait envie de faire quelque chose pour Colette.

Nous embarquons dans un Super Constellation à destination de New York, via Terre-Neuve. Colette, qui n'a jamais pris l'avion de sa vie, est morte de peur. Elle me communique même sa trouille quand, se penchant au hublot et voyant les éclairs qui s'échappent des moteurs dans la nuit, elle décrète que nous flambons.

Enfin nous nous posons sans encombre à New York, et là une autre vie commence pour moi.

D'abord l'hôtel. L'Algonquin Hotel, 44e Rue, à quelques pas de Broadway à pied.

Une chambre pour moi toute seule, avec une télévision et une salle de bains pour moi toute seule aussi !

Room service ! On décroche son téléphone, on commande, et peu de temps après quelqu'un frappe à la porte et arrive, soit avec un plateau, soit avec une table roulante, selon l'ampleur de la commande. Magique !

La limousine aussi ! Alors ça ! je n'ai jamais vu ça de ma vie. Une gigantesque voiture qu'on croirait montée sur coussin d'air et qui glisse sous la seule poussée de l'index du chauffeur noir de Mrs. Bodne, la patronne de l'hôtel, qui a déjà pris toute la famille sous son aile.

La limousine, elle me fait rigoler jusqu'au jour où j'entre au lycée français. Je n'ai pas très envie que l'on me voie arriver dans ce corbillard. Bien vite, je me fais arrêter un *block* plus haut pour arriver à pied. Très vite surtout, je me déplace en bus.

New York, c'est comme un gros gâteau dans lequel on aurait fait des parts dans le sens de la longueur et de la largeur. Lorsque l'on a compris qu'un *block* c'est deux rues et que les rues, qui ne changent pas de numéro d'est en ouest de part et d'autre de Central Park, sont coupées par des avenues qui portent elles aussi un même numéro du nord au sud, on ne peut pas se perdre dans cette ville.

Heureusement, car le deuxième jour où je rentre seule du lycée, mon bus est détourné de son itinéraire pour cause de défilé en l'honneur de Christophe Colomb, le *Colombus Day* !

Je dois marcher longtemps pour rejoindre l'hôtel, et Maman, ne me voyant pas arriver, est morte d'inquiétude. Moi, ça va. Je suis plutôt fière de moi, et cet incident achève de m'apprendre la ville.

Pour moi, c'est la liberté, cette vie. Très vite

Maman doit se rendre à l'évidence : elle ne pourra pas appliquer ici les mêmes principes d'éducation qu'à Paris. Et puis elle a déjà fort à faire avec son « grand fils ». C'est ainsi qu'elle appelle Montand parfois lorsqu'il a besoin d'elle, et à New York, ce besoin est constant.

Les élèves du lycée français ont un mode de vie qui devra être le mien aussi, et ce sera bien comme ça.

Monsieur le consul Raymond Laporte aide à mon inscription en cours d'année, ses filles sont élèves de l'établissement. Mon entrée dans cette classe de quatrième se fait sans heurts.

Tous les élèves sont des enfants de diplomates, de journalistes ou de gens du spectacle. Ma présence n'a rien de spectaculaire. Le Marais est loin, les rombières aussi.

Je connais la joie d'une classe mixte sans équivoque ni chuchotements. C'est à croire que l'émigration, même provisoire, et luxueuse dans notre cas, engendre un état d'esprit sain et généreux.

Colette n'est pas d'une grande utilité dans cette aventure. Elle se fait assez mal à la vie new-yorkaise, et trouve notamment qu'il y a beaucoup de poussière dans cette ville. Cela lui vaut rapidement le surnom de « Colette Poussière » dont Montand l'affuble sans qu'elle le sache. Mais c'est l'occasion de rire entre nous en son absence. Ce n'est pas très charitable, mais, tout de même, il faut reconnaître qu'en dehors de la poussière il y a d'autres choses à voir dans cette ville.

Lorsqu'il nous arrive de passer des moments tous ensemble, Montand branche Colette sur l'état des rues, celui des rebords des fenêtres de l'hôtel, et ça ne rate jamais, nous avons droit à un couplet sur la poussière. Quant à Montand, en impassible interlo-

cuteur qu'il a toujours été dans les situations mys-
tificatrices, il alimente la conversation avec des
exemples totalement inventés et terrifiants qu'il a
pu observer ici et là.

En général, c'est au restaurant que le sujet revient
le mieux dans la conversation. Maman et moi, nous
cherchons souvent notre serviette sous la table, lorsque le propos prend un peu plus d'ampleur après la
commande et que nous n'avons plus le menu pour
abriter notre fou rire.

Je peux enfin assister au cérémonial de l'application du henné, et je dois avouer que, vu la longueur
des cheveux de Colette, je comprends, sans les excuser, les frayeurs de ma grand-mère. Surtout lorsque
Colette parachève son œuvre en couvrant l'obélis-
que qu'elle a maintenant sur la tête de quelques
feuilles de papier journal pour assurer une moiteur
à sa chevelure durant le temps de pose.

En fait, je n'ai besoin de personne. Plein de
copains ont leurs parents sur place, cela me fait
encore des familles de remplacement. Je séjourne
beaucoup au consulat de France ou chez mon amie
Agnès.

Il y a deux lits dans ma chambre d'hôtel, et mes
copines viennent aussi dormir à l'Algonquin. On se
réveille très tôt le matin pour profiter des joies du
Room service et des dessins animés à la télé avant
de partir au lycée. J'ai l'impression de rêver, une
sensation de liberté grisante.

J'entraîne mes copains au Henry Miller's Theater
pour qu'ils écoutent Montand chanter et je suis heureuse qu'ils le voient triompher. Je suis fière.

Le film *Room At The Top* qui rapportera l'Oscar
de la meilleure actrice à Maman, le 4 avril 1960,
fait déjà un tabac à New York ; maintenant c'est au
tour de Montand. Le couple est parfaitement équi-

libré professionnellement ; quant à leur passion, elle est intacte.

Il me semble bien que c'est à New York que j'ai vécu la première période heureuse de mon adolescence. Depuis treize ans que je survis dans une solitude surpeuplée de personnalités et agitée d'événements capitaux, ici, je vis, tout simplement. Tout me semble facile. Les choses deviennent simples lorsque l'on est heureux.

Je me mets même à aimer la géographie à travers les récits de Mr. Kieffer qui nous raconte le parcours des fleuves, la vie des sols et des reliefs avec autant de flamme que s'il nous parlait d'un ami ou d'une maîtresse.

A treize heures les cours s'arrêtent. Personne ne va à la cantine, nous avons le Soup'Burg du coin et Central Park pour digérer.

Un jour, il nous arrive un sujet catastrophique en français : « Ecrivez un poème. »

Seule dans ma chambre d'hôtel, sans oser demander de l'aide à Maman qui occupe la suite voisine, je peine lamentablement devant la feuille blanche et le stylo sec. Comment voulez-vous que je fasse un poème ? Comment voulez-vous que je fasse un poème... Voilà, j'y suis :

Comment voulez-vous que je fasse un poème,
Que je fasse rimer Paris avec fleuri,
Que je dise pourquoi la vie est un problème
Avec des mots comme : Ah ! que le ciel est gris ?

Les oiseaux sont charmants
Mais il faut reconnaître
Qu'on en parle tout le temps
Et pour peu qu'on regarde par la fenêtre

On y aperçoit des fleurs fréquemment
Comment voulez-vous que je fasse un poème ?

Je ne peux pas faire re-vagabonder
La douce brise sur mon papier
Ce ne serait que trop imiter
Les poètes qui m'ont précédée.
Alors, comment voulez-vous que je fasse un poème ?

Je rends mon devoir, un peu inquiétée par le côté gag de son contenu, mais malgré tout assez satisfaite car ces vers de mirliton ont déjà eu le bon goût de plaire à ma mère, ce qui n'est déjà pas mal.

Ils séduisent aussi ma prof et les autres élèves, car mon poème est choisi pour figurer dans le *Year Book* de l'année scolaire 59-60, avec celui d'un garçon de la classe, Antoine Comte. Lui, a versifié sur « La peur ». Antoine prend le bus à la hauteur de la 52ᵉ Rue, et souvent nous faisons le chemin ensemble. Il est gentil, timide et effacé.

Aujourd'hui il a dû vaincre sa peur car il est devenu avocat.

Le « *French singer* » a finalement surpris tout le monde ! Montand fait un tel succès que l'on prend la décision de jouer les prolongations. Sur Broadway d'abord, mais dans un autre théâtre puisque le Henry Miller n'est plus libre, puis avec une tournée sur la côte Ouest. Pour une fois on me demande mon avis. J'ai le choix entre les suivre en Californie ou bien rester à New York avec Colette et mes familles d'accueil, et continuer le lycée. Je préfère rester. Hollywood, ce sera pour plus tard !

Bien m'en a pris ! Je les aurais suivis, j'étais bonne pour être sur la photo ! Celle de ma mère, nommée, puis récompensée aux Oscars. Celle, moins drôle, de l'affaire Marilyn, puisque c'est à cette même époque que George Cukor a engagé Montand pour être le partenaire de Marilyn Monroe dans *Le Milliardaire*.

Moi, je suis restée au chaud à New York, et ainsi j'ai pu sauver quelques images de bonheur.

Ce trimestre aura passé à la vitesse des jours heureux. Les vacances arrivent, Noël aussi. Il faut rentrer en France. Tout cela est d'une grande tristesse. Au lycée, on prépare la fête pour la nouvelle année. Une pièce de théâtre dans laquelle je ne jouerai pas puisque je pars.

Je vais quitter mes amis, de vrais amis qui m'aiment pour ce que je suis et avec lesquels j'ai la certitude d'être enfin moi-même. Exaltante sensation que celle d'exister et de le savoir.

Je vais retrouver Paris où j'ai le sentiment que personne, à part ma Tatie, ne m'attend. J'ai tout oublié d'avant puisque je n'existais pas « avant ».

Je n'ai pas envie de réintégrer le lycée Victor-Hugo et son armée de vieilles filles. Je n'ai pas envie de quitter Agnès, Elizabeth, Florent, Antoine, ni le lycée, ni mes profs, ni la patinoire du Rockefeller Center, ni celle de Central Park, ni Central Park d'ailleurs.

Moi qui détestais les transports en commun, je commence à trouver que les bus new-yorkais sont les plus agréables du monde, même si parfois quelque exhibitionniste s'y produit lâchement. Ici le bus se paie en monnaie que le conducteur dépose dans une machine qui ressemble à une passoire à gros trous. Décidément, tout est différent et nouveau et unique pour moi. J'ai fait mon nid dans cette ville que des gens décrivent pourtant déjà comme l'une des plus dures du monde.

Moi, je n'y ai peur de rien. Je dois être grisée ou inconsciente.

Je rapporterai dans mes bagages un vrai chagrin, beaucoup de douceur, une solide connaissance de la langue américaine et, dans ma tête, beaucoup d'images en Technicolor.

La vision surnaturelle de la vapeur âcre qui s'échappe des bouches d'égout sur les trottoirs, les papiers gras qui se courent après le dimanche matin dans les rues désertées de Broadway, le bruit strident des sirènes de police qui croisent dans la ville nuit et jour, tout cela semblable à ce que j'ai vu au cinéma.

Broadway le jour, Broadway la nuit, le coucher de soleil sur Broadway, rose, bleu, orange, irréel sur fond de gratte-ciel, digne d'une amende à cinq cents balles dans un photo-club !

Le bonhomme Camel qui crache ses ronds de fumée, et puis les odeurs de frites dans la rue !... terrifiantes avec le recul. De la graisse de cheval, paraît-il ; je n'ai jamais vérifié l'information. Je trouvais tout cela épatant.

Un cheese-burger avec une tranche d'oignon doux, du ketchup, une portion de frites parfumées, et un chocolat avec de la crème fouettée, c'est la photo-souvenir de mon alimentation au Soup' Burg du coin de la rue.

Souvent aussi je grignote quelques cacahuètes en rentrant du lycée, c'est succulent avec les sodas !

Mais la nature est quelquefois mal faite. En alignant mon alimentation sur celle de mes copains, je suis la seule à en profiter. En trois mois de nourriture locale je trouve le moyen de gagner, en même temps que l'amitié de mes camarades de classe, onze kilos dont j'entoure ma taille et que je me plaque sur les joues.

Ma pauvre Tatie aura du mal à me reconnaître à l'aéroport. Je dois être assez vilaine ! Sur le coup, je ne m'en suis même pas aperçue. Sans doute à cause de King Kong, qui me faisait de l'œil du haut de l'Empire State Building !

9

Il me faut reprendre des habitudes européennes. Perdre des kilos me paraît peu de chose comparé à l'idée de réintégrer le lycée Victor-Hugo.

Même si je suis heureuse de retrouver Hélène, je ne parviens pas à atterrir et, totalement absente à moi-même, j'en fais encore moins qu'avant mon départ. Moins que rien, ça ne fait pas grand-chose ! Jusqu'à la prof d'anglais qui me prend en grippe à cause de mon accent américain !

Pendant les vacances de Pâques, Maman nous « fait Oscar » à Hollywood. Et ce n'est pas rien, cette récompense. Elle est la première actrice française à l'obtenir en langue anglaise, et ses collègues de nomination ne sont pourtant pas n'importe qui : Elizabeth Taylor, Katharine Hepburn, Audrey Hepburn et Doris Day.

Cela nous fait le plus beau des réveils en fanfare à Autheuil. La porte du dortoir de l'aile s'ouvre très tôt ce matin du 5 avril 1960, sur une Marcelle triomphante et heureuse, vraiment heureuse pour sa patronne. « Ça y est ! elle a gagné ! »

Oui, nous sommes tous heureux et fiers. Maman

a l'Oscar, Montand tourne à Hollywood, c'est un vrai conte de fées.

Et puis Maman revient. Pour l'accueillir dans sa maison, nous avons eu l'idée de barrer l'entrée du portail avec un ruban d'inauguration fait de pommes enfilées sur une ficelle, ruban qu'elle coupe à l'aide de la paire de ciseaux que je lui tends. La cour de la maison est décorée de banderoles en papier sur lesquelles sont écrits des jeux de mots à base d'« oscar » du type : Os ! car ma gnole est vide. Os ! car à pattes !... J'en passe et des pires ! Nous étions jeunes !

Pendant ces vacances de Pâques j'ai eu quatorze ans et mon premier soutien-gorge à balconnet. Ma marraine de Marseille m'avait envoyé un baby doll en nylon turquoise et une vraie paire de bas. Je suis d'autant plus éblouie par ce cadeau qu'il n'emballe pas réellement ma mère.

Ma copine Yvette flirte avec un voisin, ma copine Hélène avec Alain, Michèle, la sœur d'Yvette, avec Jean-Louis, et moi... je change les disques !

Ray Charles nous berce *Just For A Thrill*, et Belafonte se dispute le tour de blues avec Elvis sur la platine de notre « deux fois deux watts » Teppaz. Pour le moment je suis disc-jockey, mais ça ne va pas durer toute la vie.

La fin de l'année scolaire approche, transportant avec elle sa hotte de bonnes nouvelles... Mon entrée en troisième est subordonnée à un examen de passage général.

Maman me laisse néanmoins partir à Saint-Jean-de-Luz avec Hélène et sa mère. Enfin, à Ciboure, pour être tout à fait exacte. Ciboure, c'est de l'autre côté du pont qui enjambe le port de Saint-

71

Jean. C'est une location chez l'habitant, une femme discrète et chaleureuse dont un vieux réflexe familial m'interdit encore aujourd'hui de citer le nom, même s'il y a prescription. Il y avait pas mal d'allées et venues chez elle, et ma culture politique, déjà assez riche à l'époque, m'a toujours laissé penser qu'elle hébergeait des clandestins communistes espagnols. La frontière était toute proche. Peut-être y ai-je croisé Jorge Semprun sans le savoir puisque je ne le connaissais pas encore.

Pour aller à la plage, nous traversons le pont à pied et nous restons souvent un long moment à observer les bateaux qui reviennent d'une campagne de pêche. J'ai toujours dans les narines l'odeur violente qui flotte sur le quai où l'on éventre les thons au grand soleil. Je suis restée bien longtemps sans pouvoir apprécier la saveur de ce gros poisson à la chair rouge, même accommodé à la basquaise.

Mais à Saint-Jean, il n'y a pas que des thons morts. Il y a aussi l'océan Atlantique, le sable, les galeries du Prado où l'on se réfugie dès qu'il pleut (ce qui arrive assez souvent).

L'Arta, une digue qui brise la mer à l'entrée du golfe, est notre meilleure alliée météorologique. Même par grand beau temps on l'observe. Si sa silhouette devient floue, si enfin on la perd de vue, on comprend que ça va tomber, vite et dru. « Tiens, on va avoir un coup de brouill'Arta. » Et ça ne manque jamais. Brusquement le temps change, et on sait qu'on achèvera la journée sous les arcades, emmitouflées dans de gros pulls passés sur nos maillots. Et on adore ça. Nous ne sommes pas vraiment obsédées par le bronzage. Nous préférons les flippers et les baby-foot du Prado. Là, nous pouvons lier connaissance avec des filles et des garçons, des garçons surtout. Et si c'était la fin de ma carrière de disc-jockey ?

Le 10 juillet 1960, aux environs de 22 heures, un garçon m'embrasse pour la première fois. Beurk ! Ça ne me plaît pas vraiment. Pauvre Jean-Pierre, il n'y est pour rien. Eh oui, je me rappelle son prénom ; je me rappelle même son nom de famille, mais Jean-Pierre suffira.

Brun, pas très grand, pas très beau, mais charmant, il est de Pau. Il a dix-sept ans, c'est le premier garçon qui me regarde avec des yeux de garçon, et avec lui je me suis sentie un peu moins moche. C'est tout.

Un premier baiser, c'est exaltant pour le moral de celles qui ne veulent plus faire disc-jockey. Mais si c'est simplement une formalité pour se sentir moins bête, ce n'est pas agréable du tout. Il faudrait essayer avec un qui me plaise vraiment. On verra ça plus tard. En attendant, nous avons des copains, et moi un premier flirt que je n'ai embrassé qu'une seule fois ; mais bon, il faut bien commencer.

Et qu'est-ce que nous faisions dehors à une heure pareille ? Nous avions de petites permissions de nuit, c'était une autre époque, les rues étaient calmes, les adolescents aussi. Hélène avait deux ans de plus que moi, elle était raisonnable et sa mère n'était jamais loin. Le seul ennemi que nous ayons jamais croisé sur le pont de Ciboure, c'est le vent. Incroyable ce qu'il pouvait souffler fort.

Je garde de ces vacances la plus violente des émotions. Rien de sexuel ni de sentimental. Quelque chose de brutal, de terrible, une envie de mourir à l'instant. Nous sommes sur la plage, un matin, toute une bande. Mollement allongée sur le sable, le corps imbriqué dans le jeu de dominos que nous formons tous ensemble, une tête calée au creux d'une paire de reins, une autre reposant sur un ventre, et ainsi de suite..., j'essaie désespérément d'avaler la fumée de la Peter Stuyvesant que m'a offerte ma nouvelle camarade Elisabeth. Entre deux quintes de toux et trois éclats de rire, je m'émerveille en écoutant les récits de ses aventures scolaires dans une école qui m'évoque le paradis sur terre comparée au sinistre bahut que je rejoindrai à la rentrée.

L'Ecole alsacienne ! Comme j'envie sa hâte de retrouver sa classe ; l'émotion qui s'empare d'elle à la seule évocation de ses copains et de ses profs n'est pas sans me rappeler le lycée français de New York. Hélas, les écoles privées ne font pas partie des projets pédagogiques de la maison. Mais cela ne fait rien. Ce matin-là, je baigne dans une douce euphorie en partageant sa mémoire.

Brusquement un crieur de journaux passe, brandissant le dernier scoop de la presse spécialisée : « Demandez *France-Dimanche*, *Ici-Paris*... Tout sur Montand et Marilyn... Yves Montand restera-t-il aux Etats-Unis ? »

Et voilà le soleil qui me tombe sur la tête !

Mais quelle horreur ! Mais qu'est-ce qu'on va devenir !

On aurait annoncé la fin du monde que ça n'aurait pas été pire.

Personne ne dit rien.

Moi, j'écoute s'éloigner la scandaleuse nouvelle.

J'aurais voulu faire un trou dans le sable et m'y enfouir, pour ne plus l'entendre. Mais je crois bien que je perçois encore sa vibration.

Je brûle, je vais me consumer sur place. Sûr que la terre va s'ouvrir en deux, que le sable va fondre sous le feu de ma honte !

Je rentre à Ciboure avec Hélène. Le sang bat dans mes tempes, je crois que ma tête va éclater. Je tremble, j'ai la fièvre.

L'après-midi nous devions organiser une boum et nous la maintenons. Je ne suis pas très vaillante et, même si je ne suis plus disc-jockey, je fais tapisserie sur le canapé-lit, complètement ailleurs.

Un garçon dont j'ai oublié le nom s'approche de moi.

– Tu ne danses pas ?

– Non, je suis malade.

– Moi, je connais un truc formidable pour soigner.

– Ah bon ?

– Tu veux que je te guérisse ?

– Oui...

Et il m'embrasse. Je suis stupéfaite.

Jamais je n'aurais imaginé qu'il puisse me regarder un jour, celui-là !

Il m'embrasse, et je trouve ça vraiment agréable. Normal, le matin même j'avais grandi d'un seul coup.

Dans la soirée, je reçois un télégramme de Montand qui dit ceci : « Mon chéri, quoi que tu lises, quoi que tu entendes, ne crois rien. Je t'aime, je vous aime. Montand. »

L'orage s'éloignait doucement, j'allais tout de suite mieux.

Mais les pluies d'orage sont violentes et laissent parfois des marques profondes dans le sol.

Les vacances se terminaient. J'avais profité intensément de ce mois de juillet riche en découvertes et en émotions fortes. J'avais visité les blockhaus, passé la frontière espagnole dans la montagne et fait une traditionnelle halte dans une *venta*, sorte de petit chalet où l'on pouvait acheter des cigarettes de contrebande et manger du jambon cru en buvant du moscatel. J'avais eu peur sur le passage des *toros de fuego*, j'avais vu l'océan, je m'étais fait une nouvelle amie en la personne d'Elisabeth Millet, et surtout je ne serais plus jamais disc-jockey.

Avec l'aimable participation de la presse, ces vacances resteront gravées dans ma mémoire de manière indélébile.

10

J'ai souvent claironné que la politique avait été le poison qui avait infesté ma vie familiale. Elle a toujours tout supplanté chez nous.

De pétitions en réfugiés, d'interventions en manifestations, elle a été le combustible des incendies qui ont ravagé notre maison.

A cause d'elle (et aussi un peu à cause de la table sur laquelle nous prenions nos repas), j'ai vu les assiettes, dessinées par Picasso pour je ne sais plus quelle célébration de la paix et de l'amitié entre les peuples, se soulever sous l'effet d'un coup de poing de Montand et retomber, se brisant net en deux. Il ne devait pas y avoir de molleton sous la nappe !

Et si l'effet visuel de cette colère peut faire sourire, elle est le reflet des dégâts que la politique a faits chez nous.

Jusqu'à déchirer nos familles. Livi contre Livi, rez-de-chaussée contre cinquième étage.

Frères, beaux-frères, sœurs et belles-sœurs se battant à coups de mots pour tenter d'arracher la peau de saucisson que l'autre lui paraissait avoir devant les yeux ; jusqu'à la rupture brutale, tragique et douloureuse.

Vingt ans de silence ou presque. Des messages,

pas toujours codés, qui ont circulé par voie de presse, par courrier ou même dans des livres... et nous, les « petits », Jean-Louis et moi, assis le cul coincé entre deux chaises avec notre amour intact. Pas facile à vivre, ce genre de rupture. Encore une !

Depuis ma tendre enfance, je ne réussis décidément pas à trouver ma place. Depuis ce fameux jour où j'ai voulu faire une surprise à Montand... Ce long baiser qui dure, et ces adultes qui m'oublient. Je m'accroche à ce que je peux pour tenter de rassembler mes fragments éclatés.

J'avais une vraie famille, avec une tante et un oncle qui replâtraient mes fissures et qui m'écoutaient vivre lorsque Maman ou Montand étaient complètement sourds, et voici que la politique venait d'en scier les pilotis.

Mais, en ce mois de septembre 1960, la politique va me redonner la joie de vivre, m'offrir une autre famille puisqu'elle me grignote la mienne un peu plus chaque jour.

Depuis une semaine, je redouble ma quatrième au lycée Victor-Hugo, après un échec sans surprise à mon examen de passage. A cette époque, Maman doit tourner *Les Mauvais Coups* sous la direction de François Leterrier.

Ce soir-là, nous sommes à table tous les trois, Maman, Montand et moi. L'ambiance est lourde. Ils ont la mine renfrognée des parents de la redoublante que je suis devenue.

L'illustration d'un échec. Le mien ? Le leur ? Le nôtre ?

Brusquement, Maman brise le silence qui s'étire en longueur :

– Voilà, j'ai parlé à Thuillier (c'est le producteur

du film) des soucis que nous causait ta scolarité. Il est en train de se renseigner pour savoir si tu pourrais entrer dans la même école que ses enfants.

– En troisième ?

– Oui, bien sûr, en troisième. Enfin, en troisième d'abord... et si tu ne suis pas, on te redescendra en quatrième... Mais je te préviens, ça ne va pas être une partie de rigolade. C'est une école très dure avec une discipline de fer.

– Privée ?

– Oui, privée ; pour entrer en troisième on n'a pas le choix.

L'image de Raymond Thuillier se dresse devant moi, telle la statue du Commandeur : grand, sec, cheveux blancs, mine sévère, et je me vois déjà pensionnaire à la Légion d'honneur [1]...

Ma voix s'étrangle un peu :

– Et... il me faudra mettre un uniforme ?

– Non, je ne crois pas. Mais une blouse, oui.

– Et c'est où ?

– C'est à Paris. C'est l'Ecole alsacienne, c'est une vieille école protestante qui...

BRROMJHG**/& !**+DRYTUOB ?/LK...

Interlude ! Plus d'image, plus de son. La fin du discours de ma mère se perd dans les vagues de la côte basque, disparaît sous le sable de la plage. Heureusement que je suis assise, car à cet instant je sens que je pourrais tomber. Je suis comme une cocotte-minute dont on aurait soudé la soupape. Impossible de laisser échapper le moindre jet de joie.

Ça me picote partout. Je respire profondément et, résignée, je dis simplement :

– Bon... et j'irai quand ?

1. Etablissement d'enseignement très strict où peuvent être élevées les jeunes filles des membres de la Légion d'honneur.

– Thuillier doit me rappeler, mais si ça marche tu iras dès la semaine prochaine.

– Bon, d'accord. (Un temps.) Je pourrai téléphoner tout à l'heure ?

– A qui ?

– Une copine. Je voudrais vérifier un truc pour demain sur le cahier de textes.

– Oui, mais fais court.

Faire court ! Oui, oui, je vais faire court. Je vais appeler Elisabeth Millet et je vais lui dire que l'incroyable est arrivé, que l'impossible est devenu possible, que le rêve est devenu réalité, que je vais abandonner mes rombières, que, que... non, puisque je dois faire court, je vais simplement lui dire que : J'ARRRRRIIIIVE ! ! !

Mais la politique dans cette histoire, me direz-vous. J'y viens.

J'ai compris un peu plus tard qu'en fait de mine renfrognée de parents de redoublante, mes parents avaient d'autres soucis. Peu de temps avant, Maman avait apposé sa signature au bas d'un document, en compagnie de quelque cent vingt autres petits camarades de jeu. Montand, qui à ce moment tournait à Hollywood, n'avait pu être joint à temps pour donner la sienne. Maman, vu la gravité du texte, n'avait pas voulu prendre l'initiative de le faire pour lui sans son accord. A son retour, Montand le lui avait reproché, il s'était senti exclu, lâché, peut-être un peu par vengeance, ce qui d'ailleurs n'avait pas échappé à certains fins commentateurs puisque après tout, à ce moment-là, il tournait avec Marilyn...

Ce document, plus connu sous le nom de « Manifeste des 121 », avait fortement déplu aux dirigeants politiques de l'époque dans la mesure où il prenait, entre autres, ouvertement parti pour la cause algérienne et pour ceux qui la défendaient déjà. Il avait tellement déplu, même, que les retombées furent extrêmement rudes : en gros, elles frappaient d'interdiction de presse ou d'antenne toute personne ayant signé ce manifeste, et du même coup privaient d'aide et des mêmes droits tous ceux qui outrepassaient ces consignes en faisant travailler ces gens-là.

Montand, qui n'avait donc pas pu faire le 122ᵉ, avait cependant sauté dans la charrette et s'était auto-censuré, en refusant, par exemple, de participer à tous les programmes de fin d'année à la télévision.

Cela prenait de telles proportions dans la menace et la terreur, que mes parents avaient aussi peur pour moi. Peur qu'on ne me fasse des réflexions, peur qu'on ne m'emmerde dans ce lycée où les artistes et les intellectuels n'étaient pas les principaux clients.

Thuillier, lui aussi, était victime de représailles en se voyant refuser l'aide au cinéma pour son film *Les Mauvais Coups*. Non pas qu'il eût signé mais parce qu'il avait engagé ma mère... Et c'est lorsqu'elle lui fit part des inquiétudes qu'elle avait pour ma tranquillité qu'il lui suggéra de me mettre à l'Ecole alsacienne.

Mais comme c'était à la fois trop simple et un peu compliqué de me dire la vérité, ma mère se retrancha derrière ce redoublement pour m'annoncer comme une sanction ce qui devait devenir un autre des bonheurs de mon existence.

11

Jamais je n'oublierai la tenue que je portais pour ma première journée à l'Ecole alsacienne : c'était une petite jupe droite en tissu prince-de-galles confectionnée par Marie-Louise, une autre fée du logis, bretonne, elle, et un cardigan noir que je portais boutonné dans le dos.

109, rue Notre-Dame-des-Champs ! 109 ! Sang neuf ! C'était d'ailleurs le nom de la revue de l'école.

On entre par une porte cochère pour rejoindre notre cour, tout de suite à gauche sous le passage. Elle est réservée aux élèves de quatrième et troisième dont les classes se tiennent dans l'ancien bâtiment qui domine la cour.

Dans ce bâtiment il y a aussi le bureau de M. Babinot, le surveillant général, Bab' pour les intimes, qui ne sont pas forcément ses amis, et celui de sa complice, la douce Mme Kapp.

Le directeur s'appelle M. Hacquard et le censeur M. Hammel, et c'est tout naturellement que l'école était devenue « la boîte à caramels ».

Je m'intègre facilement à cette école où plus personne ne me regarde comme une bête curieuse, où chacun se moque pas mal de ce que peuvent faire les parents de l'autre puisque nous avons tous des parents plus ou moins comédiens, écrivains, avocats, peintres, musiciens ou personnages politiques. De Christophe d'Astier de La Vigerie à Paloma et Claude Gillot-Picasso, l'éventail est large, il y a du monde à tous les étages.

On nous traite comme nous le méritons, c'est-à-dire comme des enfants qui vont à l'école et qui ont un travail à faire et certaines règles à respecter. Le port d'une blouse marquée à notre nom est obligatoire et, malgré une consigne qui nous impose de la rapporter chez nous chaque semaine et de reparaître le lundi matin bien propres sur nous, nous nous appliquons à en faire de véritables œuvres d'art à grand renfort de crayons feutres et de peinture. Les talons hauts et le maquillage sont proscrits, tout comme le tabac et la fréquentation des cafés aux abords immédiats de l'école.

Si les patrons du café-tabac Le Lufac, à l'angle de la rue d'Assas et de la rue Vavin, coulent des jours heureux à la retraite quelque part en Auvergne ou dans le sud de la France, j'espère qu'ils ont de temps en temps une pensée émue pour nous en buvant leur café sur leur terrasse ombragée, car nous leur avons offert la petite cuillère avec laquelle ils tournent le sucre dans leur tasse... la tasse aussi d'ailleurs, voire le service tout entier, compte tenu du nombre de parties de flipper, de paquets de Winston et de Coca que nous avons consommés chez eux.

Il règne dans cette école ce qu'il est convenu d'appeler un bon esprit, sans doute hérité de l'époque où elle était dirigée par des pasteurs protestants, et, passé les dix premières minutes de récréation durant lesquelles mon cardigan boutonné à l'envers a fait beaucoup d'effet, les choses sont vite rentrées dans l'ordre.

Je retrouve le bonheur des classes mixtes, de la liberté surveillée, l'envie de bien faire, et la joie simple de ne pas avoir l'impression de perdre mon temps. Je suis en troisième et je tiens à y rester.

Elisabeth Millet occupe une autre cour avec les élèves de seconde, et c'est tout naturellement que je me retrouve dans leur groupe. Dans ma classe, il y a une redoublante qui fréquente aussi beaucoup la cour des secondes puisque c'est là que sont ses copains, et c'est ainsi que nous devenons amies.

Dominique. Elle est ravissante, avec ses deux nattes maigres et blondes. Elle est célèbre pour ses rédactions de l'année précédente où elle ne manquait pas de préciser qu'elle se rendait dans des librairies-papeteries où l'on vendait « des livres pour lire et des stylos pour écrire »...

En dehors de cette anecdote qu'elle n'aime pas que ses camarades lui rappellent, elle a quelque chose de très précieux pour moi : sa mère est monteuse de cinéma et elle connaît ma mère !

Mais comme le monde est encore plus petit que ça, lorsque je rentre à la maison et que je raconte tout cela à Maman, ça lui évoque certains souvenirs qui n'ont pas grand-chose à voir avec le tournage d'un film.

Maman se rappelle surtout le monsieur qui vit avec ladite monteuse. Elle a le souvenir très précis d'un « superbe mec, un bel hidalgo très mystérieux qui doit s'appeler Georges, ou José », elle ne sait plus très bien, il faut que je le lui demande.

Quand je pose la question à Dominique, elle paraît gênée. Bien sûr ! Nous sommes en 1960, Georges n'est autre que Jorge Semprun, militant au très clandestin Parti communiste espagnol. Puis, petit à petit, des bribes commencent à filtrer entre nos familles jusqu'au jour où elles vont se rencontrer, se retrouver, se trouver.

La suite est d'une belle évidence : une formidable histoire d'amour parallèle entre les enfants d'un côté et les parents de l'autre, entre les parents des uns et les enfants des autres aussi, jusqu'au jour où, une fois de plus, la vie séparera ceux qui s'aiment, tout doucement, en faisant le moins de bruit possible mais en en faisant un peu quand même...

Pour le moment me voici simplement remontant le cours tumultueux d'un cycle secondaire assez mal parti dans le Marais et maintenant plutôt brillant dans le sixième arrondissement.

Je vais vivre à l'Ecole alsacienne quatre années d'une adolescence heureuse, protégée par mes camarades, encadrée par mes enseignants, dont quelques-uns eurent un certain mérite.

Mme Lemaître par exemple, notre professeur de lettres de troisième. Elle croisait haut ses jambes, assise sur le bureau qui dominait la classe depuis l'estrade. Elle restait sourde aux quolibets de l'un de mes complices qui ne manquait pas de s'exclamer : « Prochaine séance à 14 heures ! » lorsque la cloche de midi sonnait et que nous devions nous retrouver l'après-midi, en première heure, pour un cours de latin, durant lequel d'ailleurs il susurrait dans mon dos : « Demandez ma belle Romaine, belle, belle, belle... » si la version du jour portait sur le marché aux esclaves dans la Rome antique...

Mme Fortegex aussi. Ce professeur d'anglais s'apercevait brusquement au beau milieu du cours de la disparition d'un élève, le plus fluet et le meilleur d'entre nous, Patrick Zelnick, depuis P.-D.G. de

« Virgin ». Il sillonnait toute la classe entre les pieds des chaises à la recherche d'une gomme... c'est du moins ce qu'il affirmait avec le plus grand sérieux à la prof dévorée d'inquiétude, en surgissant, hirsute, du fond de la classe, tout en brandissant une vieille Mallat déchiquetée.

Autant de plaisanteries, pas toujours très neuves ni de très bon goût, qui ont jalonné les chères études de beaucoup d'entre nous, mais qui restent gravées individuellement comme les meilleures et les plus inédites.

Dans ces années-là, il m'arrivait souvent de me rendre à l'Olympia écouter des concerts d'Ella Fitzgerald ou de Ray Charles. Parfois j'y conviais mes copains.

Norman Granz, l'heureux propriétaire de la Verve Records, une compagnie de disques regroupant des noms qui font encore rêver aujourd'hui, en était l'organisateur.

Depuis l'aventure new-yorkaise de Montand, Norman était entré dans notre vie et, chaque fois qu'il venait à Paris, il passait par la maison et moi je profitais de places à l'œil. C'est ainsi qu'entre Antibes et Paris, selon la saison, je pus écouter et rencontrer les plus grands noms du jazz.

A être serrée dans les bras d'une grosse nounou noire qui ne s'appelle pas moins qu'Ella Fitzgerald, on se prendrait vite pour Scarlett O'Hara... toucher Ray Charles ou approcher Count Basie, ne serait-ce qu'une fois dans sa vie, ça fait des souvenirs pour toute cette vie...

Lorsqu'un concert était en vue, et bien avant que je sache si j'aurais la possibilité d'obtenir plusieurs places, mon copain Michel Zelnick, le frère aîné de celui qui cherchait sa gomme, venait me solliciter. C'était devenu pour lui une sorte de sport qu'il pratiquait essentiellement pour me faire râler, et je râlais.

Un jour, innocemment, et pour m'achever sans doute, il me demanda si je ne pouvais pas lui obtenir des places pour le concert de Django Reinhardt (qui était mort depuis 1953 !). Et, sans bien réaliser l'énormité de sa demande, n'ayant retenu que le : « Tu ne pourrais pas nous avoir des places pour... », j'entrai dans une colère épouvantable, décidant que j'en avais marre qu'on me prenne pour une vache à lait !

Je venais de me couvrir de ridicule. Il fallut qu'il insistât lourdement sur la rareté d'une telle apparition pour que je comprenne enfin que j'étais mystifiée. Ce furent sans doute les prémices de toutes les angoisses latentes que je trimbale encore aujourd'hui : qu'on ne m'aimât pas pour ce que j'étais mais pour ce que je pourrais représenter ou faire obtenir...

Un peu plus tard, Michel tenta de me refaire le coup avec Sidney Bechet... mais ça ne prit pas.

Mes autorisations de sortie hebdomadaire étaient soumises aux résultats que je rapportais à la maison et sur lesquels il était difficile de faire l'impasse car nous étions surveillés de très près. Nos études étaient sanctionnées chaque semaine puis chaque quinzaine par des carnets de notes que nous devions faire signer par nos parents... Sur la page de droite étaient inscrits les résultats des compositions, suivis d'une appréciation sur notre conduite, nos retards ou nos absences.

Lorsque les choses n'allaient pas très bien, les

« mal de conduite » marqués au tampon encreur barraient la page en plein milieu, lorsque c'était pire nous avions droit à un « premier avertissement », puis un deuxième, voire un troisième. Le quatrième n'existait pas, c'était le renvoi pour trois jours. On pouvait cumuler... mais on pouvait aussi aller voir Bab' pour qu'il nous arrange nos affaires avant que ça ne se gâte trop.

Pourtant tout le monde craignait Babinot. Il avait une grosse voix, un vocabulaire fleuri et le cœur aussi gros que les mots qu'il prononçait. Il était impitoyable avec les lâches et les menteurs, mais la première bêtise avouée avant qu'elle ne soit connue était rapidement pardonnée, voire arrangée.

Et moi, je suis beaucoup allée le voir parce que j'ai quand même eu quelques moments difficiles... surtout durant mon année de philo.

Il m'aime bien, Marcel Babinot. Il a perçu le désarroi qui est en moi et cet irrésistible besoin d'exister qui me rend parfois un peu trop bruyante, souvent même agressive avec certains profs, enfin un surtout.

Cher M. Champion ! Un petit homme bien ordinaire qui ressemble à un dessin de Bellus et dont l'idole est Descartes. Avec lui, nous sommes loin de la fascination que Sartre avait exercée sur les copains de ma mère au lycée Pasteur de Neuilly et dont elle s'est abreuvée par personne interposée. Elle a, de son côté, gardé un tel souvenir de son année de philo qu'à travers ses récits je m'attends au meilleur. C'est le pire qui arrive avec M. Champion. Il ne m'aime pas beaucoup et sait me le montrer, je ne l'aime pas davantage et je sais le lui dire aussi.

Cela se termine très mal un jour que je mâchonne rêveusement un morceau de papier. Il croit que je mange un chewing-gum, je lui réponds qu'il a la berlue tout en venant déposer gracieusement sur son bureau les restes de ma boulette. Il me vire de sa classe.

Je vais immédiatement voir Babinot pour le lui raconter. Les choses s'arrangent provisoirement, mais Bab' ne peut rien faire pour m'éviter le conseil de discipline auquel M. Champion, professeur principal, me convie après les vacances de Pâques.

Sur le sage conseil de Bab', je vais passer quinze jours idylliques dans le chalet que l'école occupe à Auron pour les vacances de neige. Il me demande de venir avec le groupe pour encadrer des élèves de seconde, m'affirmant que l'air de la montagne sera meilleur pour moi que celui de Saint-Paul-de-Vence.

Je suis responsable d'une chambre de quatre filles et je ne sais plus très bien qui, d'elles ou de moi, doit surveiller l'autre... et, compte tenu de ma vocation de pion, nous rigolons bien ensemble.

Mais je me repose. Je sympathise définitivement avec Babinot et avec sa femme Colette, même un peu avec M. Hammel, notre censeur, qui n'est pourtant pas, loin s'en faut, le roi du rire et de la franchise. Je l'entends même déplorer que je sois traduite en conseil de discipline parce que au fond « je suis bien sympathique ». Le jour dudit conseil de discipline, je dois lui paraître infiniment moins sympathique, car il ne fait rien pour endiguer le flot de reproches qui s'abat sur moi, flot contre lequel il ne peut finalement pas faire grand-chose, sauf se taire, puisqu'il sort de sa propre bouche.

M. Hacquard, lui, manifeste un étonnement peiné et sévère. Seul Babinot me soutient du regard, de la parole même, car, du fond de mon chagrin, je suis surtout révoltée par l'absence de mon principal accusateur qui, tandis que l'on me juge, doit être quelque part dans une classe à endormir des élèves de sa voix monocorde et mal placée.

J'ai eu beaucoup de peine. J'ai été sincèrement désolée que la dernière des quatre années passées au sein de ce qui fut un peu ma famille se terminât ainsi, en eau de boudin ! (Se terminât !... je dédie ce passé du subjonctif à mon directeur, M. Georges Hacquard, pour qui j'ai toujours eu aussi beaucoup d'affection et pour lui dire à quel point j'ai gardé le goût de la grammaire.)

Mais pour UN Jacques Champion, professeur de soucis à l'Ecole alsacienne, il y eut infiniment beaucoup d'autres profs de plaisir. Il y eut surtout tous les professeurs de la classe de 3e B2 qui ont eu la sainteté de supporter l'équipe de joyeux drilles que nous formions, avec une mention toute particulière pour M. Rosen dont j'avais très peur et dont j'ai découvert l'âme tendre et généreuse longtemps après, en lisant la lettre qu'il m'adressa après la mort de ma mère.

Chère Ecole alsacienne, toi qui as vu les frasques de mon père, les premiers émois de mon oncle Marc, et qui es peut-être à l'origine de la vocation de pasteur de mon grand-père Elie Allégret, il fallait que je te dise un jour que tu m'as ouvert le cœur, sauvé la tête et par là même la vie.

12

Il me serait difficile d'achever ce récit sur ma chère école sans évoquer cette impression très désagréable que je ressentais chaque fois que je croisais dans les couloirs une élève d'une autre troisième, une nouvelle, une grande perche qui laissait flotter un effluve de lavande sur son passage.

Hautaine, immense, mince mais baraquée, un visage anguleux, un cou très long, une chevelure noire coupée au carré et retenue par un large bandeau qui s'arrêtait au ras d'un front haut et bombé... elle me faisait peur. Je sentais bien, aux regards qu'elle laissait tomber sur moi du haut de son mètre soixante-dix-huit, que je ne lui plaisais pas beaucoup non plus.

Michèle Bleustein-Blanchet ! Son papa n'était autre que le célèbre Marcel, patron de la très puissante firme Publicis et des drugstores réunis.

Les grandes antipathies sont souvent annonciatrices de belles amitiés. Il fallut cependant attendre que le hasard fît son petit boulot pour que nous nous retrouvions dans la même classe l'année suivante.

Pourquoi ? Comment ? Je ne sais plus. Ce que je sais, c'est que nous devînmes les meilleures amies du monde, nous découvrant une série de points communs, de nos mères qui s'étaient connues autrefois à notre signe astrologique qui était le même, en passant par notre goût pour la nourriture chinoise qui nous entraînait dans les petits restaurants de la rue Monsieur-le-Prince, dans lesquels elle payait d'ailleurs souvent ma part, car son argent de poche était plus auguste que le mien. Nous avions tant de choses à nous dire que nous en oubliions parfois de retourner à l'école l'après-midi... ou alors avec un certain retard.

En fait, nous étions pareilles, nous aimions les mêmes choses et nous avions reçu toutes deux une éducation relativement rigoureuse. Si ce n'avait été notre aspect Laurel et Hardy, on aurait pu nous prendre pour deux sœurs.

Des sœurs, Michèle en avait deux. L'une, très brillante étudiante, Elisabeth qui n'était pas encore Badinter, et une autre, d'une beauté sublime, Marie-Françoise, déjà mariée et mère de deux enfants tout aussi beaux qu'elle.

Je fis la connaissance de la famille au grand complet durant les vacances d'été, lorsque je fus invitée dans leur propriété des Issambres.

J'avais déjà rencontré son père et sa mère à Paris, et toute ma vie je reverrai ce jour où Michèle m'emmena déjeuner en famille dans la salle à manger directoriale des drugstores Publicis. Ce déjeuner n'avait pourtant rien d'exceptionnel, à ceci près que c'était la première fois que je voyais son père... ce qui pour un « rien » faisait quand même beaucoup, compte tenu de la formidable personnalité de Marcel Bleustein-Blanchet.

Il avait tant de choses à raconter, tant de questions à poser que dans mon émotion je n'ai jamais réussi à me servir d'aucun des plats qu'un maître d'hôtel me présentait à gauche, sans tout lâcher sur la nappe. J'ai d'ailleurs fini par demander qu'on me serve, après avoir abandonné, vert sur la nappe blanche, un ultime haricot qui venait de mettre la dernière touche au tableau, déjà fort impressionniste, que représentait maintenant la périphérie de mon assiette.

Mais je serais injuste si je n'ajoutais pas à mon récit que l'œil bleu du chef de tribu, son sourire, son cheveu sur la langue et sa vraie gentillesse m'avaient quand même bien stimulé l'appétit ce jour-là.

Aux Issambres, la vie était différente. Il y avait du personnel, certes, mais tout le monde mettait la main à la pâte. Ça riait, ça chahutait, c'était le bonheur ! Marie-Françoise, tonton Philippe, nous n'avons pas eu le temps de rire longtemps ensemble, mais nous avons bien ri quand même !

Elisabeth avait trois amis qui venaient parfois la chercher pour sortir, des amis qui ne réjouissaient pas beaucoup son papa, car il les prenait un peu pour des coureurs de dot. Les trois compères annonçaient leur arrivée au son du klaxon multitons de leur voiture qui ne jouait pas moins que le refrain du *Pont de la rivière Kwaï*. Elisabeth disparaissait alors, dévalant le chemin qui coupait la propriété jusqu'à la route.

Un jour j'ai fait la connaissance des trois compères. De l'un d'eux surtout. Jean-Michel Borgeaud. Sa famille venait de tout quitter en Algérie et il était encore tout imprégné de ces événements douloureux.

C'était un « vieux », il devait avoir au moins vingt-six ans ! Il était superbe. Grand, bronzé, discret, effacé presque, par rapport aux deux autres qui avaient une grande gueule. L'un d'entre eux est devenu un peintre célèbre, c'est Gérard Fromenger. L'autre n'était finalement pas très intéressant, d'ailleurs il en est mort, ce n'est donc pas la peine d'en parler.

Toujours est-il que, la soirée s'avançant, le groupe s'est dispersé. Seul Jean-Michel est resté. Michèle est partie se coucher, j'ai voulu la suivre, Jean-Michel m'a retenue. Il m'a raconté la beauté des levers de soleil en Méditerranée, j'ai d'abord cru qu'il se moquait de moi, mais non, il était parfaitement sincère.

J'ai sauté à pieds joints dans le conte de fées, finissant la soirée, puis la nuit, à ses côtés dans la balancelle sur la grande terrasse blanche. Des heures de mots, de regards et de silences, peut-être un chaste baiser, un peu de tristesse aussi parce que je devais partir deux jours après pour Saint-Paul-de-Vence, tel fut le contenu de cette nuit torride.

Nous avons vu le jour se lever et le soleil avec, et, si ce n'était pas l'Algérie, c'était très beau quand même.

Au petit matin, il est parti et je suis allée me coucher. Difficile de dormir. Je venais de tomber gravement amoureuse d'un inconnu qui avait dix ans de plus que moi et dont le parcours familial, en cette année 1962, n'avait, pour le moins, jamais emprunté l'itinéraire du mien.

Le matin de mon départ, j'ai voulu appeler la plage de Saint-Tropez où je savais que je pourrais le trouver. J'ai cherché dans l'annuaire et j'ai composé le numéro en tremblant.

– Bonjour, est-ce que je pourrais parler à Jean-Michel Borgeaud, s'il vous plaît ?

– Ne quittez pas, je ne sais pas s'il est là...

– J'attends, merci.

Au même moment j'entends « Bonjour »...

Je me retourne, il était là, il avait dû tout entendre...

Je reste stupide, le combiné téléphonique à la main, le menton décroché...

– Non, mademoiselle, il n'est pas là.

Et je réponds bêtement « Si, il est là, merci ». Et je raccroche.

– Qu'est-ce que tu fais là ?

– Je suis venu te chercher, je t'emmène à Saint-Paul.

– Tu vas me conduire là-bas en voiture ?

– Non, je t'emmène en avion.

– En avion, à Saint-Paul ?

– Oui, j'ai un copain qui a un petit Jodel, il veut bien te conduire jusqu'à Nice, et moi je t'accompagne.

Pour le coup, me voici, non plus en plein conte de fées, malgré la vision du chevalier blanc qui s'offre à moi dans l'embrasure de la baie vitrée, mais dans une situation parfaitement anachronique. Arrêt sur image : un fils de colon vient de proposer à la fille d'une signataire du manifeste des 121 de la raccompagner « à son domicile » en avion...

Il me raconte que son copain est une espèce de fou génial qui s'est déjà illustré en rasant la tente du roi du Maroc sur la plage de Deauville, que c'est un très bon pilote lorsqu'il n'a pas bu, et que, justement, le matin ça va. Il me dit aussi que ça lui fait plaisir de me faire plaisir et qu'il faut que je me dépêche parce qu'on nous attend déjà à Fréjus.

Et sans demander mon reste, je pars avec ma grosse valise, morte de trac, n'ayant jamais fait de tels vols, mais je suis avec Jean-Michel, il ne peut donc rien m'arriver...

C'est vraiment tout petit un Jodel. Heureusement, il n'y a pas de vent. Il fait un temps splendide. Nous survolons la mer et, malgré le temps clair, je suis complètement dans les nuages. Arrivés en vue de Nice, on nous refuse l'autorisation d'atterrir. Il faut pousser jusqu'à Cannes. Enfin, nous nous posons. Jean-Michel m'accompagne jusqu'à la station de taxis, je peux dire au revoir à mon argent de poche...

Je monte tristement dans mon taxi, mais Jean-Michel a promis de m'appeler très vite...

J'ai besoin de parler à quelqu'un, mais pas à n'importe qui.

A Saint-Paul, il y a Paulette : c'est une amie. Même si elle est plus âgée que moi, nous sommes assez proches, assez complices. Nous adorons jouer aux cartes ensemble, et à cette saison le gin-rummy est le sport le plus pratiqué à la Colombe d'Or.

Et je lui raconte. C'est à croire que ma mère m'a décidément mise sur terre dans un monde tout petit, car Paulette connaît Jean-Michel. Elle connaît surtout sa mère ; elle est pied-noir comme elle.

Jean-Michel téléphone souvent. Nous sommes tristes ; si tristes que, de coups de fil en signaux de détresse, Paulette accepte de m'emmener à Saint-Tropez.

Nous passons quelques heures délicieuses avec Jean-Michel et quelques amis. Heureux. Paulette et Jean-Michel parlent d'autrefois. Moi je suis bien. Mais le temps court trop vite et nous rentrons à Saint-Paul.

Dans la soirée, Jean-Michel rappelle. Il en a

marre de Saint-Tropez. Paulette est toujours à la Colombe, disputant un marathon de gin-rummy...

Elle voit ma mine déconfite.

– Tu veux qu'on aille le chercher ? Je pourrais l'héberger, si tu veux.

– Tu ferais ça ?

Elle l'a fait ! Et c'est sous une pluie battante que nous reprenons la route, Paulette et moi, pour aller récupérer mon Roméo. Et lorsque je dis « mon Roméo », je ne sais pas encore à quel point je suis proche de la vérité.

Jean-Michel nous attend, seul, à la terrasse du Gorille, désertée par ses habitués avec ce temps de chien. Ravis, émus, nous refaisons le chemin à l'envers, et la route me paraît bien plus courte qu'à l'aller.

Arrivés chez Paulette, nous discutons longtemps avec elle, puis, gagnée par la fatigue, elle lui montre sa chambre et disparaît dans la sienne.

Cette nuit-là, j'aurais dû la passer avec Jean-Michel. Mais j'ai seize ans et Jean-Michel a sans doute aussi peur que moi, plus peut-être, et c'est lui qui me demande de partir.

Il est resté quelques jours à Saint-Paul. Nous marchions dans les rues en nous tenant par la main. Doucement, tendrement. Il prenait son temps et me laissait le mien.

Il a fallu que la presse s'en mêle. Un méchant petit entrefilet dans je ne sais plus quel journal, pourtant normal, a mis le feu partout.

On pouvait lire sous un titre en gras qui en disait long sur la suite : « Montaigu et Capulet », quelques lignes bien tirées sur le fait qu'on voyait beaucoup « la fille Signoret-Montand » avec le « fils du gros colon d'Algérie ».

J'avais trouvé mon Roméo, voici qu'ils me faisaient sa Juliette mais en prenant le récit plutôt par son milieu... Pauvres types ! Ils ne devaient pas avoir grand-chose à se mettre sous la dent pour se livrer à de tels ragots sur une histoire qui avait à peine commencé à s'écrire...

Les foudres de Maman et de Beau-Papa Capulet n'ont pas tardé à s'abattre sur moi, heureusement par téléphone seulement, car ils m'avaient laissée quelque temps sous la surveillance des Roux, les patrons de la Colombe d'Or où nous avions l'habitude de prendre nos quartiers d'été.

Les Roux, qui avaient eux aussi reçu leur paquet lors d'un précédent coup de fil, dont je n'ai jamais su d'ailleurs s'ils l'avaient reçu ou donné à la suite de cet article imbécile, se sont chargés de demander à Paulette d'éloigner son protégé. Dans le genre nourrice, ils ont un peu trahi la pensée de Shakespeare.

Moi j'étais pétrifiée, terrorisée au point que je ne suis plus ressortie de l'auberge. Jean-Michel est resté à Saint-Paul quelque temps encore, espérant peut-être que j'aurais le courage de braver la tempête. Mais à cette époque, et longtemps après d'ailleurs, le courage me manquera face à mes parents.

J'ai revu Jean-Michel deux fois après cette triste affaire. La première n'a laissé que très peu de traces dans ma mémoire, si ce n'est le souvenir d'un horrible fou rire avec mon cousin Jean-Louis et notre ami José Artur.

Nous étions à Autheuil. Ce devait être la fin de l'été, peut-être même de cet été-là. Je savais que le grand-père de Jean-Michel possédait une propriété tout près d'Autheuil, à Houlbec-Cocherel. C'est peut-être bien moi qui l'ai appelé. Une fois encore,

« Maman et Montand Capulet » ne devaient pas être là.

J'ai demandé à Jean-Michel s'il voulait passer me voir, ce qu'il a fait. Le contexte n'était pas franchement favorable non plus. Mon cousin Jean-Louis avait fait trente-six mois d'Algérie en guise de service militaire ; quant à José Artur, je ne vous ferai pas l'affront de vous décrire sa capacité d'humour pas toujours charitable.

Toujours est-il qu'avant l'arrivée de Jean-Michel nous nous étions juré de ne faire aucune allusion à sa situation, ni aux pieds-noirs en général, juré aussi de ne jamais même prononcer le mot pieds-noirs. Et, pour nous éviter tout risque d'accident, nous avons profité des quelques heures qui nous séparaient de sa venue pour laisser à notre mauvais esprit toute latitude pour se libérer.

Plus tard dans l'après-midi, nous voici au bord de la piscine, tous les quatre. Nous nous étions gentiment baignés. Comme le temps n'était pas très beau, nous avions enfilé nos peignoirs afin de résister au petit vent « frivolant » qui souffle souvent sur le bocage normand.

Et là Jean-Louis et José ont joué bien involontairement le sketch du « et combien de nez dans votre café[1] ? »

Ils chahutaient au bord de l'eau, tandis que nous bavardions, Jean-Michel et moi. Brusquement, j'ai entendu distinctement Jean-Louis dire à José : « Fais gaffe, si tu continues, je te fous à l'eau avec ton pied-noir ! »

1. En référence à la célèbre histoire de la dame qui en reçoit une autre qui a un très grand nez : tous les invités ont réussi pendant les deux heures du dîner à ne jamais prononcer le fatidique mot « nez », mais l'hôtesse se coupe lamentablement au moment du café : « Et combien de *nez* dans votre café ? »

Ça a été atroce. Ce « peignoir » transformé en « pied-noir » nous a provoqué un fou rire terrible et, pour moi, physiquement insoutenable, car je ne pouvais pas franchement me laisser aller. Avec le recul, je ne suis pas tout à fait sûre que le mot ait été lâché sans malice.

Je ne sais pas non plus si Jean-Michel a entendu. Toujours est-il que c'est le seul souvenir qui me reste de cet après-midi-là.

La seconde fois où je l'ai revu m'a bien davantage marquée. C'était de nouveau à Saint-Paul-de-Vence, trois ans plus tard. J'habitais pour les vacances d'été la maison que mon père et ma mère avaient achetée ensemble dans ma toute petite enfance, du temps qu'ils étaient encore Papa-et-Maman.

Une semaine avant, il m'était arrivé une aventure assez singulière.

Je jouais à la pétanque avec une copine sur la place du village, et, en m'accroupissant pour mesurer un point litigieux, je remarque dans mon champ de vision, plantés dans le sable rouge du terrain, deux pieds bien sales. Tout en me redressant, panoramique le long du jean qui surmonte les pieds, je vois une chemise blanche pas très nette, ouverte sur un torse lisse et bronzé, et au-dessus du torse, soutenu par un cou long et fort, un visage mangé par une paire d'yeux incroyablement bleus, qui percent sous une lourde mèche de cheveux noirs, lisses et brillants.

Les yeux devaient me regarder depuis un bon moment déjà, car au même instant je fus avalée par ce regard qui semblait n'attendre que le mien pour s'y planter. Le temps que je reprenne mes esprits et que je dise à ma copine :

– Tu as vu le type là ? Il a un de ces regards !...
– Où ça ?
– Là.

Là, il n'y avait plus personne.

– Viens avec moi, on va ranger les boules et on prend ma voiture ; avec les pieds qu'il a il doit sûrement faire du stop. A mon avis, en se grouillant on peut le retrouver sur la route de Vence.

– T'es pas bien ! Tu ne vas pas faire ça !

– Mais si, viens, c'est marrant. En plus, avec une tête comme ça il n'est sûrement pas français. Allez, viens, ne sois pas vache, ne me laisse pas toute seule.

Et ma malheureuse copine de me suivre, tout en répétant :

– Décidément, tu ne vas pas bien !

Sur la route de Vence, un virage, rien. Un deuxième virage, rien non plus. Puis tout d'un coup, comme sortie de nulle part, une longue silhouette sur le bord de la route, marchant le pouce levé.

– Tiens ! Regarde ! Qu'est-ce que je t'avais dit !

L'autre reste muette à mes côtés.

– On s'arrête.

– Si tu veux, me répond-elle sans grand enthousiasme.

– Qu'est-ce qu'on risque ? Ce doit être un étranger...

Je ralentis, affûtant déjà mon anglais pour parer à toute éventualité cosmopolite. Je m'arrête à sa hauteur. J'ouvre ma vitre.

Les yeux des pieds sont tout près de moi.

– Je vais à Tourrette.

Il parle sans aucun accent sauf peut-être une petite pointe d'accent parisien... Ma mâchoire, stoppée dans son élan anglophone, s'enraye un peu, puis retrouve toute sa mobilité.

– Nous, nous allons à Vence, mais nous pouvons vous emmener à Tourrette si vous le voulez. Hein ? On n'est pas pressées.... dis-je à l'adresse de ma voisine.

Le voilà plié à l'arrière de ma petite Austin, les genoux un peu coincés contre nos fauteuils. Coincée, c'est moi qui le suis surtout maintenant. Ma belle assurance vient de s'évanouir devant la dure réalité : il est parfaitement français et je ne sais pas vraiment pourquoi l'idée d'avoir affaire à un étranger m'a donné ce courage d'oser le poursuivre. Cela ne s'arrange pas lorsqu'il enchaîne :

– Vous savez, mon père a très bien connu votre mère...

Oh merde ! pensai-je.

– Ah bon ? fis-je.

– Oui, ils ont joué ensemble au théâtre il y a très longtemps.

Ma copine ricane en silence et moi je me sens de moins en moins bien.

Enfin nous arrivons à Tourrette. Je le lâche sur la place du village, refusant de prendre le verre qu'il nous propose pour nous remercier, prétextant des courses urgentes à faire.

– Alors, à bientôt ? Je reviendrai te voir à Saint-Paul avec mes copains un jour prochain.

– Oui, c'est ça, à bientôt, dis-je mollement, presque agacée par son tutoiement.

Finalement, tout cela m'avait mise de très mauvaise humeur.

Peu de temps après, il est donc revenu à Saint-Paul avec ses amis et je leur ai fait à dîner à la maison. Nous avons bien mangé et surtout bien bu. La soirée s'est terminée bêtement, nous avons couché ensemble, sans vraiment le désirer. Il ne savait pas que pour moi c'était la première fois. Comment aurait-il pu le deviner d'ailleurs, compte tenu de mon attitude parfaitement effrontée le jour de notre rencontre ? Je n'ai pas eu envie de le revoir, tout cela ne m'avait fait ni chaud ni froid, tout au plus laissé une impression de grande tristesse. Je m'étais débarrassée d'une virginité qui commençait à me peser dans la mesure où toutes mes copines ou presque avaient déjà « vu le loup ».

Ce n'était pas l'aventure que j'avais imaginée dans mes récents rêves de jeune fille.

Et voilà que, quelques jours après, le destin revient justement mettre son nez dans mes affaires.

Je reçois un coup de téléphone de Paulette, ma compagne de tripot.

Jean-Michel est de passage, sa maison est pleine, elle me demande de l'héberger... et j'accepte.

Bien sûr que j'ai accepté ! Au fond de moi, j'étais persuadée que je pourrais reprendre l'histoire là où je l'avais laissée trois ans plus tôt. Mais lorsque je me suis retrouvée seule avec lui dans la chambre que je lui destinais, je n'ai plus eu qu'une seule envie, fuir ! Je me suis sentie sale. J'ai eu le sentiment d'avoir tout gâché puisque tout ce que je pouvais encore avoir d'innocence à ses yeux n'existait plus. J'ai eu honte. Je le lui ai dit.

Il a simplement répondu : « C'est dommage. »

Vingt-sept années sont passées avant que le hasard d'un tournage ne nous remette en présence, Jean-Michel et moi. Je partais pour trois semaines dans la région de Fontvieille. Je savais qu'il y avait sa maison. Je savais aussi qu'il était marié et qu'il avait de grands enfants.

Mais, comme j'avais gardé de notre rencontre un souvenir imprégnant et reconnaissant, j'ai eu envie de l'appeler en arrivant en Provence, ce que je fis après avoir cherché son numéro dans l'annuaire.

Je venais d'enterrer Montand, je n'étais pas fraîche, j'avais laissé ma famille à la maison, j'avais vraiment besoin de retrouver l'enfance.

Le matin même, j'avais tourné ma première scène... dans un cimetière. Jacques Ertaud, notre metteur en scène, souhaitait que nous mettions tous beaucoup d'émotion dans cette séquence. *Soleil d'automne* était un sujet très dramatique où les larmes avaient leur importance. Il me demande donc, à moi aussi, si je ne peux pas y aller un peu plus de la mienne.

– Ecoute, Jacky, je ne pense pas que cela soit nécessaire que Jeanne (c'est le nom de mon personnage) pleure à ce point-là. Jeanne, elle est solide, elle a de la peine, certes, mais elle se tient.

Comme il semble un peu déçu par ma réponse, je lui précise encore :

– ... et puis, tu sais, ma dernière valise de larmes je l'ai laissée hier matin au Père-Lachaise, sur la tombe de Maman et Montand.

Je repense à cette première matinée de travail tandis que le téléphone sonne maintenant chez les Borgeaud, quelque part dans Fontvieille.

C'est un de ses fils qui répond. Jean-Michel n'est pas rentré, il est encore à soigner ses pommes dans son exploitation, mais il lui transmettra le message.

Lorsque le téléphone retentit dans ma chambre, je n'ai que le temps de dire « Allô ? » et j'entends :

– Je viens te chercher, tu dînes avec nous.

Dix minutes après il était là.

Nous avions vieilli, mais nous n'avions pas changé.

Il nous a emmenés chez lui, mon chagrin et moi. C'était bon de se retrouver dans une vraie maison. Bon aussi d'être avec des gens jeunes et joyeux. Un père, une mère, des garçons, des filles, des copains, des chiens...

Lorsque je repense à cet hiver 1991, je me dis que, même en partant comme ça, sans me dire au revoir, Montand ne m'avait pas totalement abandonnée.

Il savait d'ailleurs que je devais tourner ce film en Provence au mois de novembre. C'était un beau rôle, il était content pour moi, il a donc dû se sentir un peu moins culpabilisé de me jouer un si mauvais tour... Nous avions fêté ça trois jours avant sa mort...

Mais, ces dernières années, il avait encaissé tant de coups, subi tant de pressions, certaines allant parfois jusqu'au chantage, que plus d'une fois il avait évoqué le repos éternel comme une ultime solution. Il n'empêche que le coup était rude.

Avec ce tournage, j'ai profité de toutes les vertus anesthésiantes du travail. Là, j'étais toute proche de lui, dans ce pays où les « maux » mêmes deviennent musique.

J'étais loin des horreurs qui me cloueraient de chagrin au retour, cet autre chagrin qui peut rendre fou si l'on n'y prend garde : la laideur des gens, leur malhonnêteté sournoise, et les bons amis dont on s'aperçoit finalement qu'ils vous ont enterrée vivante avec le dernier de vos célèbres parents...

Ici, à Maussane-les-Alpilles, tout près de Fontvieille, il y a des gens qui partagent ma peine, silencieusement, tendrement, des gens qui savent que quarante ans de vie commune ne s'effacent pas comme ça, sous une brassée de roses ou une pelletée de terre.

Et voici que l'enfance surgit encore. Alain Emery. Le petit garçon de *Crin-Blanc*. Alain, mon vieux copain avec qui j'ai tant rigolé, de la rue Saint-Benoît à la rue Guisarde, de la rue Princesse à la rue des Canettes.

Sur le parking de mon hôtel, une voiture vient de se garer. Alain Emery en descend.

Quinze ans après, il est pareil. A peine quelques rides... mais il a toujours le même sourire, la même joie de vivre et autant de gentillesse.

Il m'emmène déjeuner au Bistrot des Alpilles, le temple de l'aïoli et le fief de la très sérieuse Académie des Alpines. Nous entrons. Derrière le bar, un homme me regarde fixement, en souriant, une serviette blanche repliée sur l'avant-bras. Je le regarde et je lui souris aussi...

C'est Montand, grandeur nature, reproduit sur un vitrail d'après une scène du film *Garçon*.

– Pardon, j'aurais dû te prévenir..., me dit Alain.

– Non, laisse... c'est bien... c'est normal, ça ne pouvait pas être autrement, tu ne pouvais pas trouver meilleur endroit pour m'emmener déjeuner...

Voilà, c'était encore une boucle de bouclée. Montand m'avait accompagnée jusqu'à Maussane et veillait sur moi. Décidément, l'enfance était au rendez-vous.

13

L'enfance !... Heureusement que, comme au lycée français de New York, j'avais réussi à me fabriquer, à l'Ecole alsacienne, des familles de substitution.

Avec Dominique, par exemple. Elle habitait un appartement boulevard Saint-Germain avec sa mère et ce bel hidalgo qui m'impressionnait beaucoup par son physique, son mystère et sa sévérité. Autant de craintes qui sont tombées à mesure que j'ai su qui il était réellement et que je l'ai mieux connu.

Pour connaître Jorge Semprun, mieux vaut s'adresser à ses livres car il y raconte sa vie beaucoup mieux que je ne saurais le faire, sa perception des événements étant nettement supérieure à la mienne, et pour cause.

Attardons-nous un instant tendrement sur ce mot de « perception » qui est toujours resté comme un code entre Jorge et moi. Puisse-t-il percevoir tout le respect et toute l'affection contenus dans ces lignes.

Premier prix du concours général de philosophie, il avait été sollicité par Maman pour me donner quelques cours particuliers et tenter de m'intéresser à cette matière qui avait généré chez moi un ennui tragique grâce au pouvoir hautement soporifique des cours de M. Jacques Champion.

Ni la beauté, ni l'humour, ni l'intelligence de Semprun n'ont pu venir à bout de mon manque total d'intérêt pour la théorie de Descartes sur la perception. Ces chapeaux et ces hommes, qui seraient ou ne seraient pas sous les chapeaux en question, me sont, et c'est le moment de le dire, passés totalement au-dessus de la tête.

Cela n'aurait pas eu plus d'importance entre Jorge et moi qu'un autre sujet de philo, si ce n'était pas tombé en question de cours au bac... et ce mot seul de « perception » a réellement gardé une saveur particulière et un certain écho dans notre mémoire : ce fameux bac, loupé avec une note lamentable en philo, un quatre précisément, ce bac dont je savais que je l'avais raté avant d'en avoir les résultats.

Je n'avais aucune intention de les attendre d'ailleurs, car Henri-Georges Clouzot venait de m'engager pour tenir un petit rôle dans son film : *L'Enfer*.

J'ai su que j'allais (peut-être) faire du cinéma, à peu près dans les mêmes conditions que le jour où Maman et Montand m'ont appris la mort de mon frère, mais en plus gai.

Mêmes positions : moi sur le canapé, eux dans les fauteuils. Mêmes airs graves, mystérieux et sévères.

Montand commence :

– Catherine, Clouzot nous a demandé l'autorisation de t'engager pour son film.

Maman enchaîne :

– ... t'engager, *peut-être* ! si tu en es capable.

– Il va te faire passer une audition.

– Et si tu es mauvaise, il ne te prendra pas.

– Et nous ne ferons rien pour lui forcer la main, c'est à toi de jouer, petit...

Je suis un peu abasourdie.

Dans ce film il y aura Serge Reggiani, Romy Schneider, Dany Carrel, Mario David, une pléiade de vedettes... et moi, si je réussis mon audition.

1964, j'ai dix-huit ans et j'ai rendez-vous à l'hôtel George-V à huit heures du matin pour passer une audition pour Clouzot.

Margot Capelier m'accueille. Margot, c'est une vieille amie de la famille. C'est la sœur de notre dentiste, Raymond Leibovitch, qui joue de la flûte à ses patients avant de leur dire qu'il va leur faire très très mal, et qui prévient tellement qu'on va avoir mal que l'on ne sent pratiquement plus rien. Margot elle aussi a fait l'actrice, mais elle a surtout importé, voire inventé, un métier très couru maintenant : *casting director*. En français, cela veut simplement dire que notre sort repose entre ses mains, car c'est elle qui suggère à des metteurs en scène de voir tel ou tel comédien pour tel ou tel rôle. C'est quelqu'un de très précieux et de très important, Margot.

Elle me prévient qu'IL n'est pas de bonne humeur. Clouzot arrive. Il m'aime bien, nous avons appris à nager ensemble à Eden Roc, j'avais six ans, lui environ quarante-six, il ne me fait pas peur.

– Tu sais ton texte ?

– Non... je pensais que tu allais me faire lire un truc, une scène.

– Tu ne sais pas ton texte ? Bon, tu peux t'en aller.

– Bon, je m'en vais, au revoir.

Et je pars. Margot me rattrape à la porte de l'ascenseur.

– Attends, Catherine, pars pas, ça va peut-être s'arranger. (Là, il faudrait la bande-son originale car son accent et sa voix sont savoureux et indescriptibles.)

Et je reviens. Clouzot me donne alors un scénario en même temps qu'une dernière chance, une seule.

Je dois m'isoler un moment pour apprendre et lui dire quand je suis prête.

Je m'isole donc et je lis : « (... dans la salle, Yvette, une jeune serveuse portant un plateau, se fraie un chemin parmi les consommateurs, elle heurte son patron :)

YVETTE : Oh, pardon, monsieur.

(... quand brusquement quelqu'un lui met la main aux fesses :)

YVETTE : En voilà des manières !... (en s'éloignant). J'sais pas si c'est l'orage, mais qu'est-ce qu'y a comme mains qui traînent aujourd'hui ! »

C'était la seule scène parlante d'Yvette. Le reste n'était que de la présence.

Il ne m'a pas fallu trop longtemps pour mémoriser ces deux répliques. Quand je rejoins Clouzot, il se plante au milieu de la pièce et me dit :

– Vas-y ; tu passes avec ton plateau chargé, tu me bouscules et tu me dis... ?

– Comme ça ? mais j'ai rien, je n'ai pas de plateau...

– Vas-y ! Tu veux être actrice, oui ou non ?

– Oui...

– Alors, vas-y !

Et j'y suis allée. Nous avons refait la scène cinq, dix fois ! Il était content enfin. Il m'a engagée et j'ai pris mon train pour Saint-Flour comme une grande, heureuse et traqueuse, pas à cause des résultats du bac, mais terrifiée à l'idée de ces deux répliques.

Malheureusement je ne les ai jamais dites.

Reggiani est tombé malade, Clouzot a fait un infarctus, et le film s'est arrêté. L'équipe attendait sur place des nouvelles de la santé de l'un et de l'autre, espérant que le tournage pourrait reprendre.

Romy continuait de traîner son chagrin dans l'hôtel avec ce sourire et cet humour qui n'appartenaient qu'à elle. De temps en temps elle allait au bar demander une Marie « Bizzard » et elle me parlait d'Alain entre deux éclats de rire désolés.

Alain Delon, je l'avais connu toute petite. Chez Papa d'abord, puisque c'est lui qui l'avait découvert et qui lui avait fait faire son premier film, puis à Autheuil ensuite, un jour qu'il était venu chez nous en compagnie de Romy et de Georges Beaume, leur imprésario.

C'est à ce moment-là que j'avais été subjuguée par sa beauté. Je le revois encore dans son jean et son pull-over noir décolleté en V sur sa peau nue, aidant Montand à terminer une grue gigantesque qui surgissait petit à petit de la plus grande des boîtes de Meccano, une immense boîte que Montand venait de s'offrir, sans doute pour assouvir un désir jailli de ses souvenirs d'enfant pauvre dans la banlieue marseillaise.

Mon premier émoi ? Sans doute, si j'en juge par le trouble qui s'est emparé de moi à la suite d'un petit incident dont je suis probablement la seule de nous deux à me souvenir aujourd'hui.

Georges Beaume avait un chien, une espèce de Milou jaune et très haut sur pattes. Nous étions dans le salon, la chienne était couchée et je la caressais. Brusquement, elle m'a sauté au visage et m'a mordue à la lèvre. J'ai eu très peur, ça saignait fort, mais la morsure était sans gravité. Il fallait cependant la soigner et c'est Alain qui s'en est chargé. Son visage tout près du mien, il nettoyait ma blessure à l'aide d'un tampon d'ouate imbibé d'eau oxygénée en me tenant le menton et en soufflant délicatement sur ma lèvre...

Moi, c'est plutôt au bord du lac de Garabit que je me tenais le plus souvent. J'y ai reçu mon baptême de ski nautique : tout habillée, engoncée dans un ciré de marin, avec le chapeau, et deux ceintures de liège autour de la taille sous prétexte qu'il fallait mettre toutes les chances de mon côté pour parvenir à sortir de l'eau... j'ai quand même réussi à faire quelques mètres sur mes spatules du premier coup.

Avec l'aide de Christine Dandrieux, une authentique championne, qui était la doublure-image de Romy pour les scènes de ski, et avec les conseils des cascadeurs j'ai vite pris goût à ce sport. Au fond je passais de très bonnes vacances, et ce n'était pas fini !

Un soir que nous rentrions à pied vers l'hôtel après un dîner au restaurant je fus soudain comme « aspirée » par une affiche sur un mur : LE GRAND CIRQUE DE FRANCE PRÉSENTE : « BEN HUR VIVANT. »

Je ne sais pas pourquoi je suis restée plantée devant cette affiche avec la sensation que je devais aller voir ce spectacle. Toujours est-il que j'ai réussi à traîner toute notre petite bande d'acteurs à la représentation qui avait lieu le lendemain. Je me suis chargée de prendre les places et je n'ai pas fait le détail : LA loge en bordure, face à l'entrée de la piste. Et je n'ai pas regretté.

Le spectacle était impressionnant. Pour la première partie, des numéros de cirque classiques se succédaient sur une piste centrale réglementaire, illustrant le récit auquel Jean Vilar prêtait sa voix. La vie de Ben Hur se déroulait sous nos yeux, interprétée par des artistes prodigieux. Une troupe d'équilibristes marocains figuraient des esclaves, puis venaient des jongleurs avec des torches enflammées, beaucoup de chevaux, la fosse aux lions, bien sûr, bref, c'était magique.

En seconde partie, le clou du spectacle : la course de chars.

Six chars au départ ! On avait enlevé la piste réglementaire pour laisser libre toute la surface sous les quatre mâts du chapiteau. De vrais chars avec des roues énormes en acier, chacun tiré par deux chevaux magnifiques et mené par les artistes en tenue d'époque. Les chars étaient éliminés l'un après l'autre après avoir effectué quelques tours de piste riches en événements dramatiques soigneusement mis au point : la perte d'une roue : soixante-dix kilos de métal libérés en pleine vitesse sur la piste !, la chute d'un concurrent, une empoignade entre deux autres, jusqu'à ce qu'il ne reste plus en piste que Ben Hur et Messala... on s'y serait vraiment cru, c'était mieux que le film !

Pour suivre cette course de chars, nous étions presque trop bien placés... la poussière, le sable de la piste, la bave, l'écume et le crottin des chevaux, rien ne nous fut épargné ! surtout pas le plaisir inouï de la peur et de l'émotion engendrées par tout ce travail et ce courage.

A la fin du spectacle nous avons fait la connaissance des artistes. Pour les approcher il n'a pas été nécessaire de donner notre nom au concierge du théâtre. Ils étaient de nouveau au travail, en train de démonter le chapiteau, car le lendemain une autre ville les attendait. Nous les avons beaucoup félicités. Deux d'entre eux étaient plus civils et plus disponibles que les autres. Ma copine Christine, passablement émoustillée par ces grands et beaux garçons musclés et ruisselants de sueur, en faisait beaucoup sur ses activités nautiques.

L'un d'entre eux, le plus petit et apparemment le

plus jeune, semblait l'écouter avec beaucoup d'intérêt, disant que lui aussi faisait quelquefois du ski nautique mais qu'il s'y prenait un peu différemment. Lui, disait-il en fléchissant légèrement les genoux les deux bras tendus en avant, se tenait plutôt comme... et hop ! sans prévenir, saut périlleux arrière sur le bitume... comme ça ! ou bien alors aussi comme ça... et hop ! saut périlleux avant, histoire de se remettre les idées à l'endroit.

Il s'appelait Armand. Armand Gruss, il avait dix-neuf ans, il était le fils du maître écuyer Alexis Gruss senior. Je crois bien que c'est ce soir-là que je suis tombée amoureuse du cirque.

L'autre garçon s'appelait Alexis. Alexis Gruss junior. C'était un paquet de muscles dispersés sur tout le corps, avec un visage long, des yeux légèrement bridés et très vifs. Sa voix était rauque et, tout comme son père, le clown Dédé, il avait un léger cheveu sur la langue.

Tous deux étaient charmants.

Le lendemain, avant leur départ, ils sont venus nous voir sur le décor au bord du lac où nous continuions de nous rendre chaque jour. Ils avaient envie de voir à quoi ressemblait un plateau de cinéma. Puis, comme ils trouvaient sans doute que tout cela manquait un peu de risque, ils sont montés sur le viaduc et ont plongé dans le lac, enchaînant les figures acrobatiques.

L'heure du départ approchait.

– Qu'est-ce que vous faites ce soir ? demanda Alexis.

– Rien.

– Pourquoi vous ne venez pas avec nous ? On vous emmène et vous rentrez en taxi, ce n'est pas très loin, Marvejols.

– Pourquoi pas ?

114

Et nous les avons suivis. Le soir, après la représentation, nous avons rejoint notre base un peu tristement.

Le lendemain, Armand est revenu me chercher et
je suis repartie. Lorsque nous sommes arrivés sur
place, le cirque était déjà monté. Les semis (il ne
faut pas dire roulotte) qui abritent les familles
étaient rangés à proximité de la toile.

— Je vais te présenter à mon père, me dit Armand.
Il est terrible, il n'aime pas les gens du dehors ; mais
toi, c'est différent, tu es un peu de chez nous.

Fière de ma promotion, mais un peu tremblante
quand même, je pénètre dans le semi. Le père Gruss
et sa femme sont là. Elle, c'est une toute petite
femme fragile au regard doux et malicieux. Elle me
fait penser à ma Tatie Livi. Lui, c'est un homme au
visage dur. Son menton est légèrement prognathe,
son nez cassé, ses cheveux rares et très blancs. Le
tout éclairé par deux yeux extraordinairement
clairs. Il me fait peur.

Il est assis à sa table et il le reste quand je lui
tends la main.

— Papa, je te présente Catherine Allégret ; elle
tourne un film dans la région.

Deux billes d'acier roulent sur moi. Je dirais
même plus, le chef me scrute, me jauge, m'évalue
de la tête aux pieds.

— Approche, me dit-il, nous aimons beaucoup ta
famille, tu sais.

J'ai l'impression que je deviens l'héroïne d'un
livre de la Bibliothèque Verte, ou Rose ou Rouge et
Or... je ne sais plus très bien ce qui m'arrive là... Il
plante son regard dans le mien, et lorsque, de ses

deux fortes mains, il évalue ma stature, les épaules, les bras, les hanches... il n'y a rien d'équivoque dans ses gestes. Puis, avec une moue satisfaite et un large sourire qui le rend enfin accessible :

– Oui... avec un peu d'entraînement elle ferait une bonne écuyère. Allez, on va boire un peu de champagne !

Je crois bien que c'était la première fois de ma vie que je buvais du champagne rosé. J'ai su que le cirque était remisé à Reims en hiver, et c'est la raison pour laquelle les dessous du semi regorgeaient de trésors de bulles...

Je venais donc d'être acceptée par le chef du clan, le reste de la famille m'adopta de la même manière. Ma rencontre avec la famille Gruss coïncida avec l'annonce définitive de l'arrêt du tournage, ce qui me permit de suivre un moment le cirque.

J'avais trouvé du même coup un jumeau astral. Lucien, dit Lulu, le petit frère d'Armand, né comme moi un 16 avril. Il avait treize ans et me contemplait avec tout l'intérêt qu'un petit frère peut porter à la copine d'un plus grand. Il ne travaillait pas dans le spectacle, il apprenait le dressage des chevaux avec papa.

Avec lui, j'ai pu suivre les représentations de divers points du chapiteau et pénétrer dans le secret de fabrication du spectacle. J'ai vu à quel moment « Timon d'Athènes » appuyait sur la manette qui libérait les soixante-dix kilos de ferraille de sa roue, j'ai su quand les chevaux n'étaient pas bien, quand il y avait des risques. J'ai vibré au rythme des représentations, j'avais peur pour Armand, et c'était bon.

Et puis j'ai eu l'occasion d'entendre l'un des plus beaux mots de « cabot » de ma vie. Il s'agissait de la revendication de l'artiste qui interprétait le rôle de Messala et qui en était très mécontent :

– J'ai l' plus mauvais rôle, j'ai l' plus mauvais char, j'ai les plus mauvais ch'vaux, et, en plus, j'ai la haine du public !

Armand me l'avait raconté en précisant qu'à aucun moment ce héros malheureux n'avait songé à faire de l'humour.

Après l'étape des Saintes-Maries-de-la-Mer, j'eus envie de rejoindre Maman et Montand à Saint-Paul-de-Vence. Lorsque je racontai cette aventure à ma famille, ils crurent, à la flamme qui brillait encore dans mes yeux, qu'il m'était arrivé autre chose. Montand ne voulait pas croire que je puisse exprimer tant de passion sans vivre une aventure amoureuse. Ils avaient l'un et l'autre la fâcheuse habitude de vouloir lire entre les mots.

– Pourquoi tu n'es pas restée, alors ?... Tu as eu la trouille, hein ?

Peur de quoi ? On se le demande. Peur de ne plus être coincée entre trois contrats, huit intellectuels de gauche, deux pétitions et douze réfugiés politiques ? Peur d'avoir enfin le droit à la parole ? Ou peur de me retrouver au milieu de gens qui pourraient m'aider à trouver mon équilibre... sur un cheval par exemple. Et si j'avais tout simplement eu envie de retrouver ma famille ? Mais cela non plus, ça ne pouvait pas leur effleurer l'esprit.

En effet, j'ai sans doute eu peur d'échapper à mon destin. J'ai peut-être laissé passer ma chance de vivre différemment, loin des difficultés, des magouilles et des déceptions du métier de comédien.

Non, vraiment, il ne m'était rien arrivé, rien

d'autre qu'une rencontre avec un monde qui forcera toute ma vie mon respect et mon admiration. Et puis, j'avais maintenant de belles images plein la tête, et de vrais amis qui sont encore dans ma vie aujourd'hui.

14

Ces vacances d'été se sont terminées sans autre
événement particulier. J'étais collée au bac, je
n'avais pas la moindre envie de rempiler, « mon »
premier film n'avait aucune chance de voir le jour,
c'était « retour à la case départ », ou plutôt « arrivée », tout simplement.

Que faire ? On ne peut pas dire qu'à cette époque
j'aie été submergée de conseils, d'aide ou d'encou-
ragements. Le couplet préféré de ma mère, c'était
plutôt :

– Si tu veux faire l'actrice, débrouille-toi, nous on
ne fera rien pour t'aider.

Il y en avait pourtant, du monde autour, qui aurait
pu faire quelque chose, ne serait-ce qu'être de bon
conseil. Mais non, il ne s'en est pas trouvé un qui
bougeât une oreille ou m'en prêtât une un tout petit
peu attentive.

Et pendant ce temps-là le téléphone fonctionnait
à la maison pour aider à la carrière de tous, sauf à
la mienne. A croire qu'ils étaient terrifiés à l'idée
que je veuille faire ce métier. Ils craignaient peut-
être que je ne sois mauvaise ou, qui sait, vraiment
bonne... à moins que ce ne fût une mise à l'épreuve...

Je me suis donc dirigée toute seule et timidement

vers le phare qui attirait tous les postulants comédiens à l'époque : le cours Simon. René Simon régnait sur son école en maître absolu. Il avait un visage de bande dessinée : le nez retroussé, le menton en galoche, des petits yeux égrillards, le cheveu rare et les mains baladeuses. Ici, tout le monde l'appelait « Patron ». Il m'a reçue dans son bureau, m'a jaugée beaucoup moins innocemment que ne l'avait fait le père Gruss, et a décidé dans la foulée que j'étais une soubrette.

Quand je lui ai fait part de mon angoisse d'être regardée comme « la fille Signoret » par les autres élèves du cours, il a tenté de me rassurer en m'affublant du pseudonyme de Catherine Mathieu – puisque notre entrevue avait lieu le jour de la Saint-Mathieu... – et m'a imposé, comme scène d'examen d'entrée, le monologue de Rosine dans *Le Barbier de Séville*. Une scène d'une simplicité « éléphantine », pour reprendre l'une des expressions favorites de M. Pinset, l'un de mes profs d'histoire à l'Ecole alsacienne.

C'est vrai, quand on a pour tout bagage « je ne sais pas si c'est l'orage, mais qu'est-ce qu'il y a comme mains qui traînent aujourd'hui ! » et que, pour tout arranger, on n'a même pas eu le temps de dire cette réplique, quoi de plus facile, en effet, que de travailler seule, sans aide, sans conseil, Rosine-du-Barbier-de-Beaumarchais-de-Séville !

Quand je suis rentrée à la maison, j'ai commencé à apprendre mon « par cœur ». Lorsque je l'ai eu su, le pire restait à venir... Non, pas mon audition chez Simon, une autre ! Maman et Montand avaient entrepris de me faire dire ma scène... pour voir.

Et voilà Montand, plantant le décor dans le salon.
Une table, une chaise, une bougie... et vas-y, petit !
Moi : – Marceline est malade ; tous les gens sont

occupés ; et personne ne me voit écrire. Je ne sais si... Non, je ne peux pas, je n'y arriverai jamais.

Eux : – Mais si, vas-y, c'est pas mal, il va bien falloir que tu le fasses.

A cet instant précis j'ai su que je ne serais jamais une soubrette, même si mon physique généreux et mon minois fripon avaient inspiré René Simon ; ce soir-là je me sentis surtout l'âme d'une Athalie.

Il m'a pourtant prise dans son cours. Pas dans sa classe, mais dans son cours. Je ne m'étendrai pas davantage sur le cours Simon qui, déjà à cette époque, avait un sérieux coup dans l'aile. Si j'ajoute au tableau que « Catherine Mathieu » oubliait de répondre présente à l'appel, pour sursauter au troisième « MATHIEU ! », vous saurez que Polichinelle et son secret avaient vite fait le tour de cette comédie de l'art qu'était devenu ce cours sur sa fin.

Les rares fois où j'ai passé une scène, je sentais confusément que chacun attendait que la « p'tite Signoret » se prenne les pieds dans le tapis ! Tout petits déjà, les acteurs savent être très méchants.

Une fois de plus, c'est Margot Capelier qui m'a tirée de ce mauvais pas en me présentant à Peter Ustinov qui préparait *Lady L*.

En souvenir de ma bonne éducation, j'ai demandé au « Patron » l'autorisation de partir travailler, autorisation que de toute façon j'aurais transgressée si elle m'avait été refusée, car je ne pouvais plus voir sa gueule ni supporter son numéro de cabot sadique le soir, lorsqu'il donnait ses cours d'ensemble.

Deux ou trois fois par semaine, il s'exhibait sur la ravissante petite scène du 36, boulevard des Invalides. Nous étions tenus d'y assister, même nous, les débutants. J'avais vite pris le pli de sécher ces trois heures de radotage en compagnie d'une camarade de cours. Nous préférions de beaucoup la rue Saint-

Benoît, qui, à l'époque, était plutôt gaie. Pas encore « gay », mais vraiment très gaie.

Je suis donc allée apprendre mon métier en empruntant la même porte que celle qu'avait empruntée ma mère, sans pour autant m'en donner la clef, la figuration.

J'aurais vraiment pu tomber plus mal !

Lady L., c'était Sophia Loren. Elle était sincèrement gentille, simple et incroyablement professionnelle. Je n'ai jamais compris comment elle faisait, après l'avoir vue arriver le matin, généreusement épanouie dans sa jupe droite et son pull à col roulé noir, pour reparaître sur le plateau avec une telle taille de guêpe. Bien sûr, il y avait le corset, mais ce qu'il lui fallait de résistance humaine pour supporter une telle compression de son corps des heures durant, sans qu'une plainte sorte jamais de sa bouche, forçait vraiment mon admiration.

Et puis il y avait aussi son comportement sur le plateau. Elle avait une technique de Sioux pour s'assurer que les lumières étaient parfaitement réglées pour elle après le passage de sa doublure. Juste avant que le moteur ne soit demandé, après que la dernière mèche de ses cheveux eut été mise en place, elle appelait son maquilleur.

– *Pepino, da me il specchio per piacere*[1] *!*

Et le vieux Pepino, qui avait maquillé aussi ma mère dans *Adua et ses compagnes* quelques années plus tôt, accourait avec le miroir. Sophia, alors, le lui prenait des mains, et se regardait un instant, tout en cherchant quelque chose au fond de son panier de lingère. Elle en extirpait une minuscule bouteille

_____
1. Pepino, donne-moi le miroir, s'il te plaît !

de gouttes oculaires dont une seule lâchée dans chaque œil venait accroître la brillance de son regard. Puis, tout en replaçant sa bouteille sous les linges qui garnissaient le panier, elle se regardait sous tous les angles, tout en passant délicatement sa grande main de haut en bas, puis de bas en haut, entre son visage et le miroir. Et chaque fois ça ne ratait pas, on entendait ceci :

– Alkainn ! Alkainn[1] !... lé douz', un po piou soulla face, s'il té plaît... et lé houit', tou lé pique un pè ! Voilà, merrrci, jè suis prêt'.

Elle gardait le miroir qui allait rejoindre les gouttes au fond du panier et, en moins de temps qu'il ne faut pour l'écrire, elle avait rectifié ses lumières, nommant chaque projecteur par son numéro. Elle avait fait tout cela avec tant d'amabilité que personne ne songeait à s'en offusquer. Moi, j'étais fascinée.

Avant le début du tournage, nous avions fait des essais de costume et de maquillage aux studios de Boulogne. J'étais dans une loge en train d'essayer jupons et corsets lorsqu'une tête portant barbe claire et yeux-bleus-bleus-bleus... a passé par la porte. Voyant que l'habilleuse était occupée avec une jeune fille, la tête s'est excusée et a refermé la porte. Puis on a frappé. Nous avons dit « entrez », et la tête est reparue, cette fois sur un corps tout entier. Pantalon noir et bretelles sur une chemise de corps d'époque, la tête a dit :

– *You're Simone's daughter ! You look very much like her ! I'm happy you are in the film ! See you later[2] !*

---

1. Alkain : Henri Alekan, le grand chef opérateur.
2. Vous êtes la fille de Simone ! Vous lui ressemblez beaucoup ! Je suis heureux que vous soyez dans le film ! A plus tard !

Et le corps et la tête ont disparu. J'étais au bord du malaise, c'était Paul Newman qui venait de me dire qu'il était heureux que je sois dans le film ! C'était le monde à l'envers ! Non, c'était sa façon à lui de dire « Bienvenue à bord ».

La distribution regorgeait de têtes d'affiche qui avaient pratiquement toutes travaillé avec ma mère, notamment dans *Casque d'or*, et qui étaient assez émues de se retrouver devant « la petite » déguisée en pensionnaire de maison close des années 1900... Ça leur donnait un vieux coup de jeune ! Claude Dauphin, Marcel Dalio, Dominique Davray... Michel Piccoli qui m'avait connue à neuf ans pendant le tournage des *Sorcières de Salem* en Allemagne de l'Est, et, pour couronner le tout, Jean Wiener qui jouait du piano bastringue pour distraire les dames de la maison close.

Je m'appelais Pantoufle, c'était un rôle pratiquement muet, et pour un plan, un seul, j'étais face à Piccoli qui interprétait le patron du bordel. Je devais traverser le salon rose praline et rouge cerise et, juste avant ma sortie, Piccoli m'arrêtait d'un formidable : « Pantoufle ! » Je devais alors me retourner, l'écouter me donner un ordre et peut-être répondre : « Bien, monsieur. » Une telle intervention filmée de nos jours à la télévision par un metteur en scène qui aurait très peu de jours devant lui pour faire son film ne donnerait sans doute lieu à aucune attention particulière pour la figurante qui serait ladite Pantoufle. Seulement voilà, nous étions au cinéma, dans une super-production américaine des années soixante. Le metteur en scène était Peter Ustinov, le chef opérateur Henri Alekan... autant dire que tout le monde prenait le temps de fignoler... ce qui laissa à mon trac tout le temps de s'épanouir !

C'est Escoffier qui avait fait les costumes, et chacune d'entre nous avait été habillée avec un soin particulier. Pour le mien, il s'était directement inspiré d'une toile de Renoir représentant une ballerine de cirque. Il se composait d'un caraco et d'une culotte bouffante en satin orange surmontée d'un corset dont il avait habillé les baleines en y alternant des rubans de velours dans des camaïeux de pêche et de vert. Sur le décolleté généreux du caraco, il avait placé des franges dorées que l'on retrouvait sur le haut des bottines en cuir noir. Mes jambes étaient gainées dans un collant lui aussi orange. Mes cheveux étaient relevés en demi-queue et retenus par un flot de rubans, les mêmes que ceux du corset. Pour parfaire le tout, on y avait ajouté un postiche dégringolant jusqu'aux fesses qui me vengea en une seule fois de toutes les coupes sauvages que ma mère m'avait infligées durant des années, les veilles de départ en vacances, dans ma petite enfance. Sans fausse modestie, je pense, aujourd'hui, que je devais être superbe !

Superbes aussi mes camarades : Ursula Kubler avec sa tenue à la Goulue, et Dominique Davray en Petit Chaperon rouge. Dans cette ambiance hollywoodienne je fis la connaissance de France Arnell, danseuse et chanteuse au physique étonnant, aux yeux vert et or et qui fut ma première amie dans ce métier.

Le décor de la maison close était le seul où j'apparaissais, mais il occupait une place importante dans le film. Pendant plus d'un mois je me rendis donc chaque jour aux studios de Boulogne et, en dehors de la joie que j'avais à retrouver tout ce beau monde chaque matin, je gagnais très bien ma vie.

Avec ma première paye je fis une descente dans les boutiques de Saint-Germain-des-Prés et je m'équipai de neuf de la tête aux pieds, tout en me faisant la réflexion que le temps où ma mère m'habillait avec ce que l'on pouvait trouver de plus moche à La Belle Jardinière pour que je n'aie jamais l'air d'une gosse de riche était définitivement révolu. Du bonnet en duvet de cygne à ma paire de mocassins, en passant par mon pantalon de velours, tout était prune. J'adorais cette couleur qui était très à la mode à l'époque.

Et puis j'ai invité mes parents à dîner au restaurant pour la première fois de ma vie et de la leur. Pour leur rendre un peu de tous les camions de lait que j'avais engloutis depuis ma naissance, je les ai emmenés chez Dominique, où nous nous rendions souvent. Comme c'était moi qui régalais, Montand nous a fait un sketch de gros mal élevé en choisissant systématiquement ce qu'il y avait de plus cher ! Et tandis que Maman se rabattait timidement sur les brochettes en répétant, entre deux hoquets de rire, « pauvre cocotte », Montand, lui, commandait caviar sur zakouskis, zakouskis sur blinis, blinis sur caviar... et moi, je buvais du petit-lait ! J'étais vraiment fière de pouvoir leur faire la fête.

Montand n'a jamais oublié ce repas au restaurant, d'autant plus que, chaque fois qu'il est sorti déjeuner ou dîner avec des amis, à quelques très rares exceptions près, personne ne s'est jamais vraiment battu pour lui prendre l'addition...

Je venais de passer mon permis de conduire et j'avais demandé à Montand s'il accepterait de me louer une voiture un week-end pour que j'aille seule, comme une grande, à Autheuil.

Un samedi matin, toute de prune vêtue, je descends voir Maman et Montand au rez-de-chaussée du 15, espérant secrètement que Montand aura pensé à me louer cette fameuse voiture. Après quelques compliments, mitigés, sur ma tenue, il me dit de l'attendre dans le salon, il a à me parler... N'ayant rien à me reprocher dans l'immédiat, je me réjouis déjà...

Il me rejoint bientôt, vêtu de son éternelle robe de chambre écossaise et de ses mules de cuir noir. Il me dit : « Viens, on va faire un tour. » Et nous sortons sur la place, lui toujours en robe de chambre, moi dans ma tenue prune.

Nous faisons quelques pas sur le trottoir, tout d'abord en direction de chez Gaubert, et nous parlons. Il me dit qu'il ne m'a pas loué de voiture cette semaine encore, puis me branche sur les voitures en général. Ce que j'aime comme marque, comme style. Nous repassons devant la maison. Nous voici maintenant en direction du restaurant Le Vert Galant...

— Moi, ce que j'aime en fait, dis-je, ce sont les petites Austin. J'en ai vu une il n'y a pas longtemps dans Paris, elle était prune, intérieur beige, vraiment mignonne... tiens, comme celle-là !

Il y avait en effet, justement garée sur le bateau du Vert Galant, une petite Austin 850, ravissante.

— Comme celle-là ? Tu es sûre ?

— Oui, pareille !

Et à ce moment il met la main dans la poche de sa robe de chambre et en sort une clef.

— Voilà.

— Tu y as pensé ? Tu m'as loué une voiture ? Tu es vraiment mignon !

— Non, elle est à toi... ne fais pas la bête... Et d'ailleurs tu le savais : il n'y a qu'à voir comment tu t'es habillée ce matin ! Qui te l'avait dit ?

— Mais personne, je te jure, Montand... Je me suis

habillée comme ça parce que je viens de m'acheter ces fringues, c'est tout !

Je balbutiais. Je ne savais plus où j'en étais. Une voiture pour moi toute seule. Quel cadeau magnifique !

Il a ouvert la portière, je me suis assise au volant, j'étais toute chose. Il a abaissé le pare-soleil, une enveloppe y était fixée au Scotch. Sur cette enveloppe, simplement : « Cathou. »

A l'intérieur, une lettre, très simple, pleine de tendresse, dans laquelle il me disait qu'il avait agi un peu contre la volonté de Maman en me faisant ce cadeau, mais qu'il avait confiance en moi. Il me demandait de ne pas le lui faire regretter. En gros, il me suppliait de ne pas me casser la gueule avec.

Voici que pour la deuxième fois dans mon histoire il présidait à mon « départ dans la vie », toujours en mules et en robe de chambre, mais cette fois-ci je ne partais plus à pied mais à cheval...-vapeur, et bientôt, sur les chapeaux de roues.

15

Costa GA-vras [1] était entré dans notre vie quelque temps plus tôt. Il s'était lié d'amitié avec Maman sur le tournage du film de René Clément, dont il était le premier assistant : *Le Jour et l'heure*. Il avait en tête de réaliser son premier film d'après le roman de Sébastien Japrisot : *Compartiment tueurs*. Est-ce en voyant Pierre Mondy donner des leçons de twist à Montand dans le salon de la grande maison blanche qu'il eut l'idée de faire de ces deux twisteurs le couple d'inspecteurs que l'on sait ? Je l'ignore. Toujours est-il qu'Autheuil avec ses pensionnaires se révéla être le berceau de la brillante distribution de ce haletant polar. Il faut dire qu'il régnait dans cette maison tant d'amour, et tant d'humour et de complicité, que réunir à l'écran ces gens qui fonctionnaient si bien ensemble devait être d'une belle évidence.

Piccoli, Maman, Montand, Pascale Roberts, Françoise Arnoul, Mondy, Géret, Bozzuffi, tout le monde fut convié au générique. Il suffisait d'avoir encore quelques bonnes idées pour compléter la distribution et le tour serait joué.

Restait Benjamine Bomba, la plus jeune des occu-

---

1. Et non pas GRA-vas !...

pants de ce terrible compartiment où l'on mourait comme des mouches. Et Benjamine Bomba, ce fut moi.

Mais la partie n'était pas jouée d'avance. C'était un rôle important, je dus passer des essais et, une fois de plus, la nouvelle m'arriva dans le style catastrophe dont mes illustres parents avaient le secret : il n'y aurait pas de passe-droit ; si je n'étais pas convaincante aux essais, je ne serais pas engagée, d'ailleurs je ne serais pas la seule à faire des essais. Je ne suis pas tout à fait sûre qu'on m'ait même demandé si l'idée de me retrouver dans une entreprise quasi familiale ne me posait pas un problème.

Maman avait simplement demandé à Costa d'écrire une scène spécialement destinée aux essais car elle avait le souvenir d'avoir eu beaucoup de mal à rejouer « en vrai » pour un film la même scène que celle qui, alors qu'elle n'était encore qu'une jeune débutante, lui avait pourtant valu son engagement. Quant à moi, je ne dus pas trop mal me tirer de l'épreuve, puisque je fus engagée.

Je me fis donc une douce violence et montai à mon tour dans le train des grands. Dire que ce premier rôle fut pour moi une partie de plaisir sans mélange serait mentir. J'adorais jouer la comédie mais, comme j'avais la terreur de mal faire, j'en faisais justement souvent trop, me mêlant parfois de choses qui ne me regardaient pas. Des raccords par exemple. Ce qui est le travail de la scripte.

Je me rappelle notamment avoir tenu tête à Costa pour une histoire de brosse à cheveux. Nous avions tourné la veille une scène dans le cabinet de toilette du train et j'y étais entrée avec une chemise de nuit et une brosse à cheveux noire en poils de sanglier. Le lendemain, on tourne la scène qui précède, et je dois gratter à la porte vitrée du même cabinet de toilette avec ma brosse. Celle qu'on me remet maintenant est en bois clair avec des piquants en fer... (même en noir et blanc, ça se remarque) et je le dis... et je le maintiens... et je le soutiens... et Costa se fâche. « Ce n'est pas ton problème, moteur ! » et il donne un grand coup de poing sur la porte, qui se fend.

Si vous revoyez le film un jour, regardez bien : la petite Bomba gratte à une porte vitrée (fendue) avec une brosse, et pénètre à l'intérieur avec une autre.... Ce sont les mystères du cinéma, et, comme dirait l'autre, ça n'a pas empêché le film de marcher.

La terreur, c'était aussi d'échanger une unique et minuscule réplique avec ma mère dans le compartiment. C'était surtout de résister aux fous rires que Montand provoquait chez moi, principalement lorsqu'il était le dos à la caméra et moi de face, et qu'il me donnait la réplique avec l'œil sournois du gentil camarade qui ne veut surtout pas vous déconcentrer...

Puis il a fallu vaincre ma pudeur et recevoir un furtif et presque involontaire baiser de Jacques Perrin dans une cage d'escalier, ou bien encore crier de terreur lorsqu'il s'approchait de moi dans la pénombre, tenant dans la main le robinet du lavabo qu'il venait de casser et qu'on pouvait prendre pour un revolver. Crier ! C'est très difficile pour un débutant. Rire aussi, mais crier, c'est terrible, enfin pour moi ce fut insurmontable, à tel point que je n'ai pu qu'aspirer un « OHHHH ! » vaguement sonore.

Le plaisir venait à la projection : je n'en croyais pas mes yeux de me voir là.

Le vrai bonheur, ce fut la sortie du film.

Tandis que Costa montait son film, moi j'avais trouvé un engagement au théâtre de l'Atelier sous la direction d'André Barsacq.

Il avait dû se rappeler le jour où je m'étais présentée à lui alors qu'il cherchait quelqu'un pour remplacer Marie Dubois qui quittait son spectacle : j'étais assise dans le foyer au milieu d'autres comédiennes, toutes bien plus âgées que moi ; en me voyant rougissante et honteuse dans ma robe de laine prune, il m'avait simplement dit : « Et vous, qu'est-ce que vous faites là ? »

J'avais bredouillé que je savais qu'il cherchait une comédienne pour reprendre le rôle de Marie Dubois, et il m'avait très gentiment fait comprendre que j'étais bien trop jeune pour le jouer.

J'étais partie sans croire vraiment qu'il me rappellerait « à l'occasion », même s'il avait pris mes coordonnées. Pourtant, quelque temps après, il monta un nouveau spectacle, et je fus convoquée pour auditionner dans le rôle de Nina, la plus jeune des filles de madame Ignazzia dans *Ce soir on improvise*, de Pirandello.

Et Barsacq m'engagea. J'étais la benjamine de la troupe. Je n'avais pas tout à fait dix-neuf ans. J'étais encore une fois bien tombée. Alain Mottet, Jacques Mauclair, Arlette Méry, Loleh Bellon et Jacques Destoop se partageaient les principaux rôles de cette pièce savoureuse dont le thème est le théâtre dans le théâtre. Malgré mon maigre cachet de trente-deux francs cinquante par représentation, j'étais drôlement fière d'avoir été engagée. De plus j'avais signalé à France Arnell, mon amie depuis *Lady L.*, que Barsacq cherchait encore quelqu'un pour le rôle de la chanteuse de cabaret. Elle avait auditionné, et avait, elle aussi, été engagée.

Je connaissais tous les comédiens, sauf Jacques

Destoop. Le premier jour de répétition, alors qu'il n'était pas encore arrivé et que nous étions tous réunis autour de la maquette que René Allio, alors décorateur, venait de présenter, je me suis risquée à demander qui était Jacques Destoop. On m'a répondu qu'il venait de quitter la Comédie-Française. Pour moi, la Comédie-Française évoquait un lieu de culte théâtral où ne jouaient essentiellement que de vieux acteurs... et, lorsque je vis Destoop apparaître, avec ses yeux jaunes, son charme et ses trente-six ans, je fus décidément bien contente d'être là.

M. et Mme Stoupkijoucesoir ont une fille : Mercedes. Mer'!..., c'est Destoop qui joue ce soir ! Cette fine plaisanterie, ainsi que beaucoup d'autres d'ailleurs, je la tiens de Jacques lui-même, directement importée du Français. Pour nous, il était « Stoopy ».

Nous avons joué ce spectacle dans un bonheur total. Les esprits de Charles Dullin et de Louis Jouvet soufflaient dans ce théâtre, les grands veillaient sur moi, Barsacq veillait au grain... car nous formions une joyeuse équipe, riant autant sur scène qu'en coulisses... jusqu'à en rater parfois nos entrées. Je retrouvais mon nom au tableau de service en ces termes : « Catherine, attention, tu as encore ri ce soir ! » signé A. Barsacq.

Il faut dire que les occasions étaient nombreuses dans ce spectacle où tous les coups étaient permis puisque nous étions censés répéter. Bien souvent, les fous rires d'acteurs ne sont pas perceptibles pour le spectateur. Mais, en l'occurrence, il fallait compter avec le regard permanent du Metteur en scène, alias le Docteur Inkfus, qu'interprétait Alain Mottet, et qui supportait très mal d'être consigné dans la salle et de ne pas pouvoir participer à certains délires. Il s'octroyait donc le droit d'intervenir pour rétablir l'ordre, ce qui, comme à l'école, nous faisait rire deux fois plus.

Un mardi, alors que la relâche de la veille nous avait renvoyés dans nos foyers pour le repos hebdomadaire, nous voyons débarquer dans notre loge Loleh Bellon, catastrophée, à la recherche de l'anticerne qui pourrait masquer efficacement le magnifique coquard qu'elle a à l'œil droit.

Après avoir subi nos fines plaisanteries quant aux violences que son mari, Claude Roy, avait dû exercer sur elle au cours d'une scène de ménage, elle nous raconte la véritable origine de son œil au beurre noir. En marchant dans son jardin, elle n'a pas prêté attention au râteau qui lui barrait sournoisement la route et sur la tête duquel elle a distraitement marché. Comme dans un dessin animé, le manche s'est violemment redressé pour venir la heurter en plein visage.

Possédant un matériel inversement proportionnel à mon âge et à la taille de mon rôle, c'est moi que l'on désigne pour opérer. Je la fais asseoir et je tente de dissimuler les dégâts comme je peux, après avoir choisi, parmi les « deux cent soixante-douze » fards qui garnissent ma mallette de théâtreuse, celui qui serait le plus efficace.

L'heure de la représentation arrive. Le rideau se lève et le spectacle débute normalement. Tel qu'il est écrit dans la pièce de Pirandello, un incident survient bientôt entre Le jeune premier, Jacques Destoop, et La jeune première, Loleh Bellon. L'incident doit cependant être de courte durée et se solder par une réconciliation grandiose entre les personnages. La réplique que Jacques doit prononcer alors est la suivante : Oui, je vous vois, vous êtes là, devant moi, avec ces yeux, avec cette bouche...

Loleh est de profil au public, qui, jusque-là, n'a

pas remarqué l'œil fermé de notre camarade. Et Jacques s'entend dire : « avec ces yeux... ».

Il s'arrête net de parler et lève les bras au ciel en signe d'impuissance, puis reprend : « avec CET œil... avec cette bouche... » et Loleh, qui est très très rieuse, pouffe et se jette dans ses bras en faisant mine de sangloter.

Pour nous, ce fut terrible. D'autant plus terrible que nous n'avions aucune épaule charitable contre laquelle nous épancher pour masquer notre fou rire. Placés comme nous l'étions derrière la méridienne sur laquelle se mourait notre père Jacques Mauclair, il ne nous restait plus qu'à jouer à l'affiche des Frères Ripolin derrière le plus grand de nos camarades, ce qui changeait légèrement la mise en scène... et qui ne manqua pas de fâcher le Docteur Inkfus qui en profita pour intervenir alors qu'à ce moment-là Pirandello ne lui avait rien demandé. On n'alla pas jusqu'à baisser le rideau, mais on frisa la catastrophe. Le drame de cette histoire, c'est qu'à partir de ce soir-là nous avons ri chaque fois au même endroit, c'était devenu comme un réflexe.

J'ai connu dans ce théâtre des moments inoubliables. J'y ai vu ce qu'était une vraie centième, fêtée sur le plateau. J'ai vu Barsacq ouvrir le bal en faisant virevolter Pierrette, notre vieille-vieille habilleuse qui se dépêchait de quitter le théâtre après la représentation pour attraper le dernier funiculaire qui la remontait en haut de la butte Montmartre où elle habitait. *Ce soir on improvise* fut son dernier spectacle, elle prit sa retraite après la centième et ne revint pas avec nous à la rentrée.

Et pour moi, ce fut le premier.

J'eus ainsi la chance de travailler avec l'homme de théâtre qu'était André Barsacq. Il était gentil, généreux, compréhensif au point de me remplacer le soir de la sortie de *Compartiment tueurs*, de façon que je puisse profiter pleinement de ma fierté.

Compartiment tueurs fut un grand succès. Ma prestation, bien que saluée par tous ceux qui avaient vu le film, ne m'apporta pas immédiatement un autre rôle au cinéma. Ce n'était pas encore la mode des films d'adolescents, et *Les Petites Anglaises* n'étaient pas encore dans le regard de leur père...

16

Le temps passa doucement, une petite année.

Vint le jour où l'on m'apprit que la Seven Arts, coproducteur de *Compartiments tueurs*, voulait me prendre sous contrat pour sept ans. Mes parents me dissuadèrent d'accepter, insistant sur le fait que c'était le genre de contrat qu'ils proposaient à tout le monde et que ce n'était jamais très sérieux...

Encore une attitude encourageante pour ma jeune carrière. Mais j'étais mineure, je n'avais pas le choix.

En revanche, j'eus la permission de partir pour les Etats-Unis présenter le film. Le départ était prévu pour avril, nous étions fin mars.

Mon amitié avec France Arnell s'était considérablement renforcée pendant notre séjour à l'Atelier. Elle fréquentait le cours de jazz de Victor Upshaw, boulevard des Capucines, et m'y entraîna. J'aurais adoré danser ; c'était un peu tard, mais je prenais un plaisir fou pendant ces cours pourtant bien trop forts pour mes modestes capacités. Le démon de la danse m'avait toujours chatouillée depuis que, dans ma plus tendre enfance, Serge Lifar s'était exclamé sur la terrasse de la Colombe d'Or, en prenant dans sa main l'un de mes petits pieds, qui étaient pourtant fort plats : « Mais cette petite a un pied de danseuse ! »

Pas totalement rancunière, j'étais restée fascinée par la danse et par les danseurs.

Peu de temps avant mon départ, France m'avait emmenée à l'Opéra voir *Notre-Dame-de-Paris*. Elle voulait absolument me présenter Jean-Pierre Bonnefous, toute nouvelle étoile au firmament des danseurs. Après le spectacle, nous sommes allées dans les coulisses. C'est quelque chose, les coulisses de l'Opéra de Paris ! Sans guide on n'y entre pas, et sans plan on s'y perd.

Nous sommes arrivées dans la loge de la star. C'était la première fois que, depuis Lifar, je voyais un danseur d'aussi près. Il était maquillé comme une voiture d'occasion, ruisselant après l'effort et pas vraiment plaisant.

Lorsque France lui demanda si on le verrait un moment quand il serait prêt, il s'excusa beaucoup. Il était pris pour le dîner mais nous verrait volontiers le mercredi suivant. Bon. Va pour le mercredi suivant !

Une fois dehors, je n'ai cessé de dire à France que finalement son copain n'était vraiment pas terrible, qu'il ne me plaisait pas du tout, que je le trouvais puant, suffisant, que sais-je encore... bref, j'avais mis les grosses défenses en marche.

Le mercredi nous nous sommes donc retrouvés tous les trois pour dîner. Maintenant qu'il avait éteint ses fards, je le voyais mieux. De grands yeux verts, les pommettes saillantes, une bouche dont le dessin trahissait un bel appétit, bien ourlée et découvrant des dents dites du bonheur, des cheveux moins blonds que sur scène et enfin débarrassés de leur laque, il respirait la santé et la joie de vivre. On aurait pu le prendre pour un danseur russe... et je suis tombée sous le charme.

Nous avons passé une jolie soirée, troublée, troublante, et nous nous sommes quittés en nous promettant de nous voir dès mon retour.

Promis ? Promis.

Il ne manquait plus que ça ! Au moment où je partais à la conquête du Nouveau Monde, voilà que la foudre venait de me tomber dessus. Je n'avais plus envie de partir. J'aurais préféré Asnières, au moins c'était plus près.

Mais je suis partie. J'ai pris place dans un Boeing, en première classe, invitée par une Major Company à faire le tour des Etats-Unis pour promouvoir la sortie de ce qui allait être un énorme succès outre-Atlantique et qui devenait du même coup MON film. A l'occasion, il était aussi prévu un petit détour par la soirée des Oscars à Hollywood, puisque Maman était de nouveau nommée pour sa prestation dans *La Nef des fous*. Mais, cet Oscar-là, elle n'y comptait pas du tout, et d'ailleurs, oserais-je dire heureusement pour moi, elle ne l'a pas eu.

Si elle avait eu l'Oscar, j'aurais dû le prendre pour elle, monter sur scène à sa place et balbutier quelques mots de remerciement en anglais pour une récompense qui ne m'était pas destinée...

Avant mon départ, Montand m'a fait un somptueux cadeau : une mallette de toilette en croco noire. Il était comme ça, Montand ; il fêtait plutôt les non-anniversaires. En l'occurrence, ce n'était qu'un demi-non-anniversaire, puisque j'allais avoir vingt ans durant mon séjour.

Vingt ans ! Loin de tous, de ma famille, de mes amis, et de Jean-Pierre Bonnefous dont j'étais persuadée qu'il allait être le vrai premier homme de ma vie, n'ayant plus rien osé depuis mon faux départ à Saint-Paul avec mon bel étranger à l'accent si parisien.

Jamais, depuis ce temps, je n'ai eu l'occasion de refaire un tel voyage dans de telles conditions. J'ai été reçue comme une reine, fêtée, trimbalée, montrée, interviewée, photographiée comme une star, et ça m'a laissée complètement froide. Je trouvais ça rigolo, mais je m'en moquais totalement. J'ai traversé les Etats-Unis d'est en ouest au rythme d'une ville par jour et je n'ai pas vu grand-chose. Quand bien même aurais-je eu le temps de voir quoi que ce soit, j'en aurais été bien incapable. J'avais laissé mes yeux et ma tête à Paris, du côté de l'Opéra.

Sans le petit frisson de la mémoire qui m'a traversée à New York dans ma chambre de l'Algonquin Hotel et la magie d'un bord de mer qui m'a enfin enveloppée à San Francisco avec ces parfums d'épices qui surgissent à chaque coin de rue (surtout après avoir quitté Pittsburgh...), je serais prête à jurer que je n'ai pas fait ce voyage.

Mais il y eut quand même Hollywood et pas moins que le Beverly Hills Hotel, là même où Maman, Montand, Miller et Marilyn avaient écrit un morceau sévère de mon enfance.

La soirée des Oscars approchait. Il fallut me trouver un costume digne d'une éventuelle montée sur scène, et l'on me déguisa en dame...

En attendant cette soirée, ce qui m'arriva un matin, ce furent mes vingt ans. Avoir vingt ans à Hollywood, c'était sûrement plus marrant que d'avoir vingt ans dans les Aurès ! Mais pour moi c'était un véritable drame. J'avais toujours imaginé que ce jour-là je ferais une gigantesque fête avec tous les gens que j'aimais, et ici je n'aimais personne !

C'était un dimanche matin et je devais passer la journée chez Delon qui vivait à Hollywood depuis quelque temps avec Nathalie, sa femme, et Anthony, leur fils. Xavier Gélin, qui était basé à New York pour cause de scolarité, avait trouvé une combine pour assister à la soirée des Oscars, il était donc aussi dans les parages. C'est vrai que ces deux-là je les aimais bien, mais je n'allais tout de même pas faire une annonce ! et puis j'étais définitivement triste, et je n'avais envie de rien.

Pourtant c'était marrant chez les Delon. Ils avaient une belle maison avec vue imprenable sur tout Los Angeles. Il y avait ce tout petit garçon qui marchait à peine, un petit sauvage aux yeux bleu marine que son papa câlinait avec beaucoup d'amour et de fierté, ça parlait français, ce qui était assez reposant pour la tête. Il y avait Xavier et Alain qui étaient très très gentils avec moi, et il y avait moi qui avais vingt ans et qui étais seule à le savoir.

Ce qui m'a achevée ce jour-là, c'est que Delon s'est brusquement fait un coup de nostalgie terrible. Il a commencé à délirer sur le bonheur de déambuler dans les rues de Paris au petit matin, d'entrer dans un bar-tabac du côté des Halles, et de pouvoir déguster un café noir en allumant sa première Gitane... et cette évocation, quel qu'en fût le manque d'originalité, disait bien ce qu'elle voulait dire : il y avait du blues dans l'air !

Si, dans cette maison qui devait respirer le bonheur, le cafard s'en mêlait aussi, alors moi, qu'est-ce que j'allais devenir ? Je me suis levée de table et je me suis réfugiée sur la terrasse en pleurant.

Alain m'a suivie.

– Qu'est-ce que tu as, toi ? Pourquoi tu pleures ? Ça ne va pas ?

– J'ai rien. J'ai vingt ans aujourd'hui, c'est tout.

Il m'a prise dans ses bras et m'a consolée en me berçant comme un bébé, avec beaucoup de tendresse et d'émotion. Décidément, il n'allait pas fort non plus. Finalement, le Nouveau Monde n'était pas fait pour nous !

Tard dans la soirée, dans ma gigantesque chambre hollywoodienne, j'eus très envie de me faire un cadeau. Je consultai ma montre... avec le décalage horaire, ça devait commencer à aller... et j'appelai Paris. Jean-Pierre Bonnefous dormait encore, mais sa mère le réveilla quand même : « Si, si, ça va lui faire très plaisir de vous entendre... » J'étais donc attendue.

Je lui ai simplement dit en bredouillant que j'avais envie de me faire un cadeau pour mon anniversaire et que c'était la raison de mon appel : entendre sa voix. Maintenant je l'entendais, mais je n'arrivais plus à voir son visage. Je l'avais sans doute usé à force de le passer et de le repasser dans mes rêves.

Après la soirée des Oscars, on me proposa de rester quelques jours sur place pour profiter un peu de la douceur du climat. Mais j'avais d'autres projets. J'avais hâte de retrouver mes amis, ma famille, mon cours de danse, et surtout cet amour tout neuf qui me tendait les bras...

En arrivant à Paris, j'appris que j'avais gagné le premier prix du concours de la Fête de l'Huma ! C'était le comble ! J'avais distraitement et comme chaque année acheté quelques vignettes de participation à ma Tatie, et voilà-t-y pas que, de retour des

Etats-Unis, je gagnais... un séjour en U.R.S.S. ! Une ironie du sort à laquelle je refusai de me rendre.

Je commençai par appeler Jean-Pierre pour lui annoncer mon retour. Il regrettait que je ne l'aie pas appelé avant mon départ. Il aurait voulu venir me chercher à l'aéroport. J'avais le trac de le revoir. La peur d'être déçue ? La peur tout court.

J'avais rendez-vous au studio des Capucines avec tous mes copains et je le lui dis. J'avais d'abord envie de rigoler un peu, et je ne le lui dis pas. Il décida de venir me chercher là-bas, ce qui ne m'arrangeait pas vraiment. Il ne faut jamais mélanger les genres.

Mes copains me firent un triomphe, m'embrassant comme du bon pain, joyeux, blagueurs. Nous étions si contents de nous revoir que je n'avais même pas remarqué, assis dans un coin de l'entrée, un jeune homme qui observait la scène d'un air dubitatif. C'était Jean-Pierre, visiblement dérangé par notre exubérance.

Je me dirigeai vers lui, le cœur battant, un peu gênée, comme prise en faute.

– On s'en va ?

C'est tout ce qu'il dit.

A partir de ce moment, je ne vécus que pour lui. Je vécus une passion mêlée d'angoisse et d'admiration.

J'étais persuadée qu'il serait le seul homme de ma vie. Je voulais un enfant, il m'offrit un chien. Un cocker que j'appelai Phoebus, du nom du personnage qu'il interprétait dans le ballet de Roland Petit, *Notre-Dame-de-Paris*. Le petit Phoebus à propos duquel quelqu'un qui m'avait demandé le nom de mon chien s'était écrié :

– Fébus ? Comme c'est amusant ! Ce n'est pourtant pas l'année des « F »...

Non, ce n'était pas l'année des « F » ! Ce fut celle de tous les bonheurs, de toutes les surprises et de tous les chagrins.

Nous n'avons jamais parlé d'amour mais il était possessif et jaloux. Il trouvait que je ne travaillais pas suffisamment. Mais travailler, comment ? Un comédien ne fait pas sa barre chaque matin ! Que peut faire un comédien pour travailler, en dehors de travailler ? Vraiment, je ne voyais pas. Il devait pourtant bien y avoir un moyen, puisque Dominique, sa sœur jumelle qui était aussi comédienne, et qui avait toute ma tendresse et toute son admiration, travaillait, elle.

Prendre des cours ? C'est ça, oui. Sans doute. S'inscrire par exemple dans un cours de professionnels pour apprendre la tragédie ou bien la commedia dell'arte. S'améliorer. Ou encore rejoindre les disciples de Strasberg et faire le caillou, la valise, l'arbre, le phare dans la tempête... se punir alors ?

Car pour moi, aller prendre des cours, c'était de nouveau me trouver confrontée à des élèves en qui je n'aurais su voir autre chose que de probables ennemis.

J'avais un nom très lourd à porter. Je ne parvenais pas à me porter moi-même. L'idée de tenter la rue Blanche ou le Conservatoire me terrifiait et personne ne songeait à m'encourager. J'étais complètement désemparée, je ne savais même pas ce que je valais, je ne savais même plus pourquoi je voulais faire ce métier. Je savais seulement, parce que ma mère me l'avait dit, qu'on n'apprenait rien dans les cours. Je pense qu'elle avait tort. Quant à Montand, qui était le plus doué d'entre tous, la notion de cours de comédie lui paraissait une aberration. Car lui, il faisait sa barre chaque matin !

De toute façon nous n'avions jamais parlé de mon

devenir, nous n'allions pas commencer maintenant. J'étais entrée dans le monde du travail brutalement, je n'avais pas encore compris qu'un comédien ne cesse jamais d'apprendre. Je me prenais pour une adulte, je n'étais en fait qu'une petite fille qui n'avait même pas encore fait sa crise d'adolescence. Maintenant que je gagnais ma vie, même modestement, mes parents m'avaient installée au-dessus de chez ma tante, dans un ravissant pigeonnier dont j'assumais toutes les charges, je pouvais encore moins leur demander conseil. J'étais paumée. Amoureuse et paumée. Et dans ma tête il n'y avait de place pour rien d'autre.

Cela dura une année. Une année pendant laquelle je ne pris toujours pas de cours. Mais je travaillais relativement bien. Depuis quelque temps, je participais à une aventure théâtrale assez rigolote sous la direction de Jean Rougerie. Il avait monté une pièce incroyable du Douanier Rousseau : *La Vengeance d'une orpheline russe*. C'était un sombre mélodrame que le Douanier avait écrit dans l'espoir d'être joué à l'occasion de l'Exposition universelle de 1900. La pièce ne fut jamais représentée. Rougerie l'avait à peine dépoussiérée afin de lui conserver son caractère involontairement comique. Je serais l'orpheline, nous jouerions porte d'Italie sous un chapiteau, c'était une belle expérience.

Et puis un soir, alors que nous fêtions la première représentation de la pièce avec toute la troupe à La Coupole, entre la poire et le fromage, je vois que Jean-Pierre me regarde d'un drôle d'air.

– Qu'est-ce que tu as ? dis-je tendrement.

– Rien... Je me demande simplement quelle tête aura celui qui va me remplacer...

145

– Te remplacer ?

– Oui, me remplacer auprès de toi.

– Quelle drôle de question, ce n'est pas vraiment le moment !

– Si, justement, c'est le moment, c'est fini.

Imaginez une gamine de vingt ans qui vient de jouer pendant deux heures un rôle écrasant, sur un fond sonore de poids lourds avec la peur au ventre, et qui se retrouve douchée en pleine fête par l'homme qu'elle aime, qui la quitte sans vraiment lui dire pourquoi, et d'ailleurs, le sait-il lui-même ?

Je n'ai pas fini le fromage, je n'ai pas commandé la poire. Il m'a raccompagnée dans mon pigeonnier place Dauphine, je n'y croyais pas vraiment. J'étais sous le choc. J'ai tant pleuré que je n'ai même pas eu besoin de me démaquiller. Après son départ, je n'avais plus qu'à laver sur mon visage les restes de mon chagrin.

Il est parti en me disant qu'il reviendrait le lendemain chercher ses affaires. Et il est revenu. Il m'a emmenée déjeuner à Montmartre. Il était si gentil que j'ai cru qu'il revenait pour de bon. Mais non. Il était bel et bien parti, même s'il n'arrivait pas à partir.

Le danger était venu par où je ne l'attendais pas : sa seule vraie maîtresse, c'était la danse. Il aurait bientôt vingt-trois ans, une carrière de danseur c'est très court, et dans les premières années il n'y a de place pour personne, et de la place, je commençais à en prendre un peu trop.

Tout cela, je ne l'ai pas compris toute seule. C'est lui qui me l'a expliqué, longtemps après, car une histoire comme celle-ci ne s'enterre pas si facilement.

J'étais restée si proche de lui que pendant de longues années, chaque fois qu'il revenait à Paris – il avait choisi de quitter l'Opéra pour faire carrière à New York chez Balanchine –, je le sentais. Je téléphonais par hasard à sa sœur Dominique pour lui parler de tout et de rien. Chaque fois ça ne manquait pas :

– Tiens, c'est drôle que tu m'appelles ; Jipi (c'est comme ça qu'elle le surnommait) arrive ce soir.

Ou bien encore il était là depuis quarante-huit heures...

Et puis un jour, beaucoup plus tard, alors que mon fils était déjà grand et moi de nouveau célibataire, nous avons passé une grande journée ensemble à Paris tous les deux, en pleine nostalgie, mais à armes égales. J'étais guérie, mais les compartiments de nos mémoires s'ouvraient les uns derrière les autres... et ce déjeuner sur la terrasse d'un restaurant de la place Dauphine a bien failli lui coûter aussi sa place de retour sur le vol Paris-New York.

Ce jour-là, et ce jour-là seulement, il m'a expliqué pourquoi il m'avait quittée comme ça. Et pour la première fois il a parlé d'amour. Je me suis sentie apaisée, je l'ai accompagné à l'aéroport, nous en sommes restés là, et c'est à ce moment qu'il est véritablement sorti de ma vie.

17

En attendant que le temps accomplisse son œuvre, je continuai de travailler et de vivre tant bien que mal. Un premier chagrin d'amour, c'est vraiment lourd à digérer. Un beau jour, alors que je tournais *A tout casser*, un film insensé avec Johnny Hallyday et Eddie Constantine sous la direction de John Berry, Margot Capelier vint encore frapper à la porte de ma jeune carrière. Cette fois-ci, elle frappait fort : John Huston allait tourner *La Folle de Chaillot* avec Katharine Hepburn, et Margot était en charge de la distribution française. Elle me proposa à Huston pour le rôle d'Irma. Il fallait le rencontrer rapidement, et j'eus l'autorisation de quitter le plateau de Berry pour aller me présenter à Huston. Je troquai mon costume d'égérie de blouson noir pour une jupe et un pull bien proprets et je me rendis à mon rendez-vous.

Margot m'accueillit chaleureusement comme à son habitude et me fit entrer dans le bureau du maître. C'était un homme déjà âgé mais au physique extraordinaire. Il appuya sur moi un regard aigu sous des paupières alourdies par l'alcool, me posa beaucoup de questions puis, au terme de l'entretien, m'annonça qu'il allait faire des essais dans les prochains jours, tout en me remettant le texte du monologue d'Irma en anglais.

Jacques Perrin était pressenti pour le rôle de Pierre, Patrick Préjean pour celui du chiffonnier, pas de doute, comme dirait notre ami Gégé, lorsque tout se présente mieux que bien, ça « sentait l'malheur » à cent lieues à la ronde !

Le matin des essais, je me présentai au studio de bonne heure, terrorisée par l'importance de l'enjeu. Margot avait déposé une rose rouge dans la loge de chacun d'entre nous, accompagnée du traditionnel « merde ! » qui s'imposait plus que jamais cette fois-ci.

Huston avait demandé que je fasse mes essais sans aucun maquillage et cela ajouta encore à mon trac. Lorsqu'il fit son entrée sur le plateau, il était jovial et chaleureux. Il m'embrassa.

– *Are you O.K. ?*

– *Well... so so* [1].

Puis, voyant l'éclair de terreur qui passait dans mes yeux, il ajouta à voix basse :

– *Don't worry, baby, anyway you're gonna get the part* [2] !

Je crus défaillir. Ces quelques mots d'encouragement achevèrent de me couper les jambes. Engagée ! J'étais engagée ! Nous étions tous engagés. Nous petits acteurs français, nous allions nous retrouver à Nice, aux studios de la Victorine, et nous allions travailler avec Katharine Hepburn et John Huston. Je n'arrivais pas à y croire.

Je ne me rappelle rien de cette matinée d'essais. Rien d'autre que la belle tête à la Herman Melville

1. Ça va ? – Ben... couci-couça.
2. Ne t'en fais pas, petite, quoi qu'il arrive, tu auras le rôle.

de Huston qui m'avait glissé comme un secret à l'oreille, juste avant d'envoyer le moteur :

– C'est dans la poche !

Margot était aux anges, elle aussi, elle avait mis dans le mille avec tous ses protégés.

La production s'installa donc à Nice, au Negresco, pour la préparation du film. Nous communiquâmes nos mesures à la costumière de façon qu'elle puisse commencer à travailler sur nos apparences.

Le tournage était prévu sur une assez longue durée, et les séquences du café d'Irma se situaient vers le mois de mars. Dans l'immédiat, je finissais de tourner *A tout casser*, avec un projet féerique au bout de la route. Puis le temps se couvrit. D'inquiétantes rumeurs circulaient entre Nice et Paris. On parlait de la mauvaise humeur de Huston. De ses caprices, qui étaient, paraît-il, de plus en plus nombreux et qui lassaient les producteurs... Il était aussi question de bouteilles de vodka... On parlait, on disait beaucoup de choses sur cette préparation de tournage, mais on ne nous disait pas grand-chose à nous qui étions maintenant en attente de notre « feuille de route ».

Nous n'avons jamais su ce qu'il s'était réellement passé, mais un triste matin la nouvelle arriva : Huston avait définitivement claqué la porte et quittait le film.

Un autre metteur en scène arriva, qui ne supporta pas d'enfiler le costume du maître et qui se vengea bassement sur toute la distribution française. Il n'y eut pas un seul rescapé. Virés, nous étions tous virés, et de façon assez sournoise et malhonnête : dans une suite de l'hôtel Raphaël, il nous fallut passer un examen truqué avec le nouveau venu : Brian Forbes. Malgré l'admiration que j'avais pour lui depuis que j'avais vu son film *King Rat*, j'ai détesté la façon dont il s'est lâchement abrité derrière de prétendues différences d'aptitude à pratiquer la langue anglaise entre Perrin et moi. Ces différences qui, paraît-il, déséquilibraient notre couple linguistiquement parlant : on rêve ! Pour finir, il donna nos rôles à sa propre femme et à George Hamilton. Il garda quand même Katharine Hepburn... quand même ! et moi, je reçus la colonne Vendôme sur la tête.

Je devais aller à Nice pour jouer trois fois pendant le carnaval, et ma mère me vit quitter la maison avec une malle-cabine.

– Tout ça, pour trois jours ?

– Oui... peut-être que je resterai un peu à Saint-Paul chez mes copains du Chat noir.

En fait, j'étais tellement dégoûtée, tellement écœurée, que j'avais tout simplement décidé de quitter le métier. Je partais vraiment, sans intention de retour. J'avais organisé ma reconversion : mes amis possédaient un bar-restaurant-brocante, je travaillerais avec eux. Je partais surtout le plus loin possible de tout ce qui pouvait ressembler à faire l'actrice. Bernard et Jacqueline, les patrons du Chat noir, avaient bien compris ma démarche, ils avaient fait le même parcours autrefois.

J'ai vécu avec eux six mois. Six mois de franche rigolade et de vache enragée car les affaires ne marchaient pas fort. Nous faisions les courses au jour le jour pour le bistrot, allant même jusqu'à organiser des expéditions de ravitaillement sauvage dans les supermarchés, afin d'acquérir, à l'unité et sans facture, des bouteilles d'alcool pour les transvaser dans celles, vides, du bar. C'est à ce prix et au mépris du danger que nous avions réussi un soir à

vendre tout un service de verres anciens à un ama-
teur qui avait eu le bon goût de tomber dans l'une
de nos bouteilles... avant de tomber sur nos verres.

Avec Bernard et Jacqueline, j'ai dépensé jusqu'à
mon dernier sou d'indemnité de dédit car la production avait quand même dû honorer une partie
de mon contrat. Malgré les soucis quotidiens, la vie
était patachonne et drôle. J'étais sûre de ne plus
jamais revenir au cinéma, jusqu'au jour où...

18

« C.-R.-S., S.S. ! »

Mai 68 ! et juin aussi...

Me voici loin de Paris, à Martigues. Mes parents ont réussi à me faire sortir de mon trou par l'intermédiaire de Bernard Paul qui va faire son premier film : *Le Temps de vivre*.

Bernard fut le premier assistant de Clouzot sur « mon » premier film, *L'Enfer*, inachevé. Il présida ensuite à mes vrais débuts car il fut aussi l'assistant de Costa Gavras sur *Compartiment*. Mais Bernard fut surtout le témoin de mon unique tentative de suicide, lorsque, horrifiée par mon geste, j'eus brusquement très besoin d'appeler quelqu'un.

Tatie et Tonton qui vivaient à l'étage en dessous n'avaient vraiment pas mérité ça ; quant à Maman et à Montand qui étaient au rez-de-chaussée de l'immeuble... je savais par avance que, dans la mesure où j'étais encore en vie, ils allaient sans doute trouver la force de me passer un sacré savon. C'est donc à Bernard que j'avais pensé. Il était trois heures du matin, j'avais vingt ans et un gros chagrin d'amour, je l'ai appelé, il est venu. Cette nuit resta notre secret.

Maintenant, il fait son film et je suis du voyage...

Frédéric de Pasquale et Marina Vlady se partagent la vedette de cette chronique ouvrière. Moi, je dois jouer le rôle d'une jeune prostituée occasionnelle qui séduit Frédéric de Pasquale à la terrasse d'une brasserie de Marseille, en dégustant un long sandwich, sans quitter cet homme des yeux.

Ce film, nous le faisons avec peu de moyens, autant dire avec pas de moyens du tout. Une équipe ramenée à sa plus simple expression, pas de chichi, pas de superflu, une autre idée du cinéma. Mon rôle sera court mais, en attendant de tourner, il y a plein de choses à faire pour se rendre utile sur place. Maman et Montand préfèrent me savoir avec Bernard Paul à vivre cette expérience que « là-haut, à rien foutre, avec les autres ». « Là-haut », c'était Saint-Paul-de-Vence, « les autres », c'étaient mes copains du Chat noir.

Bernard, c'était un type formidable, on s'aimait bien tous les deux, encore un qui est mort vraiment trop tôt. Il avait connu Françoise Arnoul pendant le tournage de *Compartiment*, et Françoise était là elle aussi. Elle ne jouait pas dans le film, mais, comme tout le monde ici, elle participait au travail de l'équipe.

Ici, à Martigues, c'est la famille, sans la famille, ce qui est assez confortable. Cependant, mes déboires avec le clone de Huston m'ont laissé des séquelles, et, la mauvaise foi venant au secours de mon envie de rien, je refuse systématiquement de m'intégrer à l'équipe et je prends la fuite en auto-stop.

A mon arrivée à Saint-Paul, je suis très mal reçue par ma mère qui ne comprend pas que l'on puisse s'abstraire aussi légèrement d'une si belle aventure collective.

Définitivement réconfortée par son accueil, je repars, comme je suis venue.

A Martigues, je dois commencer à passer pour une folle. A Paris, ça commence à chauffer. Ça sent fort la grève. Ici, ça sent encore le thym et le romarin dans les garrigues, mais, à en juger par ce que l'on entend à la radio et par ce que l'on voit à la télévision, ça ne va pas tarder à se gâter aussi.

Grève ! Il faut faire la grève puisque le mot d'ordre est général. Et, compte tenu du sujet du film et des opinions politiques des participants, nous serions malvenus d'outrepasser les consignes. Juste avant le jour prévu pour le tournage de l'une de mes deux scènes, tout s'arrête. Provisoirement, mais fermement, et mes larmes ne peuvent rien contre la coalition syndicale.

Voilà quinze jours que je fais le ménage sur le plateau... et nous ne tournerons pas mes scènes. Dire que je suis déçue est un faible mot.

Trois jeunes révolutionnaires viennent s'expliquer en direct sur le plateau du journal télévisé. Cohn-Bendit, Geismar et Sauvageot prennent le pouvoir sur les ondes. Nous sommes fascinés devant notre poste.

Frédéric de Pasquale décide de rejoindre sa famille dans la région de Nice... Je n'ai plus grand-chose à faire à Martigues, en dehors de suivre les événements à la télévision avec Bernard, Françoise et Alain, le premier assistant.

Alain Corneau. Nous discutons souvent le soir, longuement. Enfin, je l'écoute parler. Il parle de Sollers, de la revue *Tel quel*, de John Coltrane et de Albert Ailey... Je n'y comprends rien, mais j'écoute, fascinée, ce jeune homme enthousiaste et cultivé. Je me sens petite. Toute petite. Je ne sais rien. Je ne connais rien. Montand m'avait prévenue : « Fais gaffe, Cathou, un jour tu vas tomber sur un type cultivé et, tu as beau être mignonne, tu auras l'air d'une imbécile !... » Ce jour est arrivé, je me sens vraiment idiote... et comme je ne sers plus à rien, je décide de quitter le navire.

Je demande à Frédéric de m'emmener avec lui et de me déposer à Saint-Paul. Nous rejoindrons Maman et Montand pour déjeuner. Je pars un peu lâchement en laissant tout de même un petit mot à Alain.

Ce qui m'attend à Saint-Paul dépasse l'imagination. Du moins la mienne. Rien. Il ne se passe absolument rien. On ne parle de rien.

La terrasse de la Colombe d'Or est pleine de clients qui s'empiffrent et qui boivent des coups, sur la place on joue aux boules comme « avant », il fait beau, il fait chaud, décidément la saison est bien partie...

A table, nous gazouillons gentiment... Brusquement j'explose :

– Mais merde ! C'est tout l'effet que ça vous fait, ce qui se passe à Paris ? Mais c'est pas possible !

– Et toi ? Qu'est-ce que tu fous là ?... Ce sont les gens de ton âge qui sont dans la rue, pas du mien, du moins pas encore ! me renvoie ma mère.

Elle a raison. Qu'est-ce que je fous là ? Je n'ai pas défait ma valise. Je regarde Frédéric avec un air qui doit en dire long sur ma détresse car il propose de me ramener à Martigues.

J'accepte, et je rentre « à la maison ». A la façon dont je suis accueillie, je comprends que je n'aurais vraiment pas dû partir, et mon retour est salué par l'indifférence goguenarde d'Alain et de Bernard, scotchés devant la télé dans le hall de l'hôtel. « Déjà de retour ? » Oui, me revoilà. J'ai envie de rester avec mes camarades, de continuer l'aventure, par

156

exemple de rentrer en voiture à Paris, même s'il n'y a plus d'essence aux pompes, surtout s'il n'y a plus d'essence aux pompes !

Je rentre avec Alain dans la 4L qu'il doit ramener. C'est une vraie bombe roulante. Quatre-vingts litres de super sont stockés dans le coffre. Nous arrivons à Paris tard dans la soirée, toujours dans notre bombe roulante car nous avons réussi à faire le plein en route.

Alain m'accompagne place Dauphine. Je veux poser ma valise et changer de chaussures... pour pouvoir courir plus vite. Au cinquième étage, chez Tatie et Tonton, nous sommes aux premières loges. J'ai vite fait de déposer mes affaires dans le pigeon-nier que j'occupe toujours au-dessus de leurs têtes, au sixième étage, et je les rejoins avec Alain.

Depuis le 17 mai, la C.G.T. a commencé à prendre ses distances avec le mouvement étudiant. Séguy a déjà lâché son célèbre mot d'auteur : « Cohn-Bendit ? Qui est-ce ? », entraînant à sa suite tous les bons militants parmi lesquels mon oncle et ma tante. L'ambiance est donc à son comble dans ce petit appartement d'où ils commentent avec sévérité les événements qui se déroulent sous leurs yeux, sur le quai des Grands-Augustins et sur le Pont-Neuf. Lors-que j'apparais en jean et en baskets pour repartir avec Alain, Tatie m'apostrophe.

— Regarde-les-moi, tous ces voyous, ils cassent tout ! Si c'est pas malheureux de voir ça !... Et toi... où tu vas ?

— J'y vais, je vais voir.

— Bé, toi que tu as toujours eu peur de la foule, je me demande bien ce que tu vas faire là-bas !

— Et vous que j'ai toujours entendus râler contre le gouvernement, pourquoi vous n'avez pas voulu marcher sur l'Elysée l'autre jour ?

– Mais qu'est-ce que tu crois, nous, le pouvoir, on le veut pas !

Ça alors ! J'étais sidérée. Je ne comprenais plus rien au film. J'ai embrassé Tatie, j'ai embrassé Tonton et nous sommes partis, Alain et moi.

– Fais quand même attention, coco ! me lance-t-elle encore dans l'escalier.

Nous avons quitté la place à pied par le quai des Orfèvres en direction de Notre-Dame. Sur le parvis, nous nous sommes fait arrêter par des C.R.S. qui nous ont demandé où nous allions. Il a fallu montrer nos mains. Elles étaient bien propres. Nous n'avions encore touché à aucun pavé. Ils nous ont laissés repartir sans faire d'histoire. A mesure que nous approchions du Quartier latin, les jambes me manquaient. Ce qui m'attendait était effrayant. Je n'avais pas imaginé cela quand j'étais à Martigues. Pourtant je savais que c'était comme cela, mais jamais je n'avais connu cette peur qui vous coupe les jambes et qui vous rend idiot. Ça pétait dans tous les coins. Ça courait partout. Les vapeurs des bombes lacrymogènes commençaient à nous piquer les yeux et la gorge. Je n'ai pas supporté la rue plus de deux heures, tout comme je n'avais pas supporté la place du village de Saint-Paul, ensoleillée, noire de boulistes, de touristes et de révolutionnaires par correspondance. Je ne me suis pas senti l'âme d'une combattante, et j'ai demandé à Alain de me raccompagner. La révolution, ce soir, il la ferait sans moi.

Je suis rentrée me coucher, tandis qu'Alain repartait vers la Sorbonne. Confortablement installée dans mon lit, le dos calé contre les oreillers j'écoutais la radio, tout en répandant ma peur, ma honte et mon inévitable culpabilité sur les pages d'un grand cahier cartonné... demain, il ferait jour.

Les jours qui ont suivi ont été ponctués de courses folles à travers Paris. De manifestations en réunions, des états généraux du cinéma à Suresnes à d'autres invraisemblables meetings au théâtre de l'Odéon occupé, saccagé, et qui se dégradait tristement.

Le boulevard Saint-Michel devenait peu à peu un lieu de pèlerinage où les touristes s'aventuraient maintenant pour fixer sur la pellicule le pittoresque de sa désolation.

Entre Alain et moi, les choses ressemblaient un peu à une aventure, depuis le jour où, brusquement, il m'avait pris la main pour traverser la rue et ne l'avait plus lâchée, bien qu'il n'y eût plus de voitures... Nous allions au cinéma dans les salles du Quartier latin, et c'est grâce à lui que j'ai pu découvrir la jeune génération des cinéastes italiens comme Marco Bellocchio, Pasolini et surtout Bertolucci.

Nous étions tantôt chez lui, tantôt chez moi, et je me rappelle le jour où je lui ai proposé de faire quelques courses pour que nous dînions chez lui. Je me rappelle très précisément le contenu de mon carton de provisions : j'avais tout prévu pour confectionner un steak tartare. J'avais tellement tout prévu que, lorsque j'ai déballé mes courses sur la table de sa minuscule cuisine, il s'est écrié, sûrement pour me faire un compliment mais probablement un peu dérangé dans ses habitudes de vieux garçon :

– Mais, ma parole, tu es une vraie femme de ménage !

C'était un lapsus, certes, et bien que cela nous fît beaucoup rire tous les deux, il en disait long sur son état d'esprit !

Pourtant un dimanche il m'emmènera chez ses parents dans la région d'Orléans. Nous dînons avec eux en évitant soigneusement tout commentaire politique... Après le dîner, nous allons nous promener tous les deux sur les bords de la Loire, toujours avec la 4L. Dans la voiture, l'incontournable lecteur de cassettes dont Alain ne se sépare jamais. Nous écoutons Coltrane. *Naïma*, au bord de l'eau, dans le calme provincial d'une paisible nuit de juin, c'est encore plus beau.

Lorsque nous rentrons, nous restons encore un moment dans le salon. La maison dort. Brusquement Alain me dit, en contemplant le mobilier bourgeois du salon de ses parents :

– Tu vois, tout ça, après la révolution, ça n'existera plus ! On aura tout brûlé !

Et il part d'un formidable rire ; moi aussi.

J'aimerais savoir aujourd'hui quelle part de vrai il y avait dans ses propos. Mais nous avons tous changé ! Nous sommes presque tous restés des « Juifs Allemands », mais bien bourgeois tout de même comme genre de « Juifs Allemands », non ? Il n'y a qu'à regarder Serge July ou, mieux, Alain Geismar à la télévision pour s'en convaincre au cas où nous aurions encore quelques doutes aujourd'hui... Je vois d'ici le beau sourire clair de Cohn-Bendit, s'épanouissant quelque part devant un petit écran...

Bientôt la grève cessa et le tournage put reprendre. D'abord à Paris dans un petit hôtel où je tournai ma « scène de lit » avec Frédéric de Pasquale, une scène qui me terrorisait et qui fut en fait réalisée dans un style empreint d'une tendre pudeur, puis à Marseille où l'équipe de Bernard Paul était encore plus réduite qu'auparavant.

D'ailleurs on ne parlait même plus de tournage, mais de raccord, et c'est ainsi que je tournai enfin mes deux petites scènes avec un plaisir de jouer la comédie jusque-là inconnu. En fait je ne découvrais rien, mais j'admettais simplement que j'aimais ça, je le reconnaissais enfin, après avoir tant fait pour l'oublier.

Alain avait quitté le tournage plus tôt, devant remonter la voiture du producteur sur Paris. Il avait quitté ma vie tout doucement aussi. Notre brève aventure avait vécu aux derniers feux de Mai 68, et c'était bien comme cela.

Mai 68 avait lui aussi vécu. Il me laissait au cœur une extraordinaire sensation de liberté trouvée. Je l'avais savourée avec le sentiment de croquer dans un morceau d'histoire sans vraiment y participer, manquant parfois de vraie curiosité.

Mais à chacun sa guerre, et celle que j'avais faite personnellement, si superficielle qu'elle fût, m'avait tout de même bien enrichie.

19

En recherchant de quoi fut faite ma vie « après »,
je n'ai aucun souvenir palpable. J'ai le sentiment de
quelque chose de vague, de gélatineux. A l'exaltation
joyeuse des événements de 68 succédait le vide
absolu. Les petits tiroirs de la mémoire s'entrou-
vraient sournoisement, et les douleurs, que le souffle de Mai avait balayées sur son passage, récidi-
vaient. Je restais des heures enfermée chez moi, à
passer de la musique sans l'écouter, à entreprendre
de grands rangements sans les finir, abandonnant
en plein effort un déplacement de meubles qui restaient là, au beau milieu de la pièce, tandis que je
m'abîmais dans d'interminables collages, assise en
tailleur sur mon lit que je ne faisais plus, rêvant à
l'improbable, à l'impossible même. Une énorme
paire de ciseaux à la main, cernée par d'innombrables magazines dans lesquels je cherchais l'inspiration pour le collage du siècle, j'attendais le bonheur
et il arriva.

Un soir que mon copain Xavier Gélin avait réussi
à me faire sortir de ma tanière, je fis la connaissance
de Jean-Pierre Castaldi. C'était un garçon robuste,
taillé dans le roc, d'un seul morceau. Il était gentil,

attentionné, droit et parfaitement clair dans sa tête.

D'emblée il m'offrit ce cadeau que j'attendais depuis longtemps : il me fit confiance. Il avait un père et une mère qui vivaient ensemble, et deux sœurs dont l'une, encore petite, vivait aussi dans la maison. Une famille, un foyer, la vraie vie telle que je la rêvais sans doute depuis l'enfance, tout cela m'arrivait d'un coup, et c'était le bonheur.

Je me suis laissé prendre en charge sans résistance, avec même une certaine douceur. Nous vécûmes très vite ensemble dans mon pigeonnier et je découvris du même coup les joies de la vie à deux. Nous étions très heureux et très amoureux. Ses parents m'aimaient beaucoup et je le leur rendais bien. Tout cela aurait pu ressembler à un conte de fées si un léger vent de sable ne s'était mis à souffler sur notre histoire, faisant un peu grincer ses rouages.

Jean-Pierre ne plaisait pas du tout à mes parents, qui le prenaient, allez donc savoir pourquoi, pour un intrigant. Est-ce le fait d'avoir affaire à un comédien débutant qui les rendait si méfiants ? Ou alors sont-ce une ou deux démarches, personnelles et malvenues, du père Castaldi auprès de ma mère pour l'entretenir de nos jeunes carrières qui les mit de si mauvaise humeur ? Toujours est-il qu'au bout d'un an de vie commune je n'avais plus qu'une seule famille, celle de Jean-Pierre.

Pour tout arranger, la politique continuait de ronger les relations entre ma tante, mon oncle et mes parents, et le Printemps de Prague aurait bientôt raison des dernières attaches qui me retenaient encore place Dauphine. Au cinquième, un déménagement se préparait, Tatie et Tonton s'exilaient dans le vingtième arrondissement. Au sixième, j'envisageais mal de continuer à vivre dans un lieu amputé de mes « parents adoptifs », eux qui avaient accueilli Jean-Pierre comme mes parents auraient dû le faire, puisqu'il me rendait heureuse.

Il ne manquait plus qu'une chose à notre bonheur au milieu de tous ces désordres, et nous ne tardâmes pas à fixer le troisième point nécessaire à la construction de notre triangle magique – au début du mois de juillet 1969, je fus exaucée sans problème : j'étais enceinte et fière de l'être.

Mes parents étaient à Saint-Paul, et je décidai de les appeler pour leur annoncer l'heureuse nouvelle. Ce fut un désastre ! Nous nagions en plein drame bourgeois ! Incroyable ! Jamais je n'aurais cru déclencher un tel cataclysme avec la perspective de ce bébé. Moi, je planais. Après tout nous l'avions fait exprès, j'étais même assez fière d'avoir réussi du premier coup. Tatie était émue, Tonton était heureux, les parents Castaldi se réjouissaient déjà de l'arrivée de ce petit être qui, dans leur esprit, ne pouvait être qu'un garçon, et moi j'essayais de dire à Montand que ce serait peut-être une petite fille, histoire de l'amadouer... rien n'y fit.

Fille, garçon, cheval ou réverbère, ils ne voulaient pas en entendre parler.

Mais le pire pour ma mère restait à venir : nous avions aussi décidé de nous marier pour rassurer le père Castaldi qui ne s'était jamais remis de n'avoir pu porter le nom de son père. Et ça, pour ma mère, c'était la cerise sur le gâteau. A tant faire que d'avoir un petit, elle aurait préféré que je reste fille mère. Au moins, en cas d'échec de notre ménage, elle aurait pu récupérer du même coup la mère et l'enfant ! Et puis elle, après tout, elle avait été fille mère deux fois, elle ne voyait vraiment pas pourquoi moi, je tenais tant à me marier.

Le 20 septembre 1969, nous avons convolé en justes noces, Jean-Pierre et moi, à la mairie du premier arrondissement. J'étais déjà un peu ronde dans ma robe blanc cassé, dont le blanc ne devait pas être suffisamment cassé à en juger par une réflexion de ma mère qui s'est paraît-il écriée en me voyant arriver :

– La vache, elle se marie en blanc !

Pour la circonstance, mon « Papa » et ma « Maman » se sont retrouvés côte à côte, près de moi, au premier rang. Le maire refusa à Montand la possibilité de s'asseoir devant avec la famille, malgré l'absence des parents de Jean-Pierre. Ils avaient dû partir pour le Mexique avec la petite dernière, après la promotion de mon « presque beau-père » au rang de directeur des ventes à l'étranger, au sein de la C.G.E.E. Ils partaient pour trois ans... ils revinrent quatre mois plus tard.

Leur départ nous avait cependant permis d'emménager dans leur appartement du seizième arrondissement, ce qui, pour nous, était inespéré, compte tenu de la dislocation de mon univers familial sur la rive gauche... A leur retour prématuré nous dûmes nous serrer un peu beaucoup. Pour supporter une telle promiscuité, il fallait certes que nous nous aimions énormément et tout fonctionna parfaitement.

Xavier Gélin était bien sûr notre témoin, et la veille il avait si bien enterré la vie de garçon de son pote, sans son pote, qu'il s'endormit dans son majestueux fauteuil de témoin. On dut le réveiller pour la signature des registres.

Bref, c'était une petite noce, qui ne réjouissait pas grand monde en dehors de mon père et des principaux intéressés. Il n'y a qu'à regarder la photo prise au Coupe-Chou ce jour-là pour s'en convaincre, c'en est presque comique.

Un huilier de la Samaritaine que ma mère déposa sur la table du Coupe-Chou, dans son emballage d'origine, fut notre seul cadeau. Chaque flacon contenait un petit chèque.

Notre véritable repas de noces, nous l'avions fait bien avant, en tout petit comité, Xavier, sa copine Françoise, Jean-Pierre et moi chez Lipp, un soir que nous avions décidé de nous marier, tous les quatre. Il y avait à côté de nous une tablée de gens qui venaient de province, visiblement émus par ces quatre tout jeunes candidats au bonheur. Ils le manifestèrent d'une façon charmante et inattendue. Il nous arriva sur la table une bouteille de champagne que nous n'avions pas commandée. D'abord nous la refusâmes, convaincus qu'il s'agissait d'une erreur. Le garçon nous désigna la table voisine qui leva son verre à notre santé. Nous étions émus. Nous bafouillions des remerciements. Ils nous dirent simplement que nous faisions plaisir à voir et qu'ils auraient tant aimé qu'on leur fît la même chose lorsqu'ils avaient notre âge qu'ils étaient heureux de pouvoir nous faire ce plaisir. Puis ils sont partis en nous félicitant beaucoup et en nous souhaitant tout le bonheur du monde. Nous avons poursuivi notre repas, troublés, grisés. Puis il fallut partir aussi. Lorsque nous demandâmes notre addition, elle avait été également réglée. Xavier n'épousa pas Françoise, mais Jean-Pierre épousa Catherine.

Et cette soirée chez Lipp resta notre plus beau souvenir.

Mon ventre prit des allures prometteuses, et du même coup la colère de mes parents s'apaisa pour un temps, vaincue par la force de cette vie qui battait en moi.

20

28 mars 1970. C'est une première, je vais mettre un enfant au monde.

J'ai rendez-vous à 11 heures dans une clinique très chic de Boulogne. C'est aussi le jour et l'heure que le petit Malin qui fait et défait le chômage des comédiens a choisi pour convoquer à une première répétition Jean-Pierre, mon mari. Il vient d'être engagé pour tenir un rôle important dans une dramatique pour la télévision : *Les Cadets de Saumur*.

C'est donc seule que je prends un taxi et que j'arrive à mon rendez-vous avec ma petite valise. Le bébé se faisant un peu attendre, le médecin a décidé de provoquer l'accouchement ce samedi.

Après une première piqûre, je reçois l'autorisation de circuler dans les couloirs ; j'en profite pour appeler ma mère et lui dire de ne surtout pas se presser pour me rejoindre. Un premier bébé, c'est toujours un peu long... On m'installe dans ma chambre. On dirait un placard. Réputation !... Réputation !...

Celle-ci ne doit pas faire partie des chambres qui ont donné à cet endroit ses étoiles au firmament des cliniques et les zéros au bas de ses factures... J'apprendrai un peu plus tard que je suis déjà en salle de travail ; au moment opportun, on poserait les étriers de chaque côté du lit et le tour serait joué. Pas vraiment rassurée, je déballe sur la petite table de chevet mes objets contraphobiques : une photo de Maman, une de Montand et, enfin, une de Jean-Pierre et moi prise à Lyon lors de notre « voyage de noces » inattendu.

Nous avions été engagés ensemble pour jouer *Les Noces de sang* au théâtre des Célestins, sous la direction de Raymond Rouleau. On ne peut pas dire que nous ayons eu à lutter farouchement pour obtenir ces rôles ! Les contrats étaient au bout de ce simple coup de téléphone :

– Allô ? Catherine ? Bonjour, mon lapin, c'est Raymond. Dis-moi, je voudrais te voir ; je prépare *Noces de sang* et je cherche des jeunes filles pour donner la réplique à Marie-Christine Barrault, pour faire les confidentes, tu vois ? Ça t'amuserait ?

– Ben... c'est-à-dire que j'ai un petit problème... je suis enceinte.

– De beaucoup ?

– Trois mois...

– ... Et alors, ça ne fait rien, en Espagne, à cette époque, les paysannes étaient toutes enceintes !... Passe me voir demain au théâtre Montparnasse !

– Ben, c'est-à-dire que non, demain je ne peux pas, je me marie...

– Ah bon ! Qu'est-ce qu'il fait, ton mari ?

– Il est comédien.

– Bon ! Eh bien, venez tous les deux ! Lundi, ça va ?

– Oui, oui, ça va ! Tu parles si ça va ! Merci, Raymond, je t'embrasse.

– Moi aussi, mon lapin, et toutes mes félicitations !

Et voilà comment nous avions été embarqués, Jean-Pierre et moi, dans cette aventure, après un simple détour par le théâtre Montparnasse où la seule chose que nous ayons eu à faire, finalement, fut de donner nos mesures pour les costumes.

Lyon, c'était Hollywood pour nous ! Double défraiement, double salaire, maigre mais double... le plus beau cadeau de mariage qu'un jeune ménage de comédiens puisse souhaiter.

J'avais connu Rouleau à l'âge de neuf ans lorsqu'il avait monté pour le théâtre, puis mis en scène au cinéma *Les Sorcières de Salem* d'Arthur Miller. Le tournage du film eut lieu durant les grandes vacances, en Allemagne de l'Est. Maman et Montand m'emmenèrent avec eux. Philippe, le fils aîné de Rouleau, assistait son père. Je le retrouverais longtemps, oh ! bien longtemps après dans l'équipe des *Médecins de nuit*. En 1954, ni le Dr Pouteau, ni Léone la standardiste n'avaient germé dans les rêves d'adolescent de leur auteur, l'intrépide Bernard Gridaine, plus connu sous le nom de Bernard Kouchner. Fabrice, le plus jeune fils de Raymond, était là lui aussi, et d'un coup de baguette magique la costumière Lila de Nobili nous transforma Fabrice et moi en petits enfants de Salem. Nous figurions au milieu d'autres enfants, jouant à jeter des pierres (en mousse) au visage d'un malheureux supplicié, agenouillé sur le sol, tête et mains dépassant par les trous des deux planches qui le maintenaient courbé en deux. Surpris dans la cruauté de notre jeu, je devais m'écrier : « Gare au fouet ! » Je ne pense pas que ce soit à l'occasion de cette modeste figuration que Rouleau m'ait remarquée...

Notre engagement pour *Noces de sang*, nous le devions davantage à un geste paternel qu'à un choix impérieux. C'était cela aussi, Rouleau : au milieu de ses coups de gueule et de ses exigences spartiates, il avait des coups d'amour et des coups de tendresse.

J'ouvre ma valise et je sors la panoplie de la parfaite accouchée. J'ai bien potassé mon Laurence Pernoud, il ne manque rien. J'enfile avec délices la veste de pyjama que j'ai empruntée à Montand : une veste blanche gansée de bleu marine (c'est écrit dans le livre : préférez une veste de pyjama à toute autre chemise de nuit longue et encombrante) et je me glisse avec un peu d'appréhension dans le petit lit blanc et dur. J'ai la bouche sèche. Déjà s'organise autour de moi un ballet peu rassurant : on apporte un long pied muni de crochets, puis une bouteille d'un liquide incolore terminée par un tuyau de plastique. C'est le perlimpinpin qui doit me permettre de donner naissance à mon bébé.

– Ça va être long ?

– Il faut compter deux ou trois heures après la mise en place de la perfusion.

Ça se précise ! Une infirmière inspecte mes avant-bras, opte pour le droit, et m'enfonce sans ménagement une aiguille dans une veine qu'elle rate. Elle cherche ailleurs, entre, ressort, le sang jaillit.

– Vous avez de mauvaises veines ! m'assène-t-elle en manière d'excuse.

Elle réussit enfin à loger son pieu dans ma main droite et l'arrime à l'aide d'un sparadrap. Le compte à rebours commence. Je dis :

– J'ai soif !

– Non, vous ne pouvez pas boire, à la rigueur sucer une tranche de citron, mais boire, non !

Je n'ai pas pensé au citron ! Laurence Pernoud n'en parle pas dans son livre. J'ai bien la bombe d'eau d'Evian prescrite pour se rafraîchir pendant l'effort, mais pas le citron. Je dis :

– J'ai faim !

– Non, vous ne pouvez pas manger. Croquez un morceau de sucre.

Je n'ai pas le sucre non plus. Je dis :

– Est-ce que je peux téléphoner ?

– Faites attention à la perfusion, il ne faut pas trop bouger à cause de l'aiguille.

Comme je la comprends ! Une aiguille qu'elle a eu tant de mal à placer, ce serait dommage qu'elle s'en aille. Mais il me reste une main, la gauche.

– Allô, Maman ? Bon, écoute. Quand tu viendras, est-ce que tu pourrais m'apporter un citron et quelques morceaux de sucre... Ah, et puis, quand tu arriveras, ne sois pas surprise, il y a du sang sur les draps, mais ce n'est rien, c'est à cause de la perfusion, ce sont mes veines... si tu vois ce que je veux dire...

Elle avait parfaitement vu !

Jamais taxi ne dut traverser Paris aussi vite. Ce fut presque comme si Boulogne avait été au bout du Pont-Neuf. Le temps pour une autre infirmière, sans doute moins gradée que la précédente étant donné sa tâche, de me massacrer le pubis avec un vieux rasoir sans eau, sans crème et sans électricité en me disant d'un air niais mais passablement sadique...

– Juste un peu, tout en bas, le docteur n'aime pas quand ce n'est pas bien clair, ce petit endroit.

... et en moins de vingt minutes, un samedi, à l'heure des grandes migrations vers l'ouest, un radio-taxi m'a livré ma mère, un kilo de sucre, cinq citrons et une somptueuse rose rouge.

Et ce fut le véritable commencement d'une journée rocambolesque.

Sur moi donc cette mère s'avance et porte sur le front une mâle assurance.

– Ça va, ma souris ? (Ma mère m'appelait souvent comme ça. Ou encore « ma fifille », et puis encore, lorsqu'elle avait oublié quelque chose dans sa chambre de la grande maison d'Autheuil, tout simplement « ma chérie », ce qui me faisait immédiatement enchaîner : « Oui, Mamon », en insistant bien sur le ON de Mamon... avant d'escalader le grand escalier ou de courir au salon lui chercher ses lunettes ou bien un paquet de cigarettes neuf. Mais, pour l'heure, c'était « ma souris », ces deux petits mots chargés des odeurs de mon enfance.)

– Ça va TRÈS bien ! dis-je en désignant du menton l'infirmière qui me tourne le dos, dévisageant la star.

Maman se débarrasse des citrons et du kilo de sucre sur la table de chevet qui déborde maintenant et regarde l'infirmière, sa rose à la main, en ne disant rien. Elle a une façon si éloquente de se taire que, très vite, on donne à boire à la rose.

– Merci, elle est très belle.

Et nous échangeons un rituel baiser de tendresse et de connivence sur la bouche.

Dès cet instant vont se succéder dans ma chambre toutes sortes de dames qui n'ont pas grand-chose à voir avec la situation. L'événement est créé : Signoret est dans les murs. Je pourrais accoucher d'un cyclope qu'il passerait encore inaperçu. Maman a pourtant une attitude des plus discrètes. Elle a pris place sur l'unique chaise de cette chambre, dans un coin au bout du lit à droite. Enfin seules, nous nous regardons en souriant, puis je lui désigne le drap à pois rouges :

– Bonne adresse !

– Tu as mal ?

– Non, j'ai la main ankylosée, c'est tout.

– Mais non, tu as mal ? répète-t-elle en touchant son propre ventre.

– Rien, rien du tout. Il faut attendre un peu.

La porte de la chambre s'ouvre. Entre une dame en civil, maigre, sèche, les cheveux courts et grisonnants. Elle se présente :

– Je suis madame...

Madame comment déjà ? J'ai oublié. Tout ce que je sais, c'est qu'elle me hurle dans les oreilles. C'est la monitrice d'accouchement sans douleur ! Enfin, UNE monitrice, car celle avec qui j'ai appris à respirer, celle chez qui je me suis rendue consciencieusement une fois par semaine depuis mon septième mois de grossesse, ma complice, ma presque amie... celle-là a disparu de ma vie sans laisser d'adresse pour cause de vacances.

Je réceptionne donc ce samedi une « respireuse » commise d'office, inconnue, aux allures militaires, et sourde de surcroît. Elle titille un peu le goutte-à-goutte, pose sur mon ventre en obus ses petites mains musclées, le palpe fermement. Le bébé bouge bien. Elle écoute son cœur. Elle braille :

– Comment vous sentez-vous ?

J'ai envie de lui répondre sur le même ton :

– ÇAAAA VAAAA !!!

Mais je n'en ai pas le temps. La première contraction, aussi violente que soudaine, surgit. Je plante mon regard dans celui de la respireuse et l'interroge d'un œil rond... autant que faire se peut, car dans la famille on a plutôt les yeux en amande...

– Allez, allez, soufflez... soufflez, effleurez votre ventre, ça soulage !

Elle chronomètre la durée de la contraction qui

174

cesse enfin. Avec un pauvre sourire, je me risque à dire :

– La vache, ça fait mal !

– Oh, mais ça c'est rien ! Vous verrez tout à l'heure !

A travers le squelette de cette mégère je cherche le regard de ma mère. Elle doit être au bord du fou rire ou de l'esclandre. Enfin je l'aperçois. Son œil pétille.

– Tu entends la dame, ma chérie ? Respire !

Ça, pour l'entendre, je l'entends. J'ai une envie de rigoler terrible : j'ai reconnu l'intonation des grands jours, celle de la fausse intelligence avec l'ennemi. D'autres contractions se succèdent, toujours aussi violentes mais totalement inefficaces. Je dis :

– J'ai froid !

Le clairon m'ordonne :

– Mettez des chaussettes ! C'est normal, c'est la réaction, elles ont toutes froid, c'est la peur ! sonne-t-elle à l'adresse de ma mère.

– J'ai pas de chaussettes, je suis venue en robe !

Décidément, j'ai tout faux ! Il faut que je demande à Laurence Pernoud de réviser son manuel. Ma mère se lève d'un bond.

– Des chaussettes ? J'y vais ! Où est-ce que je peux trouver ça ?

– Il y a un Prisunic pas très loin, il ne ferme pas entre midi et deux heures.

Le clairon connaît bien le quartier ! Sur le pas de la porte maman fouille ses poches, compte sa monnaie :

– J'ai deux mille balles, ça ira ?

– Vingt francs, Maman !... Oui, ça devrait aller, sauf si elles sont en vison ! Prends cent balles dans mon sac.

– Cent balles ?

– Oui, dix mille, si tu préfères, je n'ai rien d'autre, et... rapporte-moi la monnaie !

Elle disparaît, je souris, j'imagine : Signoret, un samedi, à l'heure de midi, errant dans le Prisu de Boulogne à la recherche d'une paire de chaussettes pour sa gamine, c'est délicieux ! Elle revient peu après et extirpe, triomphante, d'un sac en papier kraft estampillé d'un « P » rouge, deux paires de chaussettes en coton blanc du meilleur goût.

– U-ne pour fai-re chi-er l'ô-tre ? comme dirait Tatie ? Tu as bien fait, merci, Maman.

Le clairon, qui ne connaît pas grand-chose à l'accent de Pagnol, n'apprécie ni ma grossièreté ni le sourire de ma mère qui enchaîne « avé l'assent » :

– C'est ça, coco, tu les mettras « mécredi ».

Tendre allusion codée à ma Tatie Elvire qui a mené de front durant plusieurs années place Dauphine la triple carrière de mère de famille, de Tatie-gâteau et de secrétaire du « couple » et dont une phrase téléphonique est restée célèbre entre toutes :

– Voui voui voui, monsieur, je suis au courant... c'est à quel sujet ?

Il doit se faire une heure de l'après-midi. Le médecin, en grande star du placenta, n'a toujours pas fait son apparition.

Je souffle, j'effleure, je rêve de boules Quiès entre deux sonneries du clairon de ma respireuse. J'accroche le regard de ma mère qui enchaîne les plaisanteries du genre :

– Dépêche-toi, ma chérie, j'ai un thé à 16 heures chez Rumpelmayer...

On rigole bien. Il n'y a pourtant pas vraiment de quoi. Quoique... Une sage-femme aussi « chic-et-chère » que la clinique fait son entrée. Elle est toute

176

rose. Rose et noire. Noire et rouge. Rose pour la blouse et la coiffe, noire pour les cheveux, rouge pour les lèvres et les ongles, des ongles longs et acérés...

– Je vais vous ausculter, me dit-elle après avoir décoché un sourire laqué à ma mère.

Elle arrache les draps et me fouille, sans gants et sans ménagement. Puis, avec une moue, elle informe le clairon :

– Ça n'avance pas vite !

Enfin, très mondaine, elle se retourne vers ma mère :

– Vous avez accouché plusieurs fois ?

– Oui, oui.

– Tous vivants ?

– Eh non, il ne me reste que ma petite !

Ma mère emboîte son ton. La sage-femme idiote ne remarque rien, même pas le fou rire qui nous prend.

– Il faut rompre, enchaîne le clairon, ça facilitera le travail.

Sur cet ordre, elle quitte la pièce. « Cruella » retourne à l'ouvrage après m'avoir placé un bassin sous les reins. Bien vite, j'ai l'impression qu'un fleuve s'échappe de mon corps. Cela surprend de sentir son corps en crue. Cruella retire le bassin et, avec une mine dégoûtée :

– Les eaux sont teintées...

Le clairon refait son apparition et constate à son tour :

– Mmmm... ce n'est pas très beau.

Ma mère se risque :

– Et Pierre ?

– Je vais l'appeler.

– Oui, ce serait bien.

Le ton est sans appel. Le clairon quitte la pièce.

Cruella lui emboîte le pas. Je ris moins, surtout lorsque j'entends la voix du clairon qui appelle le médecin d'une autre pièce, sans doute par discrétion...

– Allô, Pierre ? Je viens de voir les eaux. Elles ne sont pas belles... Non, plus de contractions... Oui, je pense qu'il y a un risque de souffrance fœtale... Bien, à tout de suite.

Elle revient et dit à Maman qui partage une cigarette avec moi : « Il arrive. »

Le clairon sort. Cruella revient. On tripote encore le goutte-à-goutte, des fois que... Le médecin arrive, m'embrasse, embrasse maman. On s'affole un peu... et la sanction tombe : césarienne. Une césarienne non prévue un samedi, il s'agit de trouver un chirurgien, et vite, car le temps presse maintenant. C'est chose faite, nous en aurons un vers 17 heures...

Montand, prévenu par Maman à Autheuil où il se repose de sa semaine de tournage avec Melville dans *Le Cercle rouge*, a sauté dans sa voiture. Lorsqu'il passe une tête par la porte de la chambre, il sourit faiblement. Il risque une plaisanterie, murmure notre cri de guerre « Pichou-pichou ».

La dernière fois qu'il était venu me voir dans une clinique, il était en meilleure forme. Je venais de me faire opérer de l'appendicite. J'avais douze ans. Il était tellement drôle que, pour ne plus me faire rire, ce bandit se cachait dans mon petit manteau qui était accroché derrière la porte de la chambre et qui devait lui arriver à la poitrine... je voyais ses grandes mains qui maintenaient les pans du manteau devant son visage et derrière lesquels il me guettait, comme il guettait le public derrière les rideaux du Théâtre de l'Etoile où il chantait à l'époque...

Aujourd'hui, il tient dans une main une bouteille

de champagne et dans l'autre un minuscule bouquet de pâquerettes cueillies avec tendresse sur le gazon d'Autheuil. Pierre les lui prend des mains :

– Plus tard, plus tard... à l'apéritif, le champagne.

Cruella, qui a remarqué ce grand garçon timide à la porte, demande à Maman :

– C'est le Papa ?

– Eh non, c'est mon mari !

C'est l'apothéose. Cette minuscule chambre devient la cabine des Marx. On entre, on sort. Dominique, ma copine de classe, arrive à son tour. Elle croit qu'elle vient embrasser une accouchée, elle trouve une future opérée un peu groggy mais hilare. Elle se jette sur moi.

– Ma chérie, c'est épouvantable, me souffle-t-elle en m'embrassant, blême, avant de quitter la chambre.

Maintenant, tout va très vite. On s'affaire autour de moi. La barbière revient et achève son forfait, toujours sans eau, sans crème et sans électricité. Maman, pudique, quitte la pièce pour ne pas assister à cette mutilation et revient aussitôt après. On me passe une chemise d'opérée, blanche et stérile comme cette mascarade d'accouchement. On m'enfile des bottes de toile blanche. Deux brancardiers rangent un chariot le long de mon lit.

Je regarde Maman en souriant toujours. Lorsque nous sommes prêts à partir, mon ventre et moi, elle me murmure un de ses « ma fifille... » lourd de chaleur et de tendresse. Triomphale, je lui réponds :

– T'en fais pas, Maman, c'est pas la mort du petit cheval !

Phrase célèbre entre elle et moi depuis que je l'ai prononcée quelques années auparavant, du haut d'un autre chariot, toujours pour mon appendicite.

Nous nous quittons, persuadées de nous être mutuellement rassurées.

Le bloc opératoire étincelle. J'ai vaguement aperçu le chirurgien. On a dû le déranger au milieu d'une sieste car il n'est pas particulièrement gracieux. On me pose sur la table. On m'attache. On me sonde. On me badigeonne le ventre de rouge. Il y a maintenant des arceaux au-dessus de mes pieds, de mes jambes, de mon buste et de ma tête. On recouvre ces arceaux de toiles vertes. Une petite dame pas toute jeune vient me tenir compagnie « sous la tente ». Elle me sourit gentiment.

– Vous aimez l'ail ?

– Vous croyez que c'est le moment de parler cuisine ?

– Je vous demande cela parce que l'anesthésie va vous donner la sensation d'avaler une bouffée d'ail ; vous allez compter...

Aïe ! Ma parole, c'est encore la même piqueuse ! Un... deux... tr...

Voilà. J'ai sombré.

En quittant ma mère, tout à l'heure, j'ai beau faire la fière, je suis pétrifiée. J'ai le sentiment que je lui souris pour la dernière fois... ou que, si je me réveille, je n'aurai pas de bébé... Il paraît que je me suis réveillée pendant l'opération, que ma tension est montée à dix-neuf. Il paraît que je leur ai fait peur. C'est bien fait, c'est un juste retour des choses.

Pendant ce temps, Jean-Pierre, prisonnier aux Buttes-Chaumont, suit l'évolution de la situation par téléphone. Maman, dans le souci louable de préserver la tranquillité d'esprit nécessaire au bon fonctionnement de l'acteur, ne lui dit pas franchement que ça ne se passe pas très bien. Enfin, vers cinq heures du soir, il faut bien lui apprendre qu'on va m'ouvrir le ventre. Il n'a pas le temps d'arriver avant mon départ pour le bloc. Quand il se présente à la clinique, nerveux, inquiet, il se voit d'abord refuser l'entrée des lieux.

– Je suis M. Castaldi, ma femme est en train d'accoucher, je voudrais la voir.

– Castaldi ? Nous n'avons personne à ce nom.

– Allégret, Catherine Allégret, c'est ma femme !

– Ah, la fille de Simone Signoret ? En effet, c'est par là.

Voilà qui achève de le mettre de bonne humeur. Au bout du couloir qui mène au bloc, il voit enfin ma mère dans les bras de qui on vient de déposer SON fils. Benjamin braille en brassant l'air de tous ses doigts qui sont par bonheur au complet. Tout le monde s'accorde déjà à dire que ce nourrisson de trois kilos cinquante est le portrait craché... de sa grand-mère ! Moi, pour le moment, je dors. Etant donné les conditions de l'opération et la forte dose d'anesthésiant que l'on a dû me réinjecter, j'en ai pour un certain temps avant de refaire surface. C'est du moins ce que Jean-Pierre et Maman s'entendent dire. Benjamin a vu le jour à 17 h 50, ils ont trois ou quatre heures pour se détendre et se nourrir.

Maman entraîne Casta dans son fief place Dauphine. Elle a besoin de prendre une douche. Jean-Pierre aussi... mais ce sera pour plus tard. Elle le convie chez Paul. C'est sans doute la seule fois de leur vie qu'ils dîneront seuls, en tête à tête.

Tandis qu'ils se détendent et se restaurent, on m'a ramenée dans ma chambre. Je dors... d'un œil. Du fond de mon brouillard, j'ai assez de lucidité pour inspecter les lieux. Ce n'est plus la même chambre. Celle-ci est immense. Elle tient davantage du vieux palace décadent que de la chambre de clinique blanche et froide que l'on a l'habitude de voir. Il y a une cheminée de marbre surmontée d'une glace, une grande fenêtre, des rideaux, des meubles, il ne manque que le baldaquin au-dessus de ma tête.

Mon regard flou balaie la pièce. Le berceau, où est le berceau ? J'ai déjà rendu visite à des amies qui ont accouché ici et je sais que les bébés sont couchés dans des petits berceaux en fer forgé « balisés » d'un nœud rose ou bleu selon le sexe de l'enfant. Je tourne lentement la tête. Ça y est, je vois la flèche du petit lit blanc ! Une flèche désespérément vide. Un bateau sans pavillon. Un mât sans voile. Mon cœur s'affole ; j'avais raison en partant. Je n'ai plus de bébé. Je viens de remonter du bloc et ils n'ont pas eu le temps de retirer le berceau vide.

Deux abeilles roses s'affairent dans la pièce.

– Qu'est-ce que j'ai ?

– Un garçon, madame..., me parvient de très loin dans un écho tandis qu'une autre voix me picore l'oreille : « C'est une fil-le, c'est une fil-le. »

– Qu'est-ce que c'est ?

– C'est un gar-çon, madame ! me répète une voix agacée.

– Mais le nœud, pourquoi il n'y a pas de nœud sur le berceau ?

– On va le mettre, madame !

Décidément, je dérange. A-t-on idée de se réveiller aussi vite et de ne pas laisser travailler les gens en paix ? Elle est casse-pieds, la césarienne du trois ! Je dis encore :

– Donnez-le-moi, je veux le voir !

– Mais non, madame, mais non.

– Pourquoi ?

– Vous n'êtes pas en état. Demain, vous le verrez demain.

Ça ne fait rien. Je suis trop faible pour insister.

J'ai un fils, il est vivant, je suis vivante... je me laisse glisser dans le sommeil avec volupté. Brusquement, une vilaine sonnerie me tire de mon repos. Le téléphone. Je suis seule dans la chambre, j'ai le ventre cousu, j'ai du mal à attraper le combiné. Je reconnais la voix de ma mère.

– Je suis toute seule, pourquoi vous n'êtes pas là ?
– Tu es réveillée ? On arrive !

Ma pauvre mère qui appelle la clinique pour prendre des nouvelles de sa gamine ! Au lieu de la renseigner, on lui passe tout naturellement sa chambre. Je ne sais pas combien de temps se passe jusqu'à ce que la porte s'ouvre sur ma mère suivie de Jean-Pierre.

– Maman, on ne veut pas me donner mon bébé !
– Comment, on ne veut pas te donner ton bébé ? Mais je vais te le donner, moi, ton bébé !

Et, dans mon brouillard, je vois ma mère arracher les draps du berceau. Je les vois, ces draps, longs et blancs. Ils volent au-dessus du lit tel le grand drapeau bleu-blanc-rouge que l'on suspend sous l'Arc de Triomphe les jours de fête, des draps qui doivent mesurer soixante-quinze centimètres carrés, ourlets compris ! Je la vois aussi plonger dans le petit lit et en tirer un saucisson long, long, et me le déposer au creux du bras. Je regarde ce petit morceau d'homme et murmure, les yeux pleins de larmes :

– Oh, il est mignon. Il est roux, il est frisé.

Jean-Pierre m'embrasse, Maman m'embrasse. On remet Benjamin dans son lit et on l'embarque à la nursery.

– Repose-toi, maintenant, me dit ma mère, je viendrai te voir demain.

Sur le pas de la porte ils croisent une dame qui vient s'installer dans ma chambre avec un lit de camp. C'est la garde de nuit. Une opérée dont la tension joue au yo-yo doit être surveillée. Je me rendors donc, rassurée, tout imprégnée de mon nouveau bonheur : un fils ! j'ai un fils ! je voulais tant un petit garçon.

Bien plus tard dans la nuit, je suis réveillée par la lumière du couloir qui vient m'agacer la rétine à l'ouverture de la porte. C'est mon père. Il est ivre de joie et de fierté. Il est ivre mort !

Il se jette sur moi et m'embrasse goulûment.

— Aïe, Papa, fais attention, j'ai un peu mal au ventre, ça se réveille.

Il parle fort :

— Mon petit-fils, où est-il ? Je veux le voir !

— Chut !... A la nursery, il doit dormir avec les autres bébés !

Il me couvre de baisers.

— Va te coucher, Papa, t'es bourré ! Je t'appelle demain !

Je rigole. Ça aussi ça fait mal, mais c'est tellement bon.

— J'y vais, ma chérie... Jacky m'attend en bas, il n'a pas voulu monter.

Je comprends. Il doit être un peu moins « taché » que Papa pour avoir réalisé que 3 heures du matin, ce n'est pas une heure chrétienne pour venir féliciter une accouchée, césarisée de surcroît, même si l'on est très content. Décidément je suis dans un drôle d'endroit ; on y laisse à peine entrer les pères, en revanche les grands-pères un peu « faits » y sont les bienvenus au beau milieu de la nuit. J'ai su plus tard qu'il avait « un peu » insisté pour qu'on le laisse monter.

Je suis complètement réveillée maintenant après le passage de cette tornade de tendresse. La garde de nuit, qui n'a rien entendu, dort, elle, comme un vieux bébé. Un vieux bébé qui aurait un peu tardé à se faire enlever les végétations, car elle ronfle comme un sonneur. Je passe le reste de ma nuit à siffler en cadence pour que cesse cette musique. A 6 heures, elle quitte enfin ma chambre en informant l'infirmière de jour qui vient prendre son service que j'ai passé une excellente nuit.

Enfin seule, je peux m'assoupir jusqu'aux premiers soins.

Vers 8 heures du matin, je fais enfin connaissance de mon fils, le petit mignon roux et frisé : il n'a pas un cheveu sur la tête mais il est superbe. J'ai décidé de le nourrir, ce qui amuse beaucoup les infirmières. Elles m'assurent toutes que je ne dois pas trop y compter car, selon elles, la montée de lait est rare chez les « césariennes ». Je hais ce mot ; cette appellation non contrôlée qui me jette à chaque instant mon infirmité au visage.

21

Voici les télégrammes, les fleurs qui dévorent l'oxygène de la chambre, les corbeilles de fruits auxquelles on ne peut pas toucher parce que l'on est une opérée.

Avec les présents et les félicitations arrivent aussi de vraies souffrances : faire le tour de son lit pliée en deux en tenant maladroitement, sans trop oser en regarder le contenu, la bouteille dans laquelle s'épanche le drain ; ne pas pouvoir prendre seule « la chair de sa chair » qui rougne dans le petit lit pourtant si proche, sans parler du doute qui vous étreint parfois au cours de la journée : « Et si ce n'était pas ton fils ?... après tout, tu ne l'as pas vu naître ! »

Les tranchées dans le ventre qui surviennent à coups de contractions dans les tissus meurtris. Il est bien temps !... sans oublier les inévitables gaz qui surprennent toujours au mauvais moment, quand la chambre est pleine de visiteurs pas vraiment intimes...

La première journée se traîne. On m'enlève Benjamin. Je suis fatiguée, j'ai sommeil. Je ne suis pas bavarde. Jean-Pierre s'en va à son tour. La nuit tombe, mon moral aussi.

La porte s'ouvre et je vois avec effroi s'avancer, précédée de son lit de camp, celle que je garde la nuit quand elle ronfle. Je sais que c'est elle, mais je ne la reconnais pas. C'est une petite femme à la voix douce. Elle porte une coiffure démodée : deux macarons emprisonnent une chevelure fine qui a dû être auburn. Elle n'est pas sans me rappeler ma nurse Hermine.

Elle s'assied au bord de mon lit, me sourit, me prend gentiment la main et me demande de mes nouvelles. Elle doit avoir besoin de parler à quelqu'un car, sans que je lui pose aucune question, elle commence à me raconter sa vie : son enfance, le génocide arménien, sa famille exterminée... je peux comprendre tout cela avec la maman que j'ai... Ah ! madame Signoret ! quelle grande dame ! Comme elle sait bien défendre ces causes !

J'ai du mal à garder les yeux ouverts. Dormir ! même à côté d'une chaudière, mais dormir ! Elle m'abandonne à ma fatigue en me promettant que, le lendemain, elle m'apportera son album de famille. Chouette !... me voici rassurée sur mon emploi du temps de la soirée prochaine... je peux sombrer tranquillement.

Elle a très bien dormi, moi un peu moins. Elle quitte les lieux comme la veille, en m'accordant une petite sieste réparatrice.

Un peu plus tard, après les soins, je demande à la puéricultrice qui m'amène mon fils s'il a bien dormi. « Comme un ange », me répond-elle distraitement tout en poussant devant elle le petit berceau au sommet duquel frémit un gros nœud de satin bleu ciel.

Je lui demande de me donner ce petit ange, ce qu'elle fait tranquillement en déposant dans mes bras ce qu'il reste du ravissant bébé au crâne rond, aux joues lisses et roses : un malheureux nouveau-né au visage couvert d'écorchures. Mon petit « César » est littéralement défiguré. Il en a partout : sur le nez, près de l'œil, sur la joue. Je suis stupéfaite, je demande ce qu'il s'est passé.

– Ce n'est rien. Il s'est simplement griffé en pleurant. Les ongles des nourrissons sont aiguisés comme des griffes de chat, on ne peut rien y faire, on ne peut pas les leur couper avant trois semaines, il faudrait lui mettre des moufles.

Ah ben oui, des moufles ! Seulement voilà, je n'en ai pas de moufles. Elles sont restées dans le placard avec le sucre et le citron, les moufles ! Mais là, je suis prise la main dans le sac car je l'avais lu dans le bouquin, l'histoire des moufles, mais il me semblait y avoir lu aussi qu'il y en avait dans les cliniques. Je me risque :

– Vous en avez, des moufles ?

– Non, madame, cela doit faire partie du trousseau.

– Mais est-ce que, par hasard, il n'y en aurait pas une paire oubliée par une mère quelque part au fond d'un tiroir ?

Non. Non. C'est toujours non.

Maman arrive dans la matinée et constate avec horreur dans quel état ON lui a mis son petit-fils. Je lui expose le principe de la moufle qu'il faut toujours avoir sur soi lorsque l'on met un enfant au monde.

– Quoi, il n'y en a pas ici, tu dis ? Nous allons voir ça tout de suite.

Et ma mère de quitter la chambre comme une fusée, une fusée dans un nuage de colère. Je l'arrête dans son élan :

– Hé !... pendant que tu y es, la télé, elle est nase !

Je caftais ! Comme une sale gosse que la plus

grande de la classe aurait prise en affection, je mouchardais la brigade de la clinique-hôtel.

Elle en a trouvé, des moufles ! Et vite ! Non non, pas au Prisu, dans la clinique ! Deux paires, dont une ravissante, en coton blanc brodé de bleu ciel, sans doute en provenance dircote de La Châtelaine, et probablement oubliée par sa propriétaire.

Maman est revenue dans ma chambre en brandissant les « choses » au son de quelques « voilà-voilà » qui en disaient long sur le remue-ménage qu'elle avait dû provoquer dans les couloirs.

– Comment tu as fait ?

– Mais, j'ai demandé, ma chérie, j'ai demandé... Pour la télé, ils viennent te la changer.

Nous avons équipé Benjamin qui avait maintenant deux mignons moignons à la place des mains.

– Pauvre coco, on dirait Herzog !

– Arrête, Maman, ne me fais pas rire, ça fait mal !

Au soir du deuxième jour, Jean-Pierre a de nouveau laissé la place à la garde de nuit qui, comme promis, arrivait « armée ». Elle s'est assise au bord du lit comme la veille et a tiré de son sac un très vieil album de photos. J'ai eu droit à toute sa famille, pas un récit tragique de multiples disparitions ne m'a été épargné ; elle a pleuré, elle a ri aussi parfois, mélangeant le français et l'arménien dans sa fougue narratrice ; elle m'a épuisée.

Ses récits achevés, je lui ai annoncé que je me sentais beaucoup mieux et que je pensais pouvoir dormir seule cette nuit-là et les suivantes. Je lui ai suggéré de rentrer chez elle se reposer tout en lui précisant que, bien sûr, sa nuit de garde lui serait payée puisqu'elle était prévue au programme. Je l'ai beaucoup remerciée de m'avoir tenu compagnie.

Elle était encore bouleversée de sa propre histoire. Il y avait de quoi. Décidément, elle me faisait penser à Hermine et j'eus envie de l'embrasser, ce que je fis. Nous étions devenues des amies. J'allais enfin pouvoir dormir.

Au matin du troisième jour, je me réveille avec l'étrange sensation d'être collée à mes draps. Je comprends assez vite ce qu'il se passe : la nature, qui m'avait trahie pour la naissance de mon fils, venait de se rattraper. Une première montée de lait, abondante et chaude, m'a submergée au cours de la nuit, stratifiant mon soutien-gorge, ma chemise et le drap. J'ouvre le lit avec un bruit proche de celui d'une enveloppe que l'on déchire, et je me lève.

Je me dirige vers la salle de bains, je me déshabille. J'ôte avec peine cette lingerie soudée à mon corps et, tout en transportant la bouteille et le drain, je retourne dans la chambre pour me regarder dans la glace. C'est un spectacle incroyable. Deux masses marmoréennes ont succédé à une poitrine déjà bien épanouie. Je lève les bras, les écarte, rien ne bouge. Je pose ma bouteille sur le rebord de la cheminée et touche mes mamelles. Elles sont chaudes et douloureuses. Tendues, étrangères.

Je danse d'un pied sur l'autre tel un pachyderme devant la glace : pas un tressaillement. Je retourne prudemment dans la salle de bains. Tout en faisant ma toilette, je ne peux détacher mes yeux de ces montagnes. « Une montée de lait, c'est rare chez une césarienne... »

Je jubile. Je sonne l'infirmière.

– Bonjour, bien dormi ?

– Pas mal, merci. Dites-moi, il faudrait refaire mon lit, il y a du lait partout, les draps sont amidonnés.

Puis, tout en exhibant le somptueux décolleté qui

déborde d'une ravissante chemise de nuit qui sent bon le propre :

– Vous avez vu ? Il y a de quoi mettre Guigoz en faillite !

Je suis si fière. Elle me sourit et quitte la pièce sur un « en effet ! » mi-figue mi-raisin. Ce n'est qu'à la fin de la matinée que la cérémonie de la mise au sein a lieu.

Il faut dire qu'en 1970 nous vivons encore la préhistoire de la maternité. Pas question de mettre au sein un enfant tout neuf ; on passe joyeusement à côté des vertus du colostrum et des émotions des premiers contacts entre une mère et son enfant, au profit des biberons d'eau sucrée.

Je suis émue ; j'ai le trac ; mes seins, terriblement gonflés, n'offrent guère de prise au minuscule bec de mon petit. Une infirmière musclée tente à plusieurs reprises de lui faire ouvrir une bouche suffisamment grande pour happer le mamelon. Elle lui appuie sur le menton et colle vigoureusement son visage contre ma poitrine dure et chaude.

– Mais vous lui faites mal ! dis-je au milieu de ma propre douleur.

– Il faut qu'il s'accroche, après ça ira tout seul !

Il n'y a pas eu d'« après ». Benjamin n'a jamais réussi à s'accrocher. Il est ressorti de plusieurs tentatives le menton marqué du pouce de la matrone, ce qui complétait bien le tableau avec ses griffures.

J'ai eu droit à la « trayeuse ». Cet instrument barbare, dont il n'y avait qu'un seul exemplaire dans cet établissement pour trois étages d'accouchées, a achevé de polluer mon existence dans cet endroit abominable. Durant trois jours j'ai nourri mon fils par l'intermédiaire de cette machine infernale qui me soutirait quatre cents grammes de lait à chaque séance. Benjamin, qui gloutonnait royalement ses cent quatre-vingts grammes par jour, doit avoir quelques frères de lait de par le monde.

Au bout de trois jours, je n'y tiens plus. Je supplie qu'on arrête ça. Je souffre trop. Moralement, physiquement. Sans même tenter une dernière fois une mise au sein, on accède à ma demande. Une tasse d'huile de ricin citronnée me vide de toutes mes substances... un méchant bandage fait le reste.

Longtemps encore après ce massacre, lorsque je donnerai un biberon à mon fils dans la grande maison d'Autheuil, je ressentirai des picotements au bout des seins et le lait perlera. La nature est tenace.

En 1970, l'assignation à résidence est de quinze jours pour une césarienne. Cela me donne le temps de subir d'autres incidents dans ce lieu ô combien convivial. Avec le temps, il me semble que j'y ai collectionné tout ce que l'on peut compter de ratage dans le cadre d'une hospitalisation, à part l'oubli d'un quelconque engin à l'intérieur de mon corps, ce qui est déjà une chance en soi.

Par bonheur mon fils n'y a pas attrapé de maladies, mais, tout de même, il en est sorti avec une énorme plaie aux fesses. Une plaie qui n'a rien de commun avec le banal érythème fessier du nourrisson. Une vraie plaie provoquée par une de ces dames puéricultrices qui devaient avoir le même coiffeur... et la même manucure, absente, semblet-il, durant mon séjour. Un coup d'ongle malencontreux a en effet meurtri le postérieur de mon chérubin, provoquant une blessure qui sera longue à cicatriser et dont il porte encore aujourd'hui la trace.

J'ai gardé intact dans ma mémoire le souvenir

…Un matin, je trouve Clémentine, ma fille, plongée dans un abîme de per-
plexité devant cette photo.
"Qu'est-ce que tu as ? " lui demandé-je.
"Je voudrais être toi quand tu étais petite pour pouvoir aller me promener en
avion avec Mémé et Montand."
Moi aussi. *(Photo Robert Cohen / Archives photos.)*

Un "scoop". Moi, à quelques mois, sur les genoux de ma mère. Elle m'avait si bien cachée à la presse que le bruit avait couru que j'étais anormale. Alors, une fois, une seule, elle m'a "sortie" afin que tous voient quel beau bébé j'étais ! (*Collection Catherine Allégret. D. R.*)

Dans la cour d'un studio de cinéma. J'ai trois ou quatre ans. Je ne sais pas si Montand était dans la vie de Maman à l'époque, mais il y avait déjà *la bicyclette*… (*Collection Catherine Allégret. D. R.*)

1956. Autheuil-sur-Eure, sur la remorque du motoculteur. J'ai passé des heures dans ce carrosse à collecter des pommes à cidre avec d'autres gamins sous la surveillance de Georges Mirtilon, responsable du jardin, de la ferme et de « l'ordre des enfants » durant les vacances. (*Collection Catherine Allégret. D. R.*)

En haut. 1948. Papa dirige Maman et Jane Marken dans *Manèges. (Photo Sam Levin.)*

En bas. Voici l'une des rares photos de mon père que je possède. Il dirige. Qui ? Dans quel film ? Quand ? Je ne sais pas ; il faut dire que je n'ai jamais su grand-chose de mon père… *(Collection Catherine Allégret. D. R.)*

22 décembre 1951. La Colombe d'Or à Saint-Paul-de-Vence. Des colombes blanches saluent les nouveaux mariés. Jacques Prévert et Paul Roux sont les témoins de ce grand bonheur qui durera plus de trente ans ! Quant à moi, je n'ai aucune idée de l'endroit où l'on m'avait rangée ce jour-là. *(Photo Michel Mako.)*

A droite. Toujours au début de leur mariage, me voici assise, en compagnie de Michèle la Cambraisienne, à l'arrière de la voiture familiale. *(Photo Walter Carone / Paris Match / Scoop.)*

Maman et Montand, en 1952, sur le banc de pierre, sous le figuier, devant la Colombe d'Or. *(Photo Pierre Vals / Gamma.)*

Un stand d'huîtres à la fête de l'Huma en septembre 1959. *De gauche à droite* : Julien, Elvire et Jean-Louis Livi. J'ai enfin une vraie famille : un « papa » qui nous réveille le matin avec deux doigts de café bien sucré, une « maman » qui prend le petit déjeuner avec nous, et un « grand frère» à qui je peux parler la nuit quand il pleut. *(Collection Catherine Allégret. D. R.)*

Portrait de famille vers 1959... *De gauche à droite* : Jeannot, le neveu de ma Tatie Livi, le « beau cow-boy » Alain Dhénaut, mon cousin Jean-Louis et moi. Avec ma tête de bébé joufflu, je comprends pourquoi Alain ne me regardait pas ! *(Photo Nicole Dhénaut.)*

1963. Chère École alsacienne ! Voici la classe de première B. *Au centre*, fumant la pipe, Marcel Babinot, le « surgé ». Deuxième rang, *au centre*, mon amie Michèle Bleustein ; dans le rond, moi. *(Photo David et Valois.)*

1961. Je rends visite à Maman sur le plateau du *Jour et l'heure*. Costa Gavras, assistant de René Clément sur ce film, n'est plus très loin… *(Collection Catherine Allégret. D. R.)*

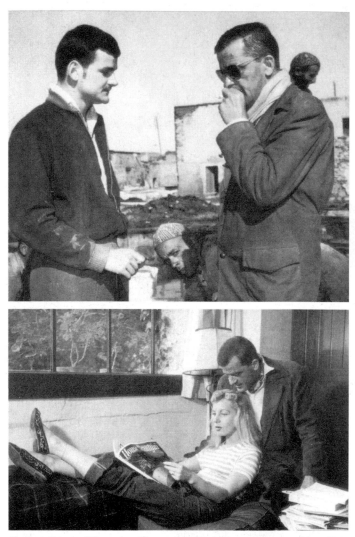

En haut. Papa et Gilles, mon frère mort à dix-neuf ans dans un accident de la route. *(Collection Catherine Allégret. D. R.)*

En bas. Papa et Michèle, sa femme, dans le salon de leur maison des Mousseaux qui est aujourd'hui la nôtre. *(Collection Catherine Allégret. D. R.)*

Cette photo, prise au Henry Miller's Theatre, en 1959, est posée sur le chariot de ma photocopieuse. Chaque fois que je copie un document, la photo s'anime, on dirait que Montand danse, et c'est moins triste. *(Photo Bill Lewis.)*

Deux belles mains tiennent fermement serrée contre le cœur de leur propriétaire une précieuse statuette : l'Oscar que Maman a reçu le 4 avril 1960 pour son interprétation dans *Les Chemins de la haute ville*. *(Collection Catherine Allégret. D. R.)*

En haut. 15, place Dauphine en 1962. Montand pose entre les femmes de la famille. *(Photo Henri Elwing / Elle.)*

En bas. 1965, au cours d'un cocktail donné sur le plateau de *Lady L.* Voici un aperçu de mon costume et du postiche qui me vengera en une seule fois de toutes les coupes de cheveux sauvages que me faisait subir ma mère avant chaque départ en vacances. *(Photo Keystone.)*

En haut. « Mademoiselle, vous avez du noir sur la joue… » Jacques Perrin et moi dans une scène de *Compartiment tueurs,* en 1964. C'est mon premier rôle important, j'ai dix-huit ans. Malgré le succès du film, les propositions ne suivront pas tout de suite car, à cette époque, les films d'adolescents ne sont pas encore à la mode. *(Collection Catherine Allégret. D. R.)*

En bas. Avec Johnny pendant le tournage de *A tout casser,* en 1967. Un film insensé, avec Eddy Constantine et mis en scène par John Berry. *(Photo Odile Montserrat.)*

Lyon, septembre 1970. Mon premier mari Jean-Pierre Castaldi et moi durant notre « voyage de noces ». Benjamin, notre fils, est dans mon ventre. *(Collection Catherine Allégret. D. R.)*

20 septembre 1970. On peut constater l'hilarité générale qui règne sur cette photo de notre « petite noce », prise au Coupe-Chou le jour de notre mariage. *(Collection Catherine Allégret. D. R.)*

31 mars 1970. Premier tendre tête-à-tête avec Benjamin. Il a trois jours. *(Collection Catherine Allégret. D. R.)*

Mai 1971. Rue de Chartres, à Neuilly. Je n'ai pas encore « tricoté » la moquette, mais il y a la tendresse qui tient chaud ! *(Photo Araldo di Crollalanza.)*

1973. *Godspell.* Je débute, sans persister, dans l'art périlleux de la comédie musicale. « Hé toi, beau mec, renonce à tes folies !...» *(Photo Germaine Lot.)*

En haut. 1975. « Vous voulez un cachou ? » Francis Nanni, Christian Azzopardi et Francis Lemonier nous donnent l'hospitalité au Coupe-Chou Beaubourg pour *Pourquoi pas moi*, spectacle que nous avons écrit et que nous interprétons, Évelyne Grandjean et moi. C'est notre première « œuvre » . *(Photo J.-Y. Moisdon / Le Coupe-Chou.)*

En bas. 1982, à Lille, avec Évelyne Grandjean et Éliane Borras. Nous savourons le bonheur de jouer ensemble dans le téléfilm *Jeu de quilles*. Cette fois-ci, c'est avec Borras que j'ai écrit cette histoire, pour nous trois. C'est sur FR3 que notre rêve est devenu réalité. *(Photo J.-P. Ledieu.)*

En haut. 1978, aux États-Unis, durant notre voyage avec Montand, mon amie Marie et Benjamin, qui vient d'avoir huit ans. Pour moi, ce voyage marque un grand moment : Montand fait (enfin) ma connaissance... *(Collection Catherine Allégret. D. R.)*

En bas. Benjamin et Maman à Autheuil en 1976. Il régnait entre eux une tendre complicité qui s'exerçait parfois contre mon « autorité maternelle »... Par exemple lorsqu'ils se bourraient de crêpes à la confiture en regardant la télévision dès que j'avais le dos tourné... *(Collection Catherine Allégret.)*

27 mai 1984. Nous venons de nous marier, Maurice et moi. Maurice qui n'a plus quitté ma vie depuis le 2 octobre 1980. Benjamin couve du regard sa petite sœur Clementine alors âgée de trois mois et demi. *(Photo Martine Peccoux / Gamma.)*

En haut. 27 mai 1984. Il n'est pas peu fier, Benjamin, avec Clémentine en « bandoulière » à la mairie du XIVe arrondissement ! *(Photo Martine Peccoux/ Gamma.)*

En bas. 1991, mes enfants Clémentine et Benjamin dans l'un de leurs exercices favoris : le câlin. *(Photo Catherine Allégret.)*

En haut. Avec José Artur dans un sketch de *Sébastien, c'est fou.* José, c'est l'ami de toujours et le seul vers qui j'ai pu me tourner lorsque j'ai eu besoin d'aide. *(Photo L. Sola / Prestige Presse Édition.)*

En bas. 25 septembre 1993. C'est le mariage de Benjamin et de Valérie ! C'est un très beau jour empreint d'une certaine nostalgie car il y a quelques « absents »… François Périer et Pierre Mondy le savent eux aussi et m'entourent de leur chaleur et de leur tendresse. *(Photo Bernard Fau.)*

En haut. Montand dans l'une de ses facéties, photographié par mes soins. Cette photo figura en bonne place dans le programme de l'Olympia 1981. *(Photo Catherine Allégret.)*

En bas. Novembre 1981. Montand nous accueille Maurice et moi aux portes de Kairouan. Décidément, il me suit partout ! *(Photo Catherine Allégret.)*

1988. Clémentine à Saint-Gildas-de-Rhuys. Maman nous a quittés depuis le 30 septembre 1985. En sa mémoire, une belle maison est sortie de terre sur le rivage breton. Elle porte le nom évocateur de « Ker Volodia ».*(Photo Catherine Allégret.)*

Montand avec Clémentine à Saint-Gildas, où il n'est venu nous voir qu'une fois… en 1987. Il y avait entre eux une relation forte et mystérieuse. Montand disait qu'à présent Maman était en elle. *(Photo Catherine Allégret.)*

Georges Beller et moi durant le tournage de l'un des « 212 » épisodes de *Médecins de nuit*. Au fil des années, Léone, la voix de la nuit est devenue un vrai personnage. *(Photo Régine Will.)*

« Rosa Pichenette » dans les coulisses du théâtre des Bouffes Parisiens. Nous sommes en 1985… Je fais le clown dans une pièce de Feydeau tandis que ma mère s'éteint doucement dans sa belle maison à Autheuil-sur-Eure. *(Collection Catherine Allégret. D. R.)*

Souvenir d'un tournage « bissextile » en 1980. *Au bon beurre*, avec Roger Hanin. Ici en compagnie de notre « Doudou » Molinaro chéri et de Christine Gouze-Renal. *(Collection Progéfi.)*

22 septembre 1993. Mariage civil de Benjamin et de Valérie. Portrait d'une famille qui s'est agrandie : *de gauche à droite* : moi, Maurice, Benji, Valérie, Corinne, Casta, et nos « petits derniers », Clémentine et Giovanni, le fils de Casta et de Corinne. *(Photo Bernard Fau.)*

Jean-Claude Dauphin. C'est aussi la famille. Depuis le tournage de *Beau Masque*, nous ne nous sommes guère quittés... sauf peut-être sur le plateau de *Au bon beurre (à droite)*, car nous ne jouions pas dans le même épisode. *(Ci-contre photo Tony Moebius, ci-dessous photo Catherine Allégret.)*

Fixée sur la pellicule par sa mamie Hélène, l'image du bonheur d'une petite fille avec ses parents. Sans commentaire ! *(Collection Catherine Allégret. D. R.)*

d'une des dernières journées passées dans cet endroit.

Maman vient me voir chaque jour, surveillant de près les progrès de son petit-fils et mes relevailles. Jean-Pierre de son côté se rend à ses répétitions après être passé embrasser sa petite famille. Il travaille avec toute une équipe de comédiens dont Raymond Gérôme que je connais bien. Jean-Pierre lui ayant annoncé la nouvelle, Raymond laisse entendre qu'il passera m'embrasser s'il en a le temps. Ce jour-là, à l'heure des soins et autres pansements, Maman est avec moi dans la chambre. Le téléphone sonne ; elle prend la communication, et la voix suave de la dame opératrice lui annonce qu'il y a une visite pour moi.

Je ne me trouve pas exactement dans la position idéale pour faire salon, et Maman propose d'aller intercepter le visiteur, le temps que je sois présentable. A son retour, elle me raconte :

— Ecoute, je suis incapable de te dire qui c'est ; pourtant sa tête me dit quelque chose, on doit se connaître, mais j'ai un blanc... je ne vois pas qui c'est.

— Comment il est ?

— C'est une espèce de grand mec, avec le visage assez long... vachement civil, un peu genre fin de siècle, tu vois ?

Une joie folle m'envahit :

— Raymond, c'est Raymond Gérôme ! Il avait dit qu'il viendrait ! Comme c'est gentil ! Il ne doit pas répéter aujourd'hui, il en a profité pour venir me voir ! Va lui tenir compagnie, je vous appelle dès que c'est terminé.

Maman repart aussitôt tenir compagnie à ce gentil collègue venu saluer sa gamine. Au bout de dix minutes, la porte s'ouvre à nouveau, ma mère hilare fait son entrée.

– Qu'est-ce qu'il t'arrive ?

– Ma chérie, c'est épouvantable... (Elle se tord.)

Je ne comprends rien à ce qu'il se passe, mais un fou rire douloureux me prend aussi. Maman me fait alors le récit de son entrevue avec mon visiteur :

– Je redescends dans le hall, prête à faire ami-ami avec un vieux camarade de ma fille, à faire la dame qui s'intéresse, pour que tu n'aies pas honte de moi, ma chérie, pour parler un peu boutique en quelque sorte, et, presque en lui tapant sur l'épaule, j'entraîne Raymond dans le grand salon imbécile, et je lui offre un scotch.

– Tu en prends un...

– Absolument, ma chérie, et, très détendue, je commence : « Alors, comment ça va, là-bas ? » Là-bas, aux Buttes-Chaumont, tu vois ? Je voulais savoir comment marchaient les répétitions, le travail... Et là, je vois son visage s'assombrir, et il me répond d'un air grave : « Bof... ça ne va pas fort. » « Allons bon, qu'est-ce qui ne va pas ? Il y a une mauvaise ambiance ? » « Oh, vous savez, tout cela n'est pas si simple. » Il soupire. « Oui, je sais, ça arrive quelquefois quand il y a beaucoup de monde... » Il commençait à me casser les pieds, ton copain, avec son manque d'enthousiasme pour son travail. Mais je poursuis : « Et avec Jean-Pierre, ça va ? » Alors il me regarde d'un air navré et, secouant pitoyablement la tête, conclut : « Oh, Jean-Pierre... Il n'est pas au courant de ces problèmes, je ne lui ai pas parlé de la fusion. » « La fusion ? » « Oui, la fusion Alsthom-Thomson, cela crée une certaine tension au sein de la C.G.E.E. » Et là, ma chérie, je comprends tout ! Ce n'est pas RAY-MOND (elle en a plein la bouche de ce prénom), c'est...

– Arrête, Maman, je t'en supplie, j'ai trop mal...

– Mais oui, ma chérie, c'est ton beau-père ! Ange Castaldi en personne ! Tout d'un coup, ça m'a sauté aux yeux, dis donc ! Je l'ai revu, me donnant du « Chère madame » long comme le bras le fameux jour où il était venu me prier de m'occuper de la carrière de son fils. Il a dû me trouver vachement aimable depuis la dernière fois !... Et le voilà qui commence son récit sur la fusion Machin, ses déboires au Mexique, trop heureux d'avoir trouvé une oreille attentive, et la mienne de surcroît ! Ce coup-ci, je ne vais pas y couper au goûter chez Rumpelmayer. Bon, qu'est-ce que je fais ? Je vais le chercher ?

Et elle ajoute, tout en allongeant un visage imaginaire de sa main :

– C'est vrai qu'ils se ressemblent un peu, RAYMOND et lui... Il est plus marrant, l'autre ?

Elle sort, en essuyant les larmes de rimmel qui ont coulé sous ses yeux. Quant à moi, je continue de rire en me soutenant le ventre. La vache ! Je l'imagine faisant la mondaine avec le « quiproquo », puis réalisant l'énormité de son élan de franche camaraderie envers le père Castaldi et les conséquences redoutables que cela pourrait entraîner, puisqu'elle a toujours souhaité entretenir le moins de rapports possible avec ma belle-famille... à laquelle elle a décidé une fois pour toutes qu'elle n'a rien à dire. Elle qui n'avait jamais été du genre « gants beurre frais-petits-fours », elle venait de sauter dedans la tête la première... et avec une évidente bonne humeur. Un instant, je jubile de sa méprise.

La voilà donc repartie dans les dédales de ce palace médical, à la recherche de « Ray-mond-Ange Castaldi », qui n'allait pas manquer de l'entretenir encore de l'avenir de la C.G.E.E.

Le temps qu'ils remontent, on frappe à la porte. Entre ma belle-mère. Non, pas Paulette Castaldi, mais l'autre, la femme de mon père, Michèle Cordoue. Oui, je sais, il faut suivre !... Lorsque l'enfant paraît, le cercle de famille...

Pour l'heure, nous sommes en pleine quadrature du cercle en question. Michèle, après m'avoir gentiment embrassée, se plante au pied de mon lit, le regard fixe, immobilisé par les doses massives de Téralène que Papa lui administre quotidiennement pour avoir la paix.

Disparaissant à moitié dans un manteau de loutre un peu chaud pour la saison, elle me lance de sa voix usée :

– Ça va ?

– Ça va, dis-je, déjà troublée à la perspective de la petite réunion de famille qui m'attend... et qui ne se fait plus attendre longtemps car Maman entre, suivie de Ange Castaldi, radieux.

Maman entreprend de faire les présentations :

– Michèle Cordoue, ma cousine... M. Ange Castaldi... de la C.G. deux z'é...

S'ensuivent des salutations civiles et urbaines ; Maman et Michèle s'embrassent. Sa brusque promotion fait rire Michèle qui réplique :

– Bonjour, ma cousine !

Le père Castaldi est un peu largué ; moi j'évite soigneusement le regard de ma mère qui, décidément en très grande forme, enchaîne :

– Et pour la fusion Alsthom-Thomson, vous pensez que ça va s'arranger ?

– Ma chère amie, je le souhaite.

Michèle, qui n'a jamais pu avoir d'enfant, est repartie dans ses rêves muets en contemplant Benjamin. Maman, qui voit que je ne tiendrai plus longtemps à ce rythme, s'éclipse, le temps de fumer une

cigarette. Je suis épuisée de contenir un rire douloureux.

Mon beau-père admire avec émotion ce petit Castaldi dont il est si fier.

– Je vous l'avais dit, ma chère, chez les Castaldi
le premier enfant est toujours un garçon ! Je vous
félicite.

Puis, avisant mon air, il ajoute :

– Je ne veux pas vous fatiguer, nous reviendrons
vous voir avec Paulette.

Il dépose sur mon front un baiser paternel et sort
après avoir baisé la main de la « cousine » qui lui
lance :

– Au revoir, cousin !

... Et ça la fait rire. Moi aussi, mais pas le père
Castaldi qui doit penser que, décidément, les artistes sont des gens curieux. Puis Michèle s'en va à son
tour. Longtemps après, elle me reparlera de ce jour
où ma mère l'avait appelée « ma cousine »... Je crois
que, finalement, elle l'aimait bien, ma mère.

Maman revient, après avoir raccompagné tout ce
beau monde à la « grille du parc ».

– Ma chérie, quelle journée !

Nous en aurions d'autres dans cet endroit, quinze
ans plus tard. Des journées moins rigolotes... et
pourtant, dans ces moments terribles, nous avons
aussi trouvé le moyen de rire. Mais tout ceci est une
autre histoire..., comme disait Kipling.

22

Les journées de fous rires, de quiproquos, de visites et de cadeaux en tout genre vont progressivement laisser la place à de grands moments de tristesse et de découragement. Durant mes longues heures de solitude, je suis peu à peu gagnée par l'angoisse. Je regarde ce petit homme qui dort dans son berceau, ce petit être que je n'ai pas vu naître et que je n'ai même pas réussi à nourrir.

Mon ventre me fait mal et m'empêche de le prendre tout contre moi aussi facilement que je le voudrais. J'ai un terrible sentiment d'échec, et je doute par instants qu'il soit réellement le bébé que j'ai mis au monde.

Lorsque la puéricultrice quitte ma chambre après avoir déposé au pied de mon lit l'incontournable colis publicitaire qui contient le lait maternisé et les produits de toilette nécessaires aux soins du bébé durant les premiers jours qui suivront notre sortie de la maternité, elle me fait, sans le savoir, prendre conscience de la réalité qui m'attend : je ne rentrerai pas tout de suite à la maison, je vais partir pour Autheuil, sans Jean-Pierre qui tourne.

Cette perspective m'effraie et je fonds en larmes. Je pleure comme un bébé, à côté de mon bébé qui dort et qui ne peut rien pour moi. Lorsque le téléphone sonne, je hoquette un « Allô » dans le combiné, et d'entendre la voix de ma mère redouble mon chagrin.

– Qu'est-ce que tu as ?

– Je ne sais pas... depuis ce matin, c'est comme ça... je pleure et je ne peux pas m'arrêter...

– Moi je sais ce que tu as ; tu pleures parce que tu ne peux pas payer la clinique !

Mais où est-elle allée chercher ça ? Je m'en fous, de la clinique ! Je n'y ai même pas pensé, à la clinique ! Nous avons déjà tellement de dettes dans le quartier où nous avons fini par trouver un petit appartement trois semaines avant la naissance de Benjamin que nous ne sommes plus à ça près !

Elle enchaîne :

– De toute façon, tu savais très bien qu'on était derrière, alors tu ne t'es même pas posé la question...

Les représailles ont commencé. Je vais me retrouver prisonnière à Autheuil. L'ambiance sera étouffante, c'est sûr ! et le conte de fées va tourner au cauchemar.

La veille de ma sortie, nous avons ouvert, Jean-Pierre et moi, la bouteille de champagne qui languissait dans le réfrigérateur de l'étage depuis bientôt deux semaines. Le cœur n'y est pas. Le lendemain, il part pour Saumur, il ne pourra même pas accompagner sa femme et son fils à la campagne et jamais Dom Pérignon ne fut plus amer au goût.

C'est Colette Perier, la femme de François, qui assure le transport de la mère, de l'enfant et de la grand-mère vers le bocage normand. Maman fait un détour par la caisse... le score est impressionnant car, vu le déroulement de l'accouchement, tout est facturé en double : accouchement PLUS césarienne... Sûr que je n'aurais pas pu payer ! Jean-Pierre est venu assister à notre sortie de clinique avant de prendre la route dans la vieille Sunbeam rouge que son père nous a laissée en cadeau. Par la lunette arrière de la voiture je vois sa grande silhouette rapetisser sous les arbres du parc à mesure que nous nous éloignons. Cela pourrait ressembler à un enlèvement...

A Autheuil, rien n'a été spécialement prévu pour notre arrivée. On a exhumé un vieux lit pliant en toile jaune dans lequel un certain nombre de bébés se sont déjà oubliés sur le matelas de crin... Faute de petits draps brodés, nous ferons avec les moyens du bord.

De toute évidence, Maman et Montand sont déterminés à ne pas me faciliter l'existence, sans doute pour me prouver une fois de plus que l'on n'a rien sans rien...

J'ai bravé leur autorité en épousant un homme qui ne leur plaît pas, ils s'appliqueront donc à me le montrer.

Malgré ma césarienne, Marcelle a l'interdiction de s'occuper des affaires de Benjamin au point que, ne supportant plus de me voir m'arracher les mains debout devant le lavabo de ma salle de bains à laver les grenouillères de mon fils et ses petites chemises avec du savon en paillettes, elle m'offre une petite Calor.

Ma convalescence m'épuise. Un jour ça éclate très fort entre ma mère et moi. A bout d'arguments, je téléphone à mon amie Dominique pour qu'elle me sorte de là. Ma mère me surprend au milieu de mes larmes et de ma conversation suppliant Dominique de venir me chercher. Face à mon désarroi, Maman se radoucit et me demande de rester. Les choses se calment un peu. Benjamin prend vie, et enfin Jean-Pierre revient de Saumur et peut nous récupérer.

Nous rentrons donc dans notre tout petit deux-pièces de la rue de la Fédération. Cet endroit a pris des allures de château simplement parce que nous y sommes chez nous. Jean-Pierre en a repeint les murs, et soigneusement rebouché les soixante-seize trous (il les avait comptés !) laissés dans le living par les précédents locataires. Nous vivons enfin tous les trois ensemble. Le seul défaut de ce refuge, situé à quelques pas du Champ-de-Mars, c'est son propriétaire : de harcèlements téléphoniques en visites incongrues pour cause de retard de loyer, l'homme et la verrue qui surplombe son gros nez nous empêchent de dormir.

Prise d'un soudain élan de solidarité, Maman nous propose d'emménager dans un autre appartement qu'elle possède place Dauphine et qui est vide. Pour nous, c'est le rêve. Nous rédigeons une lettre recommandée à notre cher propriétaire pour l'informer de notre départ, heureux et soulagés. Hélas, c'est sans compter avec l'humeur « primesautière » qui anime ma mère à cette époque.

Son compagnon Johnnie Walker étant parfois un peu trop encombrant en fin de soirée, elle a de temps en temps des réactions imprévisibles. Et c'est ainsi qu'elle décide, une semaine après nous avoir tirés d'embarras, que deux pièces même dans quatre-vingts mètres carrés, ce n'est pas viable pour un couple avec un enfant. En attendant, nous avons donné notre congé pour la fin du mois et nous sommes à la rue...

La rue du Laos et son étrange meublé au premier étage nous ouvre grandes ses portes, avec sa vue imprenable sur une minuscule cour, ses toilettes qui donnent dans le living et sa cuisine d'un mètre carré cinquante...

Notre couple tient le coup, Benjamin pousse. Nous ferons même des fêtes très joyeuses dans cet endroit sordide. Ce qui ne suit pas, c'est « l'intendance ». Nous sommes fauchés, archi-fauchés, au point que nous devons partir.

Benjamin a maintenant sept mois, c'est José Artur qui va nous sauver de l'Armée du Salut. Trop fiers pour demander de l'aide à mes parents, qui ont décidé de poursuivre notre éducation en dehors des limites acceptables, je me tourne vers José, qui nous propose l'hospitalité dans sa chambre d'amis. Il avait été déjà, parmi les amis de la famille, la seule personne à m'aider à travailler dans les années soixante en me faisant engager sur France-Inter pour animer avec lui les tout débuts du Pop Club.

Nous devons mettre Benji chez mes beaux-parents, car il n'y a pas de place pour lui chez José. Nous voici donc au chaud dans sa maison, partageant dans la bonne humeur les poulets que Marie-Christine, sa femme, fait cuire avec esprit, au milieu d'autres merveilles, pour nous tous.

Jean-Pierre porte régulièrement notre linge à laver chez sa mère, et un jour il débarque sans prévenir. Ce qui l'attend le consterne : c'est toute une éducation à refaire ! Benjamin, trimbalé de pièce en pièce par sa grand-mère qui le prend pour un baigneur, pleurniche dès que l'on ne s'occupe plus de lui.

Et c'est ainsi que José, après avoir perdu sa chambre d'amis, perd aussi son bureau... et que nous récupérons Benjamin. Enfin, Benjamin ou ce qu'il en reste, car nous avons maintenant un petit garçon capricieux à qui la seule vue de son parc fait pousser des hurlements. La situation devient un peu difficile et, même si José la vit avec beaucoup de patience et d'humour, il faudrait bien trouver une solution.

Nous avons vécu chez lui trois mois durant lesquels rien ne nous fut refusé : nourriture, tendresse et rigolade.

Par exemple, tous les matins, le gag préféré de José était :

– Tu connais la nouvelle ?... De Gaulle est mort !
– Non ?
– Non.

Et nous allumions la radio en riant.

Un matin, la musique y était solennelle et funèbre. C'était le 9 novembre 1970, et de Gaulle était vraiment mort ; et le pire, c'est que ça nous a encore fait rire... enfin, sur le moment.

« Neuilly, 150 m², tout confort, 1 500 F + charges. » C'est ainsi qu'était rédigée la petite annonce du *Figaro* qui fit bondir Jean-Pierre. « Mais je n'avais pas vu ça ! » C'était un appartement ancien, un peu cracra, mais avec de très beaux volumes, des cheminées en marbre dans chaque pièce et simplement une bouche de chauffage collectif dans l'entrée, bien insuffisante pour la surface de l'appartement.

Pour accéder au bail de ce quatrième étage sans ascenseur, il fallait prouver sa solvabilité... et ce fut la seule fois de ma vie que je me servis de ma famille : sur la fiche de renseignements, je déclinai sans vergogne tout mon arbre généalogique, suffisamment éloquent pour que le gérant nous accordât la priorité.

Maintenant, il fallait vraiment trouver les sous pour emménager. La banque, un ou deux copains et mes beaux-parents nous aidèrent... Montand craqua et nous fit installer le chauffage central au gaz.

Benjamin fêta son premier anniversaire dans un bel appartement où tout le monde avait enfin sa chambre. Nous l'avions entièrement refait de nos mains, peinture, papiers peints, rideaux, c'est à peine si je n'avais pas tricoté la moquette... Là-haut, il faisait clair, il faisait chaud, le Jardin d'acclimatation n'était pas bien loin, et c'est dans ce parc où Maman et Montand m'emmenaient parfois durant mon enfance que mon fils fit ses premiers pas.

Nous avions même une chambre de bonne... mais pas la bonne. Si bien que, après réfection du lieu et l'un de ces bricolages dont Jean-Pierre avait le secret, ce petit nid, qui possédait une vraie fenêtre, devint une source de revenus qui améliorèrent un peu l'ordinaire. Le chômage ayant refait son apparition, nous la louâmes. Personne ne s'aperçut que nous avions piraté l'eau sur le lavabo du palier qui se trouvait juste derrière le mur de la chambre, ni que nous avions organisé l'évacuation des eaux usées par la gouttière qui courait justement sous la fenêtre de la chambre.

Par l'intermédiaire d'une relation qui avait une agence immobilière – enfin, il serait plus juste de dire qu'elle s'était surtout spécialisée dans la chambre de bonne –, nous trouvâmes du même coup une locataire et... du travail. Et c'est ainsi que nous devînmes négociateurs en immobilier.

– Locations exclusives, j'écoute ?

– Bonjour, madame, je téléphone pour l'annonce.

– Oui, à quel endroit ?

– Quartier latin, 250 F + charges.

– Ah, c'est dommage, nous venons juste de la louer... vous êtes fixée sur ce quartier ? Bon... alors, vous passez à l'agence, vous remplissez un dossier, nous prenons un taxi, nous allons visiter la chambre ; si elle vous plaît, nous revenons signer à l'agence, les frais de transport sont à votre charge... Les conditions ?... Deux mois de caution, un mois d'avance, et dix pour cent du loyer annuel à l'agence. Oui, je sais, ça fait beaucoup, mais les propriétaires sont intraitables...

Quelle horreur ! Et pourtant, ça ne ratait jamais, nous finissions par fourguer à un correspondant, qui s'était déjà imaginé au Quartier latin avec vue imprenable sur le Panthéon, un infâme gourbi dans le dixième, et souvent plus cher. Nous découvrions les ficelles de ce ravissant métier : les annonces étaient bidon et ne servaient qu'à ferrer le client. Il nous arrivait d'en rêver la nuit. En attendant, ça mettait du beurre dans les épinards.

Les meilleurs moments restaient nos rencontres avec des propriétaires qui nous faisaient traverser des mètres et des mètres carrés d'appartement au mobilier décadent et aux ornements luxueux pour nous conduire, par la porte de service, à des cagibis repoussants, au sixième étage d'un immeuble cossu, à des trous à rats parfois sans fenêtres, souvent d'une saleté criante et pour lesquels ils réclamaient, sans sourciller, des loyers prohibitifs. Le contraste était saisissant ! Sans parler de ceux qui ne voulaient ni enfants ni animaux, et surtout pas d'étrangers, enfin, plus précisément, ni « gens de couleur », ni « Maghrébins », non pas qu'ils fussent racistes, mais tout de même, ça la ficherait mal dans l'immeuble. Pour finir, ils voulaient tous louer à des étudiants, car sous cette condition ils n'étaient pas imposés sur leurs gains.

La chance a voulu que nous n'ayons pas eu à rire trop longtemps dans cet endroit. C'est ainsi que Claude Berri me sortit de mon bureau pour me « mettre sur le trottoir » dans son film *Sex-Shop* et ce tournage fut une drôle d'aventure.

23

Nous avons tourné *Sex-Shop* rue Saint-Denis, et ma tenue vestimentaire au choix de laquelle nous avions, la costumière et moi, apporté un soin jaloux, était d'une vérité saisissante. Jupe plissée rouge bien courte, T-shirt généreusement décolleté et bien près du corps, collants noirs, cuissardes, perruque roux flamboyant ornée d'un nœud-nœud bleu ciel, je déambulais nonchalamment devant la librairie du héros interprété par Claude Berri. Ma collègue de bitume était une Italienne, aussi grande et brune que j'étais petite et roussâtre.

Berri nous avait lâchées là, pour notre premier jour de tournage, tandis qu'il s'était dissimulé au troisième étage d'un hôtel situé juste en face, pour filmer cette tranche de vie. Des passants s'arrêtaient pour nous demander nos tarifs... mais de vrais passants, pas des figurants ! et Berri filmait la scène du haut de sa fenêtre. C'était une situation un peu angoissante, mais somme toute assez marrante, compte tenu du fait qu'il ne pouvait rien nous arriver de grave. Cependant, la nouvelle d'un tournage dans le quartier n'ayant pas encore eu le temps de se répandre, le bruit courut qu'il y avait deux nouvelles dans la rue, deux nouvelles qui venaient empiéter sur le terrain des autres...

Et le danger arriva des vraies professionnelles, jusqu'à ce que l'une d'entre elles, un peu plus âgée que ses compagnes, finisse par faire la relation entre l'une de ses concurrentes et sa célèbre maman... Cela m'a coûté une tournée au bistrot du coin en leur compagnie. « Fétiche ! » avaient-elles dit en levant leur verre à ma santé. Leur offrir un pot et accepter de le boire avec elles devait me porter bonheur. En dix minutes, je m'étais fait des alliées...

Il y avait dans la distribution un jeune homme grasset et discret qui répondait au prénom de Michel. Il était tendre et drôle et portait déjà un T-shirt et une certaine salopette à rayures dans laquelle il prendrait bientôt le nom de Coluche. Un jour nous avons fait un pari dont j'ai d'ailleurs oublié l'objet. Ce pari, il l'avait perdu et il me devait « cent balles ».

A la fin du tournage, je le cherchai pour récupérer mon gain, mais en vain. Je me changeai donc pour rentrer chez moi, un peu déçue par son manque de parole. Un pari, c'était un pari, et je dis à qui voulait l'entendre qu'il s'était lâchement et bien vivement éclipsé pour ne pas l'honorer...

Au moment où je quittais le sex-shop, j'entendis crier mon nom. Je me retournai, et je vis, tout au bout de la rue, quelqu'un qui courait vers moi. Pour être plus précise, je vis surtout un énorme bouquet de fleurs et, derrière les fleurs, Coluche. Arrivé à ma hauteur, il me les déposa dans les bras en me disant :

– Tiens, y en a pour cent balles... c'est pour le pari, je trouvais ça moche de te filer du fric !... Tu pensais que je m'étais barré, hein ?

J'étais muette, attendrie, émue et honteuse. Oui, je l'avais pensé. Ce geste le résume tout entier.

Enfoiré !

Quand je fis la connaissance de Claude Lelouch, je n'étais pas en mesure de lui parler... C'était dans les sous-sols des Films 13, et j'étais en image arrêtée sur la table de montage d'un film dans lequel j'avais fait une courte apparition. Il était entré dans la salle et m'avait vue, immobilisée sur le petit écran de la Moviola. Lui, il était sur le point de tourner *Smic, Smac, Smoc*, il cherchait une inconnue pour être la fiancée d'Amidou, et c'est ainsi qu'il m'engagea.

J'ai vécu, avec Lelouch et son équipe, dix jours d'un bonheur intense. Les moments de tournage se mêlaient étroitement aux moments de repos. En fait, nous ne savions plus très bien lorsque nous tournions et lorsque nous ne tournions plus. Nous vivions une aventure quotidienne sous le regard aigu d'un magicien cameraman, Claude Lelouch.

J'avais pour partenaire Amidou, Jean Colomb, qui était également chef opérateur, Charles Gérard, dont c'était le premier rôle, et Francis Lai, transformé pour la circonstance en accordéoniste aveugle et un peu escroc sur les bords. Nous habitions tous le même hôtel au bord de l'eau, et nos soirées se terminaient souvent sur la plage, à chanter tout le répertoire de Francis qui ne quittait pas son accordéon.

Moi, j'avais un décor sous ma responsabilité : la petite maison qui devait abriter les amours du couple que je formais avec Amidou. C'était une petite cabane de berger au milieu d'un champ, et Claude m'avait alloué un modeste budget de cinq cents francs pour la meubler et la décorer. Avec l'aide d'Elie Chouraqui qui était assistant, la complicité des gens de Martigues et un ou deux larcins dans le Prisu local, nous avions fait de ce lieu un véritable nid. Claude n'eut pas le droit de le voir avant le matin du tournage. Il joua le jeu, le principe était en harmonie avec sa méthode de travail.

Le matin, il décida de grimper sur le toit avec sa caméra et de faire un grand plan de 360° à travers l'un des trous qui rongeaient la pauvre toiture. Lorsqu'il redescendit, il pleurait. Il était heureux et fier de nous. Nous, nous l'avions cueilli, nous avions gagné. Je ne vais pas raconter tout le film, mais pour bien comprendre la suite il faut quand même savoir que dans cette histoire nous étions tous des ouvriers smicards et que, sous l'impulsion de Charlot (Charles Gérard), nous décidions d'aller voir comment ça se passe « chez les riches » – chez les riches, c'était à Saint-Tropez. Ce que Lelouch nous a fait faire là-bas dépasse l'imagination.

Ayant remarqué que l'aveugle qui jouait de l'accordéon sur le marché « se faisait beaucoup de blé », Charlot décide d'encorder ses copains avec l'aveugle, qu'il a séduit grâce à son intarissable bagou, et de les lâcher sur le port de Saint-Tropez. Nous voici donc, Amidou, Jean Colomb, Francis Lai et moi, lunettes noires et cannes blanches, déambulant en musique, sous la conduite de Charles Gérard qui mène son « train d'aveugles » en quêtant sur le port, de la terrasse de Sénéquier à celle du Gorille, récupérant les dons dans mon joli chapeau de mariée en toile blanche...

Pendant ce temps, Lelouch s'est embusqué quelque part à l'intérieur de l'un des troquets du port et nous filme, caméra cachée. C'est fou ce qu'on ramasse ! J'ignore si nous avons restitué nos gains.

Nous n'avons tourné la scène qu'une seule fois, mais cela a duré longtemps !... longtemps !... Je ne savais plus quel parti prendre, de celui de la honte ou du fou rire.

Dans l'histoire, cet argent, nous le collectionnons pour aller manger « chez les riches », au restaurant du Byblos... Et nous y avons dîné pour de bon, tout en tournant, mais sans nous en rendre compte, car une fois de plus Claude s'était caché dans la salle et nous filmait au téléobjectif.

Il nous avait donné aux uns et aux autres, et en cachette des uns et des autres, quelques répliques clés auxquelles il tenait, et qui furent prononcées tant bien que mal. La côte de bœuf était fameuse, et, le bordeaux poussant sur la fatigue, nous rigolions comme des malades.

Quel bonheur ! Plus jamais je n'ai connu ça avec aucun autre metteur en scène. Nous avons bouclé le film en huit jours. C'est vrai que nous n'avions pas d'horaires et que, si un membre du syndicat des acteurs ou de celui des techniciens avait pointé son nez sur le tournage, il aurait sans doute fait une attaque, mais il y a des cas où l'on se fout de tout ça, et ce film en est un bel exemple.

Le plaisir n'est pas forcément une vertu syndicale !

Pour le dernier jour de tournage, suite à un vol de voiture, et toujours dans l'histoire, nous devions subir l'interrogatoire d'un commissaire de police interprété par Claude Pinoteau, qui était également le premier assistant de Claude pour la circonstance. Moi, je me sentais de plus en plus mal. Huit jours, c'est beaucoup trop court, surtout lorsque l'on est heureux. Lelouch m'avait fait vivre des moments extraordinaires, il m'avait pressée comme un citron, et de cette expérience je ressortais différente et convaincue qu'il pourrait faire jouer la comédie à une chaise.

Le moment de tourner mon interrogatoire approche, et avec lui mes derniers mètres de pellicule en « Lelouchie ». Lorsque Chouraqui vient me chercher, je fonds en larmes. Impossible de m'arrêter, c'est terrible. Je pars me cacher le plus loin que je peux. Soudain j'entends quelqu'un qui crie mon nom. Je regarde et je vois, au loin, Claude qui court vers moi. J'ai un peu peur de me faire engueuler : après tout, je retarde tout le monde avec ma sensiblerie. Mais lorsque Claude arrive à ma hauteur, il me dit simplement :

– Tu pleures ?... C'est magnifique !

Il m'a prise dans ses bras et il m'a ramenée sur le tournage, heureux. Nous avons tourné la scène telle que j'étais, le nez un peu rouge et les yeux bouffis, mais pour le film ce n'était pas plus mal.

Notre belle histoire s'est relativement mal terminée, car il ne faut jamais parler d'argent avec Claude. Mais je ne lui en veux pas. Le film est quand même allé à Venise, et nous avec. Je garderai toute ma vie le souvenir de la place Saint-Marc au petit jour. C'est au centre de cette place magnifique que Claude m'a conduite en me suppliant de fermer les yeux et de les garder fermés jusqu'à ce qu'il m'autorise à les ouvrir. Lorsque enfin j'ai entendu « Vas-y ! », j'ai pu découvrir, seule, absolument seule, le but légendaire de tous les amoureux du monde.

Faire ce parcours en solitaire, ce n'est pas donné à tout le monde ! Il faudra que j'y retourne un jour.

J'ai eu beaucoup de mal à « me remettre » de ce tournage. J'en suis rentrée éblouie comme une jeune mariée après un voyage de noces. Jean-Pierre a longtemps douté de mon intégrité durant ce séjour, et la projection du film ne fut pas pour le rassurer. L'écran transpirait l'amour, et ma mélancolie ressemblait fort à de la langueur.

Au fond, c'est vrai que j'étais tombée amoureuse, mais pas de quelqu'un ; j'étais amoureuse d'une certaine façon de faire ce métier. Il m'a fallu attendre de travailler avec Jean-Claude Brialy dans *Les Volets clos* pour retrouver certaines de mes marques, un an plus tard. Brialy et Lelouch n'avaient cependant rien de commun dans leur façon de faire, sauf peut-être, et c'est très important, le même amour et le même respect des acteurs. Jean-Claude était bien placé pour savoir qu'un comédien, quelle que soit la taille de son rôle, peut avoir froid, faim ou soif comme n'importe quel autre être humain. Il le savait pour avoir souffert sous le règne de différents metteurs en scène qui, eux, n'en avaient que faire.

Nous avons tourné les extérieurs de ce film en Bretagne, au Conquet, protégés par une armée d'assistants qui guettaient la fin des prises, couvertures déployées, et qui bondissaient sur nos épaules nues dès que Jean-Claude hurlait : « Couvrez les filles ! » Et comme il n'y avait pratiquement que des filles dans ce film, il affectait un réveil soudain de sa libido en passant parmi nous l'œil allumé et en répétant d'un air gourmand : « Je ne sais pas ce qu'il se passe, mes enfants, pour moi le Conquet c'est Lourdes ! »

Il était radieux, attentionné, et son complice Jacques Charrier, qui avait le seul rôle masculin du film, nous couvait toutes avec tendresse et drôlerie. Quant aux « filles » en question, Brialy n'avait pas eu mauvais goût : Marie Bell, Ginette Leclerc et Lucienne Bogaert se partageaient les rôles de tenancières et de doyennes nostalgiques de cette maison close dont Catherine Rouvel était la reine et moi la plus jeune pensionnaire.

C'est aussi sans doute à cause de la présence de ces « monstres » du cinéma que je garde un souvenir aussi fort de ce tournage, car elles avaient toutes des histoires extraordinaires à raconter.

La plus bavarde et la plus drôle était sans doute Ginette Leclerc qui, malgré ses soixante-sept ans à l'époque, avait gardé toute sa verdeur, parlant sans honte de son dernier lifting dont les cicatrices étaient encore fraîches, et qui était venue travailler flanquée de sa maman...

Catherine Rouvel nous racontait *Le Déjeuner sur l'herbe* et Jean Renoir...

Majestueuse et drapée dans des mousselines flamboyantes, Marie Bell déambulait dans le petit hôtel de la Pointe, un peu surprise par la modestie de la brigade. Elle donnait du « mon chéri » à tous et regardait les jeunes filles que nous étions d'un œil critique et sévère en laissant tomber des commentaires qui, malgré leur acidité, nous faisaient beaucoup rire, surtout lorsqu'ils n'étaient pas pour nous. Moi, je passais en général au travers car elle m'avait connue toute petite. Encore une !

Plus mystérieuse, presque fellinienne était Lucienne Bogaert qui sortait rarement de ses rêves et dont l'œil bleu perçait sous le fard trop blanc. Elle était douce et absente, laissant parfois échapper un rire cristallin qui lui donnait un air enfantin en dépit de ses quelque quatre-vingts printemps.

Et Brialy évoluait gracieusement au milieu de ses souvenirs d'enfance, attisant coquettement la rivalité qui bruissait parfois entre nos trois « splendeurs du passé ».

Et puis il y avait la Bretagne, dont je ne savais

214

pas encore quelle place elle allait prendre plus tard dans mon existence.

Et puis Bertolucci arriva, avec son univers, ses fantasmes, son tango et Marlon Brando. Je ne puis comparer cette expérience à aucune autre.

Au départ, j'avais été engagée pour deux jours. J'étais la femme de ménage de l'hôtel, celle qui nettoyait la salle de bains, après le suicide de la femme de Brando. En soi, le texte était très simple. Il s'agissait d'un monologue, et son contenu était plus que banal. Enfin, c'est ainsi que je l'avais reçu à la lecture : une jeune femme qui râle parce que ça lui fait du travail en plus... Le sang, c'est long à nettoyer, et surtout là, il y en avait partout !

Je me voyais donc emballer la séquence vite fait bien fait, ayant déjà joué de nombreux rôles populaires. Quant à râler, c'était de toute façon déjà dans ma nature ! Seulement voilà, j'avais compté sans le génie de Bertolucci, et surtout sans le passé qu'il avait imaginé pour ce personnage qui, avec n'importe qui d'autre, n'en aurait sans doute pas eu, de passé.

Le matin de mon premier jour de tournage, Bernardo est entré dans la loge et en a fait sortir Maud, la maquilleuse, pour me parler seul. Puis, il m'a raconté la vie de cette fille, ses rapports avec la morte, sa relation équivoque avec son patron qui n'était autre que Marlon Brando... et tout a basculé.

Pour la première fois de ma vie, j'ai dû jouer de l'intérieur. Hagarde, absente, ailleurs, je nettoyais le grand miroir et la baignoire maculés de sang, en débitant mon texte comme une somnambule dans un rêve d'épouvante. Et, chose extraordinaire, j'étais totalement agie. Bertolucci parlait sans arrêt, commandant des gestes, inventant de nouvelles phrases, nous ne faisions plus qu'un.

Je devais échanger une ou deux répliques avec Brando, je les ai jouées seule et cela ne m'a pas gênée. Ailleurs, je n'aurais sûrement pas supporté ce parasitage et mon absence de partenaire ; ici, j'étais portée, c'était surnaturel. Il régnait sur ce plateau une tension, une concentration inhabituelles. Tout était possible et tout fut d'ailleurs possible.

Bertolucci voulait que la pellicule soit développée en Italie. Il voyait donc les projections avec pas mal de retard. Lorsqu'il visionna mes scènes, il était si content qu'il me convoqua de nouveau pour deux autres journées, transformant un rôle qui était prévu pour un homme en une nouvelle scène pour moi. Et je remis ça, cette fois dans la chambre mortuaire et avec Brando. Dans cette scène il était question de termites qui rongeaient le bois de l'armoire... Les termites étaient surtout dans ma tête et je les entendais parce que la mort était là, sous nos yeux, dans le corps de cette femme que Brando ne voulait pas laisser partir.

La scène ne fut jamais montée parce qu'elle donnait trop d'importance à mon personnage et que cela devenait totalement incompréhensible que je disparaisse ensuite. Mais je le compris sans en prendre ombrage, et là encore c'était une réaction inhabituelle pour une comédienne. J'avais eu l'occasion de travailler deux jours de plus avec cette équipe, de connaître Bertolucci et de revoir Brando, Brando que j'avais connu dix ans plus tôt, lorsque j'étais encore lycéenne...

Un jour, je rentre de l'école et ma Tante me dit : « Je te préviens, il y a une surprise dans le salon... » Une surprise ?... à part un animal ou un nouveau meuble, je ne voyais pas quoi. Il y avait bien du monde assis au fond dans les fauteuils gris perle, et puis quelqu'un d'autre, complètement à contre-jour et dont je ne voyais pas distinctement le visage.

Je m'arrête sur le seuil, un peu méfiante. Je n'aimais pas bien aller saluer les gens avec lesquels se trouvait ma mère quand je rentrais de l'école, et d'ailleurs j'étais rarement souhaitée dans le salon quand Maman « causait ». Ce jour-là, elle dit : « Viens, n'aie pas peur... » Je m'approche et... merde !... Là, assis sous la lampe qui m'éblouissait, Brando... Zapata en personne ! Dans les autres fauteuils, Christian Marquand et sa jeune femme.

Nous avons dîné ensemble chez Paul. A l'époque Montand chantait à l'Olympia, et Maman, en bonne groupie qu'elle était, ne restait pas longtemps éloignée du théâtre où se produisait son homme. Elle nous quitta donc de bonne heure, et je ne sais pas par quel miracle j'eus la permission de rester avec Brando et les Marquand. Du coup, nous avons poursuivi la soirée et je me suis retrouvée dans les bras de Brando, sur la piste du Keur Samba, à danser des choses exotiques.

Ce qui fut moins exotique, ce fut le coup de poing que Brando donna au malheureux photographe qui nous guettait à la sortie. Mes chevaliers servants avaient promis à Maman de bien se tenir, ce n'était pas le moment de faire la une des journaux... Que de souvenirs pour plus tard ! Et plus tard, c'était maintenant, sur ce plateau de cinéma où j'avais en face de moi celui qui m'avait fait danser la bossa-nova lorsque j'avais quinze ans...

Il était si concentré pendant le tournage que je n'ai pas trouvé opportun de parler de ce moment avec lui. En revanche, quelques jours après, je me suis rendue salle Wagram où se tournaient les séquences du concours de tango. Des danseurs gominés faisaient évoluer des partenaires d'un autre âge. Brando ne tournait pas, nous étions tous au spectacle, et là j'ai réveillé sa mémoire.

Tout d'abord il a refusé d'admettre que « c'était il y a dix ans ». Ensuite, il m'a prise sur ses genoux, comme si j'étais encore une petite fille, puis, après avoir parlé de ma mère, il a décrété que je ne devais pas être une « actrice », que c'était un métier malsain, et que ma place était dans la nature, dans une ferme par exemple, avec des animaux et beaucoup d'enfants...

Je crois sincèrement que tous ceux qui tournaient dans ce film depuis un certain temps n'étaient plus dans leur état normal, et qu'ils étaient, comme on dit, passés de l'autre côté du miroir. Moi, j'étais encore devant. C'est vrai que mon rôle avait été court. Mais j'ai quand même la sensation d'avoir fait ce film et non pas celle d'être simplement passée là par hasard, comme on passe souvent sur les films où l'on a peu à faire et où personne ne prête vraiment attention à vous.

24

Benjamin avait maintenant trois ans, et notre vie rue de Chartres ronronnait paisiblement. Il allait à la maternelle. Jean-Pierre travaillait davantage. Je me rappelle un jour où le téléphone a sonné tandis que j'étais affalée devant la télévision, seule, prisonnière d'un grand sac de similicuir bourré de minuscules billes en polystyrène, terriblement confortable. Je décroche et j'entends une voix forte et tonique qui me dit :

– Catherine Allégret ?... Bonjour, je me présente, je m'appelle Vickie. Je vous appelle pour vous demander si vous seriez d'accord pour signer la charte que le M.L.F. a établie contre l'utilisation de la femme dans la publicité.

– Je ne sais pas, allez-y toujours...

– Parce que, vous comprenez, c'est insupportable pour les femmes qui regardent la télévision avec leurs maris et qui ne sont pas très gâtées par la nature d'être sans cesse agressées par cette image de la femme que leur distille la pub... alors, voilà.

Et elle commence à me lire un long manifeste sur la condition féminine, qui ne disait pas que des sottises, soit, mais qui se terminait quand même par ce credo : « ... non, je ne serai plus les lèvres de

Barbara Gould, les yeux de Max Factor, les seins de Rosy, les fesses de Scandale... et, pour commencer, je boycotterai Dim ! »

Je l'écoutais, stupéfaite, et, réalisant dans quelle situation je me trouvais en l'entendant parler, je réplique :

– Ecoutez, tout cela est très intéressant, mais je ne peux vraiment pas signer ce truc-là. Voyez-vous, en ce moment même, je suis devant ma télé, je regarde « Aujourd'hui Madame », j'ai un gâteau dans le four, et je tricote pour mon fils en attendant l'heure d'aller le chercher à l'école : bref, je ne suis pas la femme de la situation. Quant à Dim, il m'est impossible de le boycotter, comme vous dites, car je ne porte que ça !

Ce fut mon seul et unique contact avec le M.L.F. Ma libération, je l'ai faite toute seule et malgré moi dans le Jura...

A chaque film son odeur, son émotion, son souvenir, neutre, fort ou décevant. En partant tourner *Les Granges brûlées*, je ne savais pas que s'amorçait aussi la fin de mon couple.

Je me retrouvai en plein hiver à Pontarlier, engagée par Jean Chapot pour jouer le rôle de la fille de ma mère dans ce drame « paysano-policier » en compagnie de Bernard Lecoq, de Paul Crauchet, de Miou-Miou dont c'était le premier film, et d'Alain Delon avec qui la perspective d'échanger une réplique de deux mots me pétrifiait. Moins cependant que celle de tourner une seule scène avec ma mère, une jolie scène d'émotion qui m'émut tellement que, dans le feu de l'action, je coupai les dernières répliques avant de me mettre à pleurer, vaincue par le jeu de l'actrice qui était en face de moi et qui était aussi ma mère.

Il n'y a pas grand-chose à dire sur ce tournage qui s'est assez mal passé entre la mise en scène et les principaux acteurs. Je n'en conserve aucune saveur artistique. Il ne reste d'ailleurs pas grand-chose de ma prestation sur la pellicule non plus, Chapot s'étant bassement vengé de ses relations houleuses avec Maman en coupant presque tout mon rôle au montage...

Mais la montagne m'avait donné des ailes et, pour la première fois de ma vie, je trompais un homme avec lequel je vivais, en l'occurrence mon mari. Je le trompais ouvertement, avec courage, franchise et honnêteté, et sous les yeux de ma mère. Pour n'en être pas totalement affligée, elle m'avait cependant dit, un soir que je lui portais d'un pas pressé son dîner dans sa chambre d'hôtel, car là, au moins, elle ne risquait pas de croiser son metteur en scène...

— Dis donc, toi... ça va ?

— Oui, oui... ça va...

— Fais gaffe quand même ; tu fais ce que tu veux, mais je ne veux pas d'histoires avec Castaldi !...

Mon retour à la maison fut terrible car, n'ayant jamais su dissimuler, j'avouai tout, avant même que Jean-Pierre ne me questionne. J'avais honte, j'étais très malheureuse d'avoir trahi. Je n'ai pas envie de faire ici le récit de cette aventure extra-conjugale parce qu'elle fut pour moi le point de départ d'une rupture douloureuse. Ce qui était arrivé là n'était pas un bête accident ; de toute évidence, quelque chose ne fonctionnait plus, et c'est pour cela que j'avais trahi.

Après avoir essayé toutes les méthodes possibles,

de l'intelligence compréhensive à la franche violence, nous décidâmes, Jean-Pierre et moi, de nous séparer. Pour divorcer, nous étions cependant convenus d'attendre que la loi sur le consentement mutuel soit adoptée. Nous avions tant de jolis souvenirs, tant de choses en commun, nous étions si proches malgré nos différends, que nous ne voulions pas salir tout cela en entrant dans le cercle infernal des témoignages et griefs en tout genre. Et puis il y avait Benjamin, qui ne devait pas payer plus de pots que nous n'en avions cassés.

Dans un premier temps, je partis habiter chez mon amie Evelyne Grandjean qui avait déjà une pensionnaire, une pensionnaire qui venait elle aussi de rompre et qui s'était installée dans le tout petit deux-pièces d'Evelyne en compagnie de son chat Catastrophe. Evelyne avait également une chatte, Panouille. Quant à moi, j'avais pour le moment laissé derrière moi Gatsby, l'un des fils de Panouille. Bientôt il ne tarderait pas à nous rejoindre. Trois femmes et trois chats vivant ensemble, voilà de quoi faire fuir le meilleur des hommes !

Un jour, je raccompagnais mon petit garçon à la maison après l'avoir emmené goûter chez Evelyne. Benjamin était brave. Il serrait les dents dans l'escalier qui nous conduisait au quatrième étage, vers ce qui avait été notre maison.

Puis, brusquement, il s'était assis sur l'une des dernières marches et s'était mis à pleurer, à ne plus vouloir rentrer. Il fallait que je reste ou que je l'emmène avec moi. C'était terrible. Je ne pouvais pas rester, je ne pouvais pas non plus l'emmener. C'était difficile d'expliquer à ce petit garçon que Papa-Maman c'était fini, que désormais il n'y aurait plus que Papa ou Maman. Même si un soir avant mon départ, je lui avais dit, tout en lui donnant son bain, que « Papa et Maman n'allaient plus vivre dans la même maison », et qu'il s'était écrié avant de se mettre à pleurer : « Tant mieux, comme ça on n'entendra plus gueuler ! »

Heureusement, cette situation pénible n'allait pas durer longtemps, car, grâce à Evelyne, j'eus la chance de me retrouver engagée avec elle, dans une comédie musicale. Les tournées Barret s'apprêtaient à emmener *Godspell*, qui avait triomphé au théâtre de la Porte-Saint-Martin et dont beaucoup des créateurs ne souhaitaient pas quitter Paris.

Même si notre cohabitation était émaillée d'innombrables fous rires, de papotages et de sorties « en filles », cette tournée était réellement la bienvenue. En somme, je partais quatre mois en vacances, et, pour cela, je serais même payée. Mon absence auprès de Benjamin prenait une nouvelle couleur, celle du travail, qui donnait tout de même à sa vie un éclairage plus pastel que celui de l'abandon de domicile.

La veille de mon départ je dormis même à la maison, et Benjamin se trouva apaisé pour un temps. Jean-Pierre et lui m'accompagnèrent jusqu'au départ de tous les cars qui transportent les troupes sur les routes de France, avenue Trudaine. Je les laissai tous deux avec une employée de maison qui s'occupait bien de mon fils, l'atmosphère était sereine, pourtant je bouillais à l'intérieur. J'avais un besoin fou de ce départ. Lâchement je fuyais, décidée à tout oublier pour un temps, comme un enfant pour qui la « colo » représenterait la liberté.

Le fait est que c'était marrant de se retrouver embrigadée dans une comédie musicale en ayant à peine eu le temps d'apprendre à chanter. Le jour de la première, je dus traverser le théâtre sous l'œil ému de Maman et surtout de Montand. La mise en scène voulait que je choisisse un spectateur dans la salle, que je m'asseye sur ses genoux et que je lui chante, en le regardant droit dans les yeux : « Hé, toi, beau mec, renonce à tes folies... »

Malgré les tortures que nous imposaient certains de nos camarades de tournées qui, en tant que créateurs, avaient le *Godspell* infus, et parfois même tellement confus que je faillis tout lâcher en route, ces quatre mois furent la bouffée d'oxygène qui me sauva du désordre. Le spectacle retraçait la vie de Jésus, et nous allâmes jusqu'en Martinique porter la bonne parole. Grâce à Evelyne, qui savait voyager, nous pûmes profiter de notre séjour comme de vraies vacances, en gagnant notre indépendance au volant d'une 4L de location. Tandis que d'autres membres de la troupe payaient dix francs pour pouvoir accéder aux joies franchouillardes d'un bon bain dans la piscine du Hilton de Fort-de-France, nous, nous découvrions, émerveillées, les plages de sable blanc côté Caraïbes, le sable noir et les rouleaux côté Atlantique. Nous traversions des bananeraies, nous arrêtant au détour des carrefours où de très jeunes gens attendaient les taxis collectifs. Nous les interpellions, sans intention de nuire mais avec une certaine suavité dans la voix, tout en ralentissant à leur hauteur : « Alors, mon p'tit garçon, on s'promène ? »

Ah ! Martinique, Martinique, terre de contrastes !

Dès mon retour, Jean-Pierre devait chercher un appartement, tandis que je resterais à Neuilly avec Benjamin. Il pourrait venir voir son fils autant qu'il le souhaiterait. Des représailles passives étaient cependant à venir, et l'image de mon petit garçon, debout sur une chaise dans la grande entrée, guettant par l'œilleton un papa qui avait promis de venir le chercher, mais qui ne venait pas et qui ne téléphonait pas non plus, est une image que je ne suis pas près d'oublier.

Mais nous étions séparés de corps, nous étions libres de vivre comme nous l'entendions chacun de notre côté, et pour moi commençait une période d'adolescence tardive au cours de laquelle je sus, en compagnie de mes complices, Evelyne Grandjean et Eliane Borras, travailler autant que rire.

25

Il y a des mariages malheureux qui durent, régis par la force de l'habitude et l'hypocrisie, d'autres qui ne durent pas et qui se terminent dans l'horreur et dans la douleur. Et puis il y a aussi des mariages pas forcément malheureux mais qui ne peuvent pas durer parce que « c'est comme ça ». A défaut de réussir notre mariage, et passé les premières crises, nous avons, Jean-Pierre et moi, parfaitement réussi notre divorce. Nous avions du chagrin tous les deux, pas pour les mêmes raisons, mais dans tous les cas nous voulions sauver la tendresse.

En me séparant du mari, je gagnai un complice, un allié, un ami sûr, prêt à bondir sur quiconque me ferait du mal, et Benjamin garda un père. Du même coup, mes chers parents commençaient à apprécier Jean-Pierre à sa juste valeur, et il était le bienvenu à Autheuil où j'étais assez souvent avec mes inséparables complices Evelyne et Eliane. C'est dans cette belle maison, qui abrita tant de créateurs, que nous avons enfanté nous aussi nos premiers « bébés ».

Evelyne, qui avait toujours eu un certain don pour le piano et le chant, nous régalait souvent de ses compositions et de ses sketches. Puis nous nous mîmes à écrire ensemble. Je ne résiste pas au plaisir de reproduire ici l'une de nos chansons qui, à défaut d'être un chef-d'œuvre, eut le mérite de faire son petit effet comique en faisant rire ceux qui auraient dû mal le prendre, en l'occurrence Maman et Montand, et qui choqua horriblement quelqu'un qui, logiquement, aurait dû trouver son propos savoureux : Régis Debray.

Pour la petite histoire, il me faut préciser que nous l'avons composée en été, alors que Montand se battait avec sa piscine qui ne fonctionnait pas comme elle aurait dû. La musique de cette petite « bluette » était à mi-chemin entre la rengaine populaire et la complainte 1900.

Quand on pense au souci que donne u-ne pisci-i-i-ne
Rien qu'pour la nettoyer, la chauffer, la filtrer,
Il faut deux heures au moins, et puis des aspiri-i-ines
Après, faut s' baigner d'dans, c'est bon pour la santé !
J'envie bien tous ces gens qui n'ont qu'un lavabo,
Qui rêvent, dans le métro, d'u-ne baignoir'sabot !
    Plus qu'on en a, et plus qu'ça coû-te
    C'est pas l'tout d'posséder, c'qui faut c'est as-su-mer.
    Restez pauvre, coûte que coûte,
    Au moins quand ça pét'ra, vous s'rez du bon côté !

Et Montand riait comme un môme, tout le monde riait, sauf Régis qui faisait franchement la gueule. Lorsque Montand, Maman et Chris Marker nous réclamèrent un « bis », nous le leur accordâmes bien volontiers, pour faire plaisir à Régis.

Un jour, je déjeunais rue Saint-Benoît, à la terrasse du Bilboquet avec José Artur et Maurice Casanova, le maître des lieux. Ce dernier nous fit part de son intention d'engager des numéros comiques pour animer les débuts de soirée dudit Bilboquet. Brusquement, presque comme une provocation, il me dit :

– Tiens, toi, si tu voulais... mais tu es bien trop cossarde !

Piquée au vif je lui réponds :

– Chiche !

Seule, je ne pouvais rien, mais avec Grandjean tout devenait possible. Il y avait trop longtemps qu'elle faisait écrouler ses copains avec sa « Fille laide » et autres pochades, l'occasion était trop belle pour la faire passer à l'acte ! Et c'est ainsi que nous avons fait nos débuts au cabaret, Evelyne et moi. Le plus dur restait à faire, l'avertir que je venais de commettre l'irréparable. Mais, après tout, elle avait suffisamment de sketches et de chansons dans sa besace pour nous concocter un petit numéro capable de distraire les dîneurs de la première heure.

Aussitôt dit, aussitôt fait... et ce fut un désastre ! Nous jouions, portes ouvertes sur la terrasse, devant des gens qui n'en avaient rien à faire. Un soir, nous avons même entendu distinctement une voix d'homme qui disait, en se penchant pour mieux voir :

– Qu'est-ce que c'est ?... Oh, c'est des filles !

Ce qui en disait long sur l'état d'esprit de notre pseudo-public.

Après quatre jours de souffrances, sans heurt ni grincements de dents, nous convînmes, Maurice Casanova et nous, qu'il valait mieux aller nous faire voir ailleurs. Malgré notre bide, nous avions cependant goûté aux joies de « faire ensemble ».

Déjà les Jeanne triomphaient au café-théâtre des Blancs-Manteaux, et mes amis Francis Nanni, Francis Lemonnier et Christian Azzopardi nous accueillirent au Coupe-Chou Beaubourg. Là, notre spectacle trouva sa vraie dimension, et nous, un vrai public.

Dans ces années soixante-dix, Maritie et Gilbert Carpentier faisaient les beaux jours des variétés à la télévision. Ils me demandaient souvent de participer à leurs émissions. Et c'est ainsi que je fis la connaissance de Thierry Le Luron.

Thierry était un garçon fin, généreux et talentueux. Il avait aussi une qualité rare chez les gens de ce métier, il était curieux de ce que faisaient les autres, et fidèle en amitié. Un jour où nous enregistrions une chanson, il me demanda ce que je devenais. Je lui dis que j'étais au Coupe-Chou avec Grandjean, dans une pièce que nous avions écrite. Il promit de venir nous voir, ce qu'il fit.

Après la représentation, il nous déclara joyeusement qu'il ne regrettait pas sa soirée, il nous dit même qu'il allait revenir, et il revint avec... Bruno Coquatrix ! Son idée, c'était de nous prendre à ses côtés dans le spectacle qu'il préparait pour l'Olympia. Moi, j'étais depuis longtemps rat de coulisses dans ce beau théâtre et je connaissais toute la tribu Coquatrix. Mais ce soir-là, c'était le patron qui venait nous voir et non pas un ami de la famille... Lorsque nous sommes remontées de notre cave, il nous attendait près d'un Thierry radieux. Calé dans son fauteuil, son éternel cigare au coin des lèvres, il dodelinait de la tête d'un air de cocker malheureux, dans une attitude désormais légendaire. Il dit simplement :

– C'est bien ; mais il m'en faut vingt minutes, c'est tout. Débrouillez-vous pour m'en faire vingt minutes, pas plus. Vous passerez voir Jean-Michel pour le contrat.

Un peu abasourdies, nous avons dit :

– Bon, on va essayer.

Il ajouta en m'embrassant avant de partir :

– Je suis content, c'est bien.

Il était content, Thierry était content, nous étions affolées mais contentes, bref, tout le monde était content. Nous n'avions plus qu'à nous mettre au boulot : réduire une heure en vingt minutes qui tiendraient encore la route, rendre notre spectacle, fait pour une salle de quatre-vingts personnes en été (et soixante en hiver, à cause des manteaux !) perceptible pour deux mille personnes, ce qui n'était pas une mince affaire si l'on songe que notre plus grand accessoire était un « spray buccal » de dix centimètres environ...

L'Olympia !

Qui aurait pu me dire que j'allais moi aussi, un jour, mettre les pieds sur cette scène mythique ? Il fallait quand même une certaine dose d'inconscience et certainement beaucoup de griserie pour accepter un tel pari sans sourciller.

Montand s'intéressa de très près à la refonte de notre spectacle, en nous conseillant par exemple de ne pas chercher à « élargir », mais simplement à être précises dans nos gestes et rigoureuses dans nos intentions. Comme il s'y connaissait un peu... nous l'avons écouté. Le public a marché et la critique a suivi.

Nous avons eu la chance de participer à un vrai spectacle de music-hall, avec en première partie des acrobates, un montreur de chiens, le duo Daniel Beretta et Richard Debordeaux, et, tout de suite après nous, juste avant l'entracte, Alain Souchon. Pour emballer le tout et assurer l'enchaînement entre les numéros, un présentateur de choc : Pierre Desproges. Féroce, drôle et tendre malgré sa dent dure, il avait entrepris de nous annoncer de la façon suivante :

« Le monde entier nous les envie. Ceux qui sont allés au Coupe-Chou Beaubourg les connaissent déjà... On ne présente plus l'une d'entre elles, elle porte un nom déjà célèbre, puisqu'elle n'est autre que la fille de Yolande Grandjean ; quant à l'autre, elle s'appelle Catherine Allégret.

Voici Catherine Allégret et Evelyne Grandjean... »

Cher Pierre, que d'amitié dans ta voix, que de fragilité dans ton agressivité. « La pasionaria cardiovasculaire ». C'est ainsi que tu m'avais surnommée à l'époque à cause de mes coups de sang et de mes coups de cœur... S'il y a une chance pour que tu me voies de là où tu es, tu pourras constater que je n'ai pas changé !

Quel plaisir de se rejoindre le soir vers 20 heures dans la « Souchonnière ! » C'est ainsi que Thierry avait baptisé la loge d'Alain où nous nous retrouvions le soir avant le spectacle avec Voulzy et les autres musiciens. C'était une halte nécessaire, où nous rivalisions de stupidités pour tromper la peur car nous avions un trac terrible.

A la régie il y avait Doudou, qui ne manquait pas de nous commenter en direct, à travers le micro d'ordre, et de sa façon toute personnelle et ô combien décapante que la bienséance m'interdit de retranscrire ici, ce qu'il se passait sur scène avant notre entrée, principalement entre les acrobates qui rataient pas mal de choses...

A l'entracte, au bar des artistes, Maryline nous offrait un petit verre de champagne. De rat de coulisses, j'étais devenue « souris de scène », je n'étais plus de passage, j'étais là pour trois semaines et je ne m'en lassais pas.

Après l'entracte, c'était au tour de Thierry. Il assurait seul, ou avec la complicité de Desproges pour l'interview de « Giscard », la deuxième partie.

Nous continuions le Coupe-Chou en même temps que nous étions à l'Olympia. Nous courions d'un théâtre à l'autre sans avoir le temps de respirer, il y eut même un jour où nous fîmes les « trois huit », en participant également au gala de soutien à la grande grève des comédiens, au Châtelet. Pour la première fois, nous ne jouions que devant des professionnels qui nous firent, ma modestie dût-elle en souffrir, un véritable triomphe.

Je voyais arriver les dimanches avec délices, car ce jour-là nous avions matinée, soirée, et pas de café-théâtre. Nous pouvions alors nous glisser parmi les musiciens derrière le rideau pendant le passage de Thierry et nous livrer à de nombreuses facéties vocales pendant son numéro, ou même nous couler dans la salle, car alors Thierry ajoutait des commentaires pour nous seules lisibles.

Meuglements de bestiaux et boîtes à rires pour ponctuer les propos de Desproges faisaient aussi partie du jeu, le pianiste de Thierry, qui n'était autre que Richard Cleyderman, ne répugnant pas à nous prêter son micro.

Le soir de la dernière, nous sommes même intervenues dans les numéros de Thierry. Evelyne, en vieille grand-mère gâteuse qui tricotait sur le plateau et qui voulait sans cesse que son petit-fils rentre à la maison, et moi, en secrétaire amoureuse du président « Giscard ». Je lui faisais plein de mamours. J'ai même commencé à déboutonner sa chemise pendant que Desproges continuait à lui poser des questions, imperturbable. Thierry avait embrayé sans bouger un cil. Son esprit d'à-propos et son humour étaient bien trop grands pour qu'il se laissât troubler par quoi que ce soit. Le tout sous l'œil ahuri des machinistes battus sur leur propre terrain : pour une fois, la maîtrise des gags de dernière leur échappait totalement !

Auparavant, nous avions ajouté un numéro à la première partie du spectacle, avec la complicité et la participation d'Alain Souchon. Nous avions mis au point une nouvelle version des *Lavandières du Portugal* qui aurait sans doute fait frémir Jacqueline François, et que nous avions consciencieusement répétée avec Alain en coulisses, puis sur le plateau ce dernier dimanche entre matinée et soirée.

Une fois de plus, Desproges avait fait très fort en nous annonçant, construisant son annonce autour du fait que la situation au Portugal demeurait préoccupante (nous étions en 1976) et que nous avions voulu, nous aussi, apporter notre contribution au renouveau de ce pays...

Ça valait ce que ça valait, mais tout de même ! Souchon chantant *Les Lavandières du Portugal*, réorchestrées par Voulzy pour la circonstance, Evelyne et moi en « Souchonnettes », vêtues d'un tablier en toile cirée que nous avions passé sur nos maillots, nos collants et nos hauts talons, et Desproges dans le rôle du battoir, ça méritait le détour !

Il ne reste rien de cette dernière représentation qui résumait à elle seule l'esprit dans lequel nous avions passé ces trois trop courtes semaines de bonheur.

Notre prestation avait eu quelques échos dans le petit monde du music-hall et, à la fin de l'Olympia, nous nous retrouvions à la tête d'une douzaine de galas pour une tournée dans des endroits surprenants étant donné le style de notre numéro : des arènes et des foires !

J'aime autant préciser tout de suite qu'en fait de tournée nous avons fait UNE foire et UNE arène... Je passerai sur la foire dont j'ai oublié jusqu'au lieu où elle se tenait. Disons simplement que c'était vraiment la foire. Mais j'aimerais m'arrêter un instant sur les arènes... de Nîmes !

C'était la féria. Au programme, nous et Jo Dassin pour la première partie et, bien sûr, Thierry en vedette. Nous étions, Evelyne et moi, attablées à la terrasse de l'un des « soixante-douze » troquets qui cernent les arènes. Un verre de rouge à la main, une vague salade dans notre assiette, nous contemplions d'un air dubitatif ce monument qui allait être le théâtre de nos exploits. Pour le moment, il s'y déroulait une corrida.

Du monde partout. Des mètres de pastis disparaissaient, engloutis par des maîtres buveurs qui attendaient que le soir vienne pour aller chanter avec Jo et rigoler avec Thierry. Nous, nous devions ouvrir les hostilités... et le mot n'est pas trop fort.

Soudain je suis prise d'une envie frénétique de parler à Montand. Je me sens si mal qu'il me semble que seule sa voix pourra me rassurer un peu, et je l'appelle à Autheuil. J'ai d'abord ma mère, qui, au ton de ma voix, comprend qu'elle ne peut rien pour moi.

– Respire, petit... et faites comme à l'Olympia, c'était parfait !

234

– Mais il fait jour ! on va commencer le spectacle à neuf heures et il ne fera même pas nuit ! En plus, ils sont tous bourrés dans ce pays, ça va être une catastrophe !...

– Je comprends... Ne t'affole pas, respire et pense à ton petit « Papa » qui pense à toi. Merde, mon chéri !

Merde oui. C'était le cas de le dire.

Lorsque nous avons pu approcher le lieu, c'est devenu complètement surréaliste. Les coulisses ruisselaient encore du sang et des urines des toros morts dans l'après-midi. Bien sûr nous n'avions pas de loges, et nous n'avions pas prévu non plus de magnétophone pour passer la bande-son de notre numéro.

Quant à Thierry, il courait partout avec des mines de bluebell girl effarée, jouant à saute-ruisseau par-dessus les flaques immondes et puantes, secouant une crinière imaginaire. Il ouvrait et fermait les portes battantes des cagibis alentour tout en criant d'une voix aiguë : « Vous n'auriez pas de la laque ? »

Le rire fit rapidement place à l'angoisse. Quelqu'un nous trouva un magnétophone. Thierry, aussi abasourdi que nous, était en plein délire. Les arènes se remplissaient peu à peu d'individus qui étaient visiblement venus là, pour la plupart, parce que c'était à peu près le seul endroit où l'on pouvait s'asseoir tranquillement pour déguster sa bière et engouffrer son sandwich.

Puis il fallut entrer en scène, toujours armées de notre unique accessoire, le fameux « spray buccal » qui rapetissait à vue d'œil... Pas le temps d'en placer une, ce fut l'emboîtage immédiat. Je ne comprends pas aujourd'hui encore comment nous ne nous sommes pas écroulées sur le plateau, mortes de honte ! Eh bien non. Le fou rire nous a prises. Un vrai fou rire. Le public nous écoutait si peu que nous pouvions dire n'importe quoi et glisser tranquillement quelques « Ta gueule ! », entre deux répliques, à ceux qui nous criaient « A poil ! ».

Au bout de cinq minutes, nous avions assez ri et nous sommes sorties de scène sans demander notre reste. Nous avions eu la bonne idée de nous faire payer avant notre passage, ce qui se faisait, paraît-il. Il nous fut donc facile de sauter dans le premier taxi en direction de la gare et de reprendre le train pour Paris.

Pour nous consoler, nous nous sommes offert des wagons-lits et nous avons sonné le « garçon d'étage » pour qu'il nous apporte du champagne. Nous avons bu notre demi-bouteille, encore tout ébouriffées par ce que nous venions de vivre.

Le bruit de notre triomphe se répandit comme une traînée de poudre... et tous nos galas à venir furent annulés. Adieu Arles, Fréjus, Saint-Tropez et vos arènes turbulentes, adieu aussi « Foires d'empoigne » et autres galères, jamais contrats dénoncés ne furent plus doux à notre cœur.

Adieu aussi, Thierry, Pierre et Coluche. Désormais, le monde est triste, j'ai perdu mes clowns.

Les gens bien ont souvent des amis qui leur ressemblent et, justement, Michel Jonasz est le grand copain de Souchon. Pendant l'Olympia, Alain nous parlait souvent de lui comme de quelqu'un de rare et d'irrésistible. Moi, j'étais une admiratrice de la première heure, ayant eu le bonheur de croiser sa *Super nana* trois ans plus tôt.

Depuis ce temps-là, j'étais à l'affût de tout ce qu'il pouvait faire. Il faisait même, depuis quelque temps, partie intégrante de ma vie, depuis que nous utilisions, mes complices et moi, des phrases entières de ses chansons pour fabriquer des messages d'amour et de détresse à un mien fiancé qui était parti chercher des allumettes et qui n'était toujours pas revenu. Un zeste de Julien Clerc, trois gouttes de Souchon, deux volumes de Jonasz, et voici que prenait forme une surprenante cassette de montages musicaux qui aurait dû faire craquer le plus intraitable des fugueurs. L'amant compliqué n'est jamais revenu, mais Eliane et moi nous avons passé de grands moments à chercher tous les moyens pour le ramener au bercail. Il fut même une large source d'inspiration pour écrire un sketch, puis un autre spectacle de café-théâtre avec Eliane Borras. Il nous inspira pour finir un personnage dans le téléfilm *Jeu de quilles* que nous devions tourner plus tard pour FR3...

Jonasz, je l'ai finalement rencontré par hasard. Un soir que j'avais rendez-vous après le spectacle, à la Brasserie Fernand, avec mon copain Alain Emery (le petit garçon de *Crin-Blanc*, qui avait beaucoup grandi...). J'entre dans la brasserie et je vois, seul à une grande table ovale, Alain, qui m'attendait. Juste derrière lui, droit dans mon axe de vision, Jonasz ! Mon sang de fan ne fait qu'un tour et, après avoir souri à Alain tout en lui adressant rapidement un « j'arrive », je dépasse sa table et je me plante devant celle de Jonasz. Le souffle coupé par l'émotion, je lui dis, tout en le pointant du doigt :

– Vous êtes Michel Jonasz. Vous ne me connaissez pas, mais moi je vous connais. Il faut que je vous dise : vous faites partie de ma vie, j'ai tous vos disques, je suis vraiment heureuse de vous rencontrer.

Il a dû me prendre pour une folle, surtout avec la tête que j'avais : la permanente en bataille, la bouche rouge, l'œil fardé et allumé de paillettes. Il était attablé avec son père et Rosine, sa fiancée. Il a dit :

– Donnez donc une chaise, un verre de vin et un micro à cette jeune femme, et qu'elle s'exprime !

La glace était rompue. Il était totalement surpris que quelqu'un le reconnaisse, ce qui me le rendit encore plus sympathique. Puis, oubliant presque qu'on m'attendait à la table derrière, je lui ai tout raconté de ma vieille admiration pour lui, de nos montages musicaux, de l'Olympia, de son pote Souchon et du Coupe-Chou où il est venu bien vite nous voir.

Pour moi, un soir qu'il dînait à la maison avec d'autres amis, il a inventé le personnage de « S.O.S.-boute-en-train » parce qu'il avait perçu que j'avais un coup de cafard. Il avait disparu dans mon appartement qu'il ne connaissait pas à la recherche de quelques accessoires, et avait resurgi derrière la porte du salon, portant une valise d'où débordait tout ce qu'il avait pu ramasser dans le placard. Il s'était coiffé d'un vieux chapeau et, après avoir frappé, il était entré, sérieux comme un pape, en disant :

– Je suis S.O.S.-boute-en-train, vous m'avez fait appeler ?

Puis il avait improvisé un sketch drolatique et bouffon à l'aide de tous les accessoires qu'il avait collectés. Je jure que je n'étais plus triste ! Ce qui est joli dans cette histoire, c'est qu'il a refait la même entrée peu de temps après pour un de ses tout premiers spectacles à l'Olympia. Maintenant, son « public chéri » commence à savoir qu'il peut être très drôle. Mais à l'époque, avec tout le cafard qu'il trimbalait dans ses chansons, ce fut une véritable révélation.

Nous avons eu aussi quelques séances de délire

dans les coulisses de l'Olympia. Souchon était en très grande forme et nous avions même envisagé, Desproges, Grandjean, Borras et moi, d'écrire un spectacle pour nous tous. Nous en avions déjà le titre, c'est Jonasz qui l'avait trouvé : « Hystéries Folies ».

Il avait eu une autre idée qui était de tendre un long fil d'un bout de la scène à l'autre de façon que nous puissions nous raccrocher au « fil conducteur du spectacle » durant les représentations.

Après quelques séances de travail, nous avons renoncé à notre beau projet, car nos chanteurs préférés commençaient tous deux à avoir beaucoup de choses à faire. En revanche, je me mis à écrire avec Borras, Grandjean fit de la radio avec Le Luron, puis écrivit un spectacle avec Desproges, et cette période enchanteresse nous imprima surtout une belle page d'amitié, chaude et vivante au fond du cœur.

Cet épisode créatif avait aussi eu le mérite de bluffer Maman et Montand qui étaient assez fiers de leur gamine. « Ouf, quel soulagement ! » avait tout de même dit ma mère après la première de notre spectacle au Coupe-Chou, craignant sans doute qu'un contenu médiocre ne rejaillît sur l'honneur de la famille...

Maintenant elle était plus qu'apaisée. Montand, lui, avait décidé de m'offrir une nouvelle voiture afin que je ne me retrouve pas seule avec un enfant, à Neuilly, sans voiture. Il faut dire que ma chère Austin n'avait dansé qu'un seul été et qu'elle avait bêtement fini dans les bras d'un ferrailleur cannois suite à un banal accident qui avait quand même endommagé tout son avant. En achetant l'Austin, Montand avait chargé le fidèle Bob de souscrire une assurance. Et Bob, qui a toujours été très près des sous de Montand, avait résolu de lui faire faire des économies en ne m'assurant qu'au tiers... si bien qu'au premier incident ce fut pour mes pieds, et comme mes pieds étaient économiquement faibles, ils ne purent pas payer les réparations. Montand était furieux que j'aie cassé cette voiture et refusa de m'aider. « Débrouille-toi ! » avait-il dit pour toute réponse. Et je m'étais débrouillée, mais mal ! Jean-Pierre allait quitter Neuilly au volant de sa voiture, ce qui était normal, moi j'étais donc à pied, et Montand se fit ainsi pardonner sa vieille colère des années soixante...

Un jour ma mère me téléphona à Neuilly pour me prier de venir visiter un appartement qu'elle avait vu rue Dauphine... de l'autre côté du Pont-Neuf, tout près de la place Dauphine... Je suis sûre qu'il ne lui serait jamais venu à l'idée de m'offrir un appartement si cette occasion-là ne s'était pas présentée. C'était un petit appartement, très bas de plafond, assez peu commode mais bourré de charme. Et puis c'était un cadeau magnifique, je n'allais pas faire la difficile.

J'ai donc emménagé avec Benjamin, à cinq minutes à pied de chez « ma Maman ». Benjamin n'avait qu'à traverser la rue pour aller à l'école de garçons rue du Pont-de-Lodi et pour commencer à se frotter sans enthousiasme à cette terrifiante méthode globale qui a produit tant de handicapés de la lecture et de l'orthographe...

Mon divorce avait été prononcé par consentement mutuel. Le juge nous avait trouvés presque trop aimables et trop conciliants. Notre avocat nous avait même conseillé de roucouler un peu moins devant lui car nous risquions de nous voir refuser le divorce pour trop de compatibilité d'humeur, ce qui aurait été le comble. Jean-Pierre nous aida à emménager, jouant du marteau et du tournevis comme lui seul savait le faire.

« Castel » n'était plus qu'à quelques centaines de mètres de la maison, la rue Guisarde n'avait rien perdu de son charme, ni la rue des Canettes de son éclat, et je continuais mon parcours d'adolescente tardive.

26

Montand eut alors l'envie de faire un grand voyage. Il voulait retrouver New York, voir des comédies musicales. Il voulait aller à San Francisco, à Las Vegas, visiter « Disneyland » et surtout il voulait retourner sur le décor du *Sauvage* aux Bahamas. Il n'avait guère pu en profiter trois ans plus tôt pendant le tournage, contrairement à Benjamin et à moi qui nous étions gavés de langoustes et d'eau de mer tandis qu'il transpirait sous son maquillage. Il voulait aussi prendre le Concorde, il était comme un gamin qui prépare une fugue, et cette fugue il voulait la faire avec Benjamin et moi. Il avait même envisagé d'emmener une baby-sitter pour garder Benji qui n'avait pas encore huit ans. Finalement, c'est avec une de mes amies, Marie, que nous sommes partis, et nous avons fait la fête tous les quatre !

Montand avait imaginé un plan diabolique pour faire la surprise de ce voyage à son petit-fils. Benjamin pensait que Montand partait seul. Nous avions donc préparé le départ de Montand sous son nez, avec un certain sadisme même, puisque nous, nous savions que la surprise était au bout. C'est nuitamment que nous avions transporté les bagages place Dauphine, Marie et moi. Il était décidé que nous accompagnerions Montand à l'aéroport tous ensemble, pour voir le Concorde de près.

Dans le salon d'attente, Montand fit semblant d'obtenir de l'hôtesse que Marie, Benjamin et moi nous puissions monter à bord pour visiter l'avion. Après avoir vu la cabine, Benjamin s'assit, il regarda partout autour de lui, c'était tellement beau !

Puis l'hôtesse vint nous prévenir que nous allions décoller. Alors Montand fut magnifique :

– Allez, petit, il faut descendre. Cathou, Marie, Benji, allez, en route... à moins que... Mademoiselle, est-ce que cette place est libre ?

– Mais certainement, monsieur. (Cette hôtesse n'était pas mal non plus.)

– Alors, je peux emmener le petit ?

– Oui, si vous le désirez.

– Bon. Tu veux venir, Benji ? (Déjà l'avion commençait à rouler doucement.) Oh... eh, dis donc, on s'en va, là... Attache-toi...

Et de sa grande main, il l'a plaqué contre le siège. Benjamin était convulsionné de bonheur... il ne put qu'articuler :

– Et Maman ?... Et Marie... ?

– Oh ben... on les emmène aussi, d'accord ?

Dans le genre surprise, nous n'avions pas fait dans le détail. Benjamin reçut un tel choc qu'il dormit pendant tout le vol tandis que Marie et moi nous nous tordions le cou, entre deux verres de champagne, pour voir le beau passager assis quelques rangées devant nous et qui n'était autre que Robert De Niro.

Trois heures plus tard, nous atterrissions à New York, subjugués par la rapidité et par la beauté de notre vol. Une heure après, nous arrivions à l'Algonquin Hotel où nous avions déjà tant de souvenirs, Montand et moi. Mrs. Bodne, toujours maîtresse des lieux, put enfin faire la connaissance de ce petit garçon auquel elle avait envoyé une jolie timbale en argent gravée à son nom pour célébrer sa naissance, et Benjamin put enfin remercier la dame qui lui avait fait un si joli cadeau il y aurait bientôt huit ans.

Il régnait sur New York un froid sec et ensoleillé, et les écureuils de Central Park n'attendaient plus que nous pour commencer leur sarabande au pied des arbres. Quant à King Kong, il était toujours à la même place, veillant jalousement sur sa ville du haut de l'Empire State Building.

Ainsi commença pour nous un séjour de princes dont le seul but était le plaisir de découvrir un pays que Montand n'avait jusqu'ici traversé que pour y travailler. Et pour lui c'était vraiment une aventure, car ne rien faire était quelque chose qu'il n'avait jamais su faire. Bien sûr, Maman manquait à l'appel, mais elle avait eu la sagesse de renoncer à nous accompagner, car elle, elle n'avait jamais aimé voyager pour voyager. Le décalage horaire fut vite absorbé, et bientôt la ville serait à nous.

Je ne saurais dire lequel, de Montand ou de Benjamin, était le plus émerveillé à l'arrière de la gigantesque limousine qui nous transportait dans la ville, ni lequel des deux s'est le plus régalé des hot dogs que nous avons dégustés dans le parc en regardant la neige qui fondait doucement dans les allées. L'un rattrapait le temps perdu, l'autre emmagasinait des souvenirs pour « après », tous deux étaient beaux à voir car ils avaient une complicité magnifique. Montand profitait enfin de son petit-fils et découvrait sa fille sous un jour nouveau.

Times Square, Broadway le jour... Broadway la nuit... tout recommençait comme lorsque j'avais treize ans. Mais cette fois-ci nous étions ensemble, il ne chantait pas, et c'était son tour de s'asseoir dans les salles de spectacle et de se laisser emporter par la magie des autres. Nous avons vu tout ce qu'il y avait à voir cette saison-là. *A Chorus Line* nous a laissés sans voix, stupides, dans cette salle qui ne se vidait pas d'un public amical et généreux avec lequel nous continuions d'applaudir, ce qui augmentait encore le plaisir que nous avait donné la troupe. Il faut dire qu'à la fin il n'y avait pas de salut traditionnel. Le salut était intégré dans le spectacle. Tout doucement, l'orchestre avait égrené les premières notes du thème principal. De la coulisse était apparu un danseur, puis deux, puis trois, puis toute la troupe, en smoking blanc aux reflets dorés et chapeau haut de forme, soudée en une ligne étincelante. Ils avaient traversé la scène dans une diagonale parfaite, levant la jambe en cadence, jusqu'à l'autre coulisse où ils avaient disparu, pour reparaître ailleurs, toujours dans le même mouvement. Cette fois les chapeaux s'étaient hissés au bout de leurs bras. Ils passaient et repassaient au son de la musique qui montait, montait...

Et c'est alors que nous comprenions que c'était la fin de cette belle histoire qui racontait la naissance d'une troupe : le metteur en scène avait choisi ses danseurs, le corps de ballet était constitué, pour eux le spectacle commençait ; pour nous, il venait juste de s'achever. Encore un passage, sous des applaudissements dont l'intensité ne baissera pas, même après, lorsque le plateau sera nu, désert, et qu'aucun rideau ne se sera fermé sur la troupe qui aura disparu. Dix, quinze, vingt minutes de rappel, ils ne sont pas revenus. Ici les spectateurs n'étaient pas blasés.

Les Américains ont le goût et le respect du théâtre. Tout le monde paie pour voir, même les critiques. Ils arrivent à l'heure et ne boudent jamais leur plaisir. Et ça fait partie de la fête. C'est peut-être le seul moment de notre voyage où je me suis sentie triste... car l'émotion était trop forte.

Deux heures durant, j'avais eu sous les yeux des comédiens qui savaient tout faire. Et pour en arriver là, il fallait avoir grandi dans ce pays car nulle part ailleurs on ne pouvait apprendre à travailler comme cela. Pour moi, il était déjà trop tard et j'eus fugitivement le regret de n'être pas « d'ici »... Pour Montand, la question se posait différemment, car il était « de partout ».

Après un séjour d'une dizaine de jours à New York où nous avions décidé de revenir avant notre retour à Paris, uniquement pour revoir *A Chorus Line*, nous sommes partis pour la côte Ouest. D'autres plaisirs nous attendaient, nous allions maintenant devenir de vrais touristes.

San Francisco... nous arrêtons la voiture à l'entrée du Golden Gate Bridge. Montand descend, avec Benjamin, pour regarder au loin la prison d'Alcatraz. Il veut montrer à son petit-fils où l'on a emprisonné Al Capone ; il veut, une fois dans sa vie, marcher sur ce pont légendaire qui l'a tant fait rêver au cinéma. Brusquement, Benjamin lui échappe et court tout seul devant, comme un fou. Et Montand le poursuit en hurlant dans le vent. Je ne vois plus mon fils, la silhouette de Montand devient toute petite... Ça y est, il l'a rattrapé, je crois bien que Benjamin a pris une gifle !...

Los Angeles... Benjamin a huit ans et souffle ses huit bougies au restaurant Da Vinci... Les ascenseurs extérieurs de l'hôtel Westwood Hyatt montent et descendent le long des parois comme des ludions dans une bouteille... Nous occupons une magnifique suite et, un soir où nous sanglotons, Marie et moi, devant la télé en voyant pour la troisième fois *Nos plus belles années*, Montand vient nous gâcher notre chagrin. La tête enturbannée dans une serviette-éponge, il imite Barbra Streisand contre laquelle il a une dent depuis qu'il a tourné avec elle *On a clear day*, rebaptisé par lui : « *On a clear day... you can see a bullshitt for ever*[1]. » Nous nous reposons... Il fait doux... Nous nous promenons. A Hollywood, nous mettons nos pas dans les pas célèbres de ceux qui ont laissé leurs empreintes devant le Théâtre chinois... Nous louons une voiture... Sur le bas-côté de l'autoroute qui mène à l'aéroport d'où s'envolera notre avion pour Las Vegas, une femme pleure. C'est moi. Nous avons raté l'embranchement, nous sommes complètement paumés, Montand hurle, puis fait le pitre pour me consoler...

Las Vegas... Le Cesar's Palace... Nous occupons une suite qui doit faire au bas mot cent cinquante mètres carrés. Montand, armé de la caméra qu'il nous a achetée à New York, filme, sidéré de leur mauvais goût, cette enfilade de pièces démesurées aux moquettes rose fuchsia et vert pomme... La cuisine... Le mobilier hideux... Il finit par nous accorder une interview exclusive au cours de laquelle il nous dira qu'il a peur de se faire gronder par sa

1. « Par un beau jour, vous pouvez voir une connerie pour toujours... »

femme et par Bob en rentrant car tout cela coûte extrêmement cher !... et qu'il a bu deux whiskies en jouant aux machines à sous !

Benjamin est consigné dans sa chambre car il n'a pas le droit de toucher aux machines. Ce soir, Frank Sinatra chantera, nous réservons une table... que nous n'occuperons pas car elle est trop loin de la scène. Montand, pour nous consoler, nous dira que, finalement, « Sinatra est trop vieux maintenant » !

Disneyland ! La maison du pirate nous fait peur, les manèges nous grisent, les hamburgers nous étouffent. Benjamin embrasse Mickey, Montand embrasse Benjamin, j'embrasse Montand, Marie m'embrasse... nous avons tous dix ans. Tiens, Benjamin a pris un coup de vieux !

De retour à Los Angeles où nous avons laissé le gros de nos bagages pendant notre escapade, il faut maintenant rendre la voiture. Dans le garage de l'hôtel, au sous-sol, je reconnais une silhouette familière : c'est Nicolas Peyrac.

– Bonjour.

– Bonjour, qu'est-ce que tu fais par ici ?

– Je suis en voyage avec Montand, mon fils et ma copine Marie. Et toi ?

– Moi, je suis venu acheter un piano.

– Tu as bien fait, parce que des pianos, en France, y en a pas !

Et nous disparaissons, Marie et moi. Montand nous attend déjà dans le hall, nous partons pour les Bahamas. Nous montons dans les chambres chercher nos derniers bagages à main. Sur le chemin, nous rions encore de notre rencontre insolite dans le garage...

– Tu te rends compte, Marie, du bol que l'on a ! Faire douze mille bornes pour rencontrer Nicolas Peyrac dans le garage d'un hôtel californien ! Dans le Concorde, on voyage avec De Niro ; sur le vol New York-Los Angeles, on voit Katharine Hepburn ; ici on croise Peyrac ; tu vas voir qu'avec un peu de chance on va rencontrer Félix Marten !

Et tout en rigolant toujours, nous appuyons sur le bouton de l'ascenseur, qui arrive et qui s'ouvre sur... Dustin Hoffman ! C'est terrible après ce que nous venons de dire... Il est charmant, ruisselant dans son jogging blanc, avec sa serviette-éponge autour du cou... Il sourit, et, en un éclair, le temps de bien réaliser qui est en face de nous, nous lui pouffons de rire au nez. L'ascenseur se referme sur ce génial acteur, médusé par deux folles hystériques. C'était trop tard. Nous aurions voulu lui parler, lui dire surtout que nous l'aimions, ce qui eût été la moindre des choses, lui expliquer enfin. Encore que... Félix Marten... Nicolas Peyrac... Mais nous ne l'avons pas revu et, tandis que l'une de nos idoles filait sans doute prendre sa douche, nous, nous filions vers l'aéroport pour les Bahamas...

Au bout d'une longue allée bordée de cocotiers s'étire le South Ocean Beach Hotel and Golf Club. Sur la terrasse, au bord de la piscine, des « locaux » jouent une musique rythmée et aigrelette « en tapant sur des bassines, des barriques et des bidons », comme dirait Jonasz. Nous savourons notre premier « pinacolada » en nous faisant la réflexion que rien n'a changé depuis le tournage du *Sauvage*.

Ça y est, nous voici presque au bout du voyage. Montand n'a qu'une idée en tête : retrouver la plage sur laquelle il a tourné et dont nous avons fait cent fois le chemin avec Benjamin pour l'accompagner ; c'était une plage immense, où avait été construite la maison de bois dans laquelle il élaborait ses parfums et vivait en Robinson jusqu'à ce que Catherine Deneuve vienne troubler sa solitude.

Nous louons une voiture, et nous prenons la route. Nous trouvons le lieu sans difficulté. Mais il est impossible d'y accéder. La plage est gardée par des grillages, et sur la barrière, une pancarte, *No trespassing*. Nous passons outre cette interdiction d'entrer et nous voici maintenant sur la plage immense et déserte. Rien. Il n'y a plus rien. Plus de maison, plus aucune trace de ce passé pourtant si proche. En nous approchant du rivage, nous distinguons cependant à fleur d'eau les gros poteaux de bois qui avaient soutenu le ponton qui avançait dans la mer en contrebas de la maison et qui rendait ce lieu si vivant, si réel.

– Elle était où, la maison, Cathou ? me demande Montand.

Je regarde autour de moi, dans l'axe de ce qui fut le ponton...

– Je ne sais pas... je ne sais plus... là, peut-être... non, attends, là...

En regardant mieux, je distingue enfin une espèce de remblai à la forme bien rectangulaire. Oui, c'était bien là. Nous nous approchons, et nous voyons dans le sol les vestiges de ce qui fut la maison du *Sauvage*. Nous sommes un peu tristes... Nous avions projeté de nous baigner... Malgré la mer qui nous lèche tendrement les pieds, nous n'avons pas envie de nous tremper dans cette eau qui est redevenue totalement anonyme.

Je réalise alors combien Montand avait dû souffrir de la chaleur et avait dû avoir envie de se baigner, lui qui n'aimait pourtant pas l'eau, en nous voyant, au loin, rire et nous éclabousser. Il était consigné à l'ombre, sur la terrasse de « sa » maison, ruisselant comme un malheureux sous le souffle tiède d'un petit ventilateur de poche. Il ne devait rêver que de fraîcheur et de repos. Et, comme un enfant à qui le chocolat aurait été longtemps interdit, il avait gardé de cette plage l'idée d'un plaisir inaccessible auquel il n'avait pas pu goûter.

Aujourd'hui, il voulait se passer cette envie qui l'avait certainement tenaillé et c'est pour cela que l'on était venus jusqu'ici.

Nous sommes rentrés à l'hôtel, il n'y avait rien de dramatique dans tout cela, mais, pour le restant du séjour, nous nous sommes baignés ailleurs.

L'eau était tiède, nous prenions de belles couleurs de homard ébouillanté, nous passions nos journées à la plage, où Montand restait peu, lui, car il n'aimait toujours ni l'eau ni la trop forte chaleur...

Je commençais à bouillir pour d'autres raisons que mes coups de soleil. Avant mon départ, j'avais été engagée par Jean-Pierre Bouvier pour être Valentina Ponti dans la pièce qu'il devait monter à la Maison de la culture de Créteil, puis à l'Espace Pierre-Cardin : *Ceux qui font les clowns*. J'étais de plus en plus dans mon texte et de moins en moins au soleil, et moi, qui étais passablement douée pour ne rien faire, j'avais maintenant bien envie de faire quelque chose.

Le mois d'avril était bien entamé, nous avions vécu l'été pendant l'hiver, nous avions fait le plein de joie, Montand était heureux, il avait des idées neuves plein la tête, nous pouvions à présent rentrer. Avec lui, nous avions vécu des moments inoubliables, et surtout j'avais réussi à le surprendre. J'ai su que pendant notre séjour il avait écrit à Maman pour lui dire quelle personne il avait trouvée en moi. Et ça, c'était le vrai cadeau de ce voyage : il venait de faire enfin ma connaissance.

27

La troupe du Théâtre d'action populaire dirigée par Jean-Pierre Bouvier était composée de comédiens inconnus, tous animés par un même amour du théâtre, et dévoués corps et âme à leur chef. Avec ma nature de « pasionaria cardio-vasculaire », il ne me fut pas difficile de m'inscrire dans leur cercle. Jean-Pierre avait une personnalité fascinante et un certain don pour galvaniser ses troupes. Jacques Collard, qui avait signé l'adaptation de cette pièce américaine écrite par Michaël Stewart, était un bon copain et veillait sur nous comme un père sur ses enfants.

De l'enthousiasme, il en fallait beaucoup, de la passion aussi, pour assumer sans faiblir tous les postes auxquels je me trouvais confrontée, indépendamment de mon rôle, qui était écrasant. Il fallut arranger un décor, ce que je fis en vieillissant des marches et des panneaux de bois avec du brou de noix. Il fallut aussi acheter des mètres et des mètres de toile de jute pour habiller l'espace. Il fallut encore aider Geneviève Dinouart à poser les derniers points de chausson au bas des ourlets, louer des accessoires et des épées pour meubler le décor de cette pièce qui se situait au temps de Shakespeare. Je dus aussi me transformer en infirmière pour réparer des genoux endommagés ou enrayer des grippes naissantes. Nous étions tous fauchés, moi un peu moins qu'eux, il fallut donc enfin en être un peu de ma poche... Mais ceci est une autre histoire, quand on aime, on ne compte pas !

Il y avait dans la troupe quelques joyeux spécimens. Jean-Pierre Bacri, par exemple, à qui je devais mon engagement depuis notre rencontre dans les coulisses d'un café-théâtre. Sam Karmann, encore, qui portait un autre nom à l'époque, c'est lui qui avait mal au genou. Dominique Virton, aussi, dont la femme faisait les costumes et qui est mort à trente-six ans d'un arrêt du cœur qu'il avait grand et généreux. Jean-Pierre Bouvier, enfin, dont la force et la maîtrise de soi nous fascinaient tous.

Nous étions unis, soudés, heureux de travailler ensemble, heureux de participer à cette aventure. Tous excellents comédiens, tous drôles, Bacri surtout qui avait un talent redoutable pour me faire rire à la ville comme à la scène.

Il n'y avait plus de jours, il n'y avait plus de nuits, il y avait en priorité ce spectacle que nous aimions, et pour lequel nous vivions désormais. Et le jour de la première à Créteil arriva.

A la fin du spectacle, Montand, qui bien sûr était dans la salle, nous félicita beaucoup, nous accompagna pour souper, et paya même l'addition. Nous passâmes la soirée à deviser gaiement, et Montand ne tarissait pas d'éloges sur le travail de la troupe en général et de Bouvier en particulier.

Le lendemain matin, une sonnerie de téléphone tinta joyeusement dans mon petit appartement de la rue Dauphine. Après un « Bonjour, petit, tu as bien dormi ?... Tant mieux ! », salut des plus paternels et des plus anodins, une écluse s'ouvrit et un flot de paroles sévères et terrifiantes se déversa dans mes pauvres oreilles :

– Ecoute, je n'ai rien voulu dire hier soir parce qu'un acteur qui vient de jouer est toujours vulnérable, mais ce que j'ai vu, c'était ni fait ni à faire !

– Mais pourquoi ?

(Le ton monte maintenant.)

– Mais, ma pauvre fille, tu es complètement gâteuse ! Tu ne te rends pas compte ! Tu mélanges tout, ce n'est pas possible ! Ce n'est pas parce que tu es heureuse avec tes copains que tu dois perdre ta lucidité. C'est à foutre par les fenêtres, votre truc, tu entends ? On ne vous entend pas, on ne vous voit pas, à part ton Bouvier, là, qui a toujours une poursuite sur lui et qui est toujours devant... toi, ma petite chérie, tu hurles et on ne comprend rien de ce que tu dis ! (Il se radoucit un peu.) Bon... c'est quand, l'Espace Cardin ?... Bien, tu as donc quelques jours pour resserrer les boulons... C'est faisable, débrouille-toi pour faire passer le message, je t'embrasse, petit.

Quelle matinée ! Et quel programme pour la suite ! Resserrer les boulons, il en avait de bonnes, lui ! En attendant, je repensais avec émotion à la façon dont il avait serré les dents la veille au soir, cueilli en premier lieu par le feu qui nous animait et nous unissait tous, taisant sa tristesse et sa colère.

Peu après, Casta me téléphonait aussi. Montand venait de l'appeler et l'avait même convoqué place Dauphine pour lui faire part, dans des propos encore moins édulcorés, de ses impressions après notre première représentation de Créteil.

Nous employâmes le peu de temps qu'il nous restait avant Paris à essayer d'arranger les choses après que j'eus fait « passer le message » du mieux que je pus.

Je ne sais pas de quel bois était faite cette scène, ni quel ingénieur acousticien avait présidé à l'élaboration de cette salle, toujours est-il qu'entre nos hurlements, nos accessoires métalliques et nos courses sur le plateau, il « semblait donc » que l'on ne nous entendait guère jouer la comédie, surtout au premier acte, où nous étions tous en scène dans le tableau de « l'auberge »... à moins que ce ne fût simplement notre faute.

A l'Espace Cardin, la salle se remplissait peu à peu d'un public de générale où se mêlaient, comme toujours, les amis, les ennemis, les curieux, les critiques et le « gratin parisien »... Avant le début du spectacle, Montand passa une tête à la porte de ma loge en serrant un poing encourageant à la hauteur de son visage, avec des yeux pleins de tendresse. A l'entracte, il revint pour me dire simplement : « Tu y es, petit, c'est beaucoup mieux, c'est bien, vous y êtes tous ! »

Et lui y était pour beaucoup...

Mais dans la salle il y avait aussi Casta qui n'avait pas assisté à la représentation de Créteil et qui recevait le spectacle avec dans l'oreille le rapport musclé de Montand... à tel point qu'il voulait casser la gueule à Bouvier. Heureusement que Jacques Weber et son copain Maurice Vaudaux l'avaient retenu, tout en partageant son point de vue. En fait, même si nous étions un peu mieux éclairés, on voyait surtout, paraît-il, Jean-Pierre Bouvier boiter courageusement à l'avant-scène, toujours dans sa poursuite, tenant bravement son rôle malgré une déchirure ligamentaire au genou. Certains ne se privaient pas pour dire qu'elle était providentielle et qu'elle donnait un impact supplémentaire à son personnage, particulièrement dans les combats d'épée où il croisait le fer comme le capitaine Crochet soi-même. Nous, nous savions qu'il s'était réellement esquinté en jouant au tennis et qu'il avait très mal, mais c'est vrai aussi que ça lui allait bien.

Montand nous a quittés à la fin du spectacle. Il avait vu ce qu'il voulait voir, il avait rempli sa mission, il s'est donc éclipsé sur la pointe des pieds.

Nous avons joué tant bien que mal trente courtes fois ce spectacle qui avait cependant reçu, dans l'ensemble, d'assez bonnes critiques. Toutes saluaient en tout cas notre jeunesse et notre enthousiasme. Peut-être étions-nous d'ailleurs tous trop jeunes pour nos personnages, et puis 1978 était aussi une année à Coupe du monde de football, et les matches, retransmis à haute dose à la télévision, doublés d'un temps doux qui n'engageait guère à s'enfermer dans une salle de spectacle, eurent raison de notre entreprise.

Nous avons fini de jouer en riant beaucoup en scène devant un public peu nombreux et beaucoup de copains qui riaient avec nous, ce qui n'était pas très sérieux, sauf le soir de la dernière à l'issue de laquelle tout le monde pleurait.

« Ceux qui font les clowns »... « sont priés de sortir de la classe ! »... avait un jour ajouté Jean-Pierre Bacri, au-dessous du titre, sur la couverture de son manuscrit... et c'est ce que nous fîmes !

28

Le 2 octobre 1980, alors que j'étais de garde en compagnie de Marie au Kokolion, ma vie a pris un tour nouveau et inattendu. Le Kokolion, c'était notre Q.G. situé rue d'Orsel, à quelques pas du théâtre de l'Atelier. Nous étions devenus des amis, Hervé qui recevait, Jean-Pierre qui cuisinait, et moi qui dégustais. Au point que, connaissant mon vieux fantasme de « bistrote », ils n'hésitaient pas de temps en temps à me confier la maison lorsqu'ils étaient obligés de s'absenter tous les deux, ce qui était rare. Le restaurant, qui n'ouvrait que le soir, fermait tard car il servait aussi après le spectacle, mais cependant pas au-delà d'une heure du matin.

Ce soir-là, il y avait eu beaucoup de monde, j'avais les pieds en compote et je guettais avec envie le moment où ma montre me dirait qu'il était une heure et que nous ne servirions plus personne, du moins pour souper. Soudain, je sens un frémissement derrière la porte... Je regarde ma montre, une heure moins une ! La porte s'ouvre sur un grand jeune homme blond, Maurice Vaudaux, suivi de ses acolytes Jacques Weber et Philippe Bouclet.

– Vaudaux, dehors ! ai-je crié à l'adresse des

importuns, tout en leur montrant la porte d'un index vengeur.

Deux minutes après, ils étaient attablés, consultant le menu avec une petite faim qui les tenait au ventre. Ils ne sont donc pas ressortis, pire ils ont dîné, pire ils sont restés très tard, pire encore nous avons poursuivi la soirée au Sheerwood, Maurice et moi, pire toujours, nous sommes en 1993, et il y a maintenant treize ans que nous vivons ensemble.

Jacques Weber, je le connaissais bien, depuis que nous avions joué ensemble la dernière pièce de Marcel Aymé, *La Convention Belzhébir*. C'était alors un grand benêt de dix-sept ans, aux grands pieds et à la crinière déjà grisonnante. Il était pataud, maladroit, un peu collant, et du haut de mes dix-neuf ans je préférais la compagnie des « grands », de Jean-Pierre Darras notamment, qui me faisait rire bien davantage que ce tout jeune élève de la rue Blanche...

N'ayant pas eu à poursuivre une relation amicale jamais engagée avec ce jeune homme dont j'avais oublié jusqu'au nom, je suis restée longtemps sans le voir. Et puis un soir, alors que je regardais la télévision à Autheuil avec Maman et Montand, nous sommes tombés en arrêt devant un visage à moitié mangé par une moustache et dévoré par une paire d'yeux magnifiques. La bouche disait un poème, les yeux chantaient la musique, l'homme s'appelait Jacques Weber, ce nom ne me dit rien mais s'inscrivit dans ma mémoire.

Costa Gavras allait tourner *Etat de siège* et l'avait engagé, moi je rêvais de le rencontrer. Je parlais beaucoup de lui : « l'homme au poème » m'avait réellement impressionnée. Un jour, Jean-Pierre, avec qui j'étais déjà mariée à l'époque, m'annonça qu'il devait assister à une réunion de comédiens, réunion où se trouveraient notamment des gens importants tels que Jacques Weber, Jacques Spiesser...

– Jacques Weber ! m'étais-je alors écriée. Mais il est génial, dis-lui que je l'aime et que j'aimerais bien le rencontrer !

A son retour, Jean-Pierre me dit d'un air goguenard :

– Ton Weber, tu sais que tu le connais déjà ? Tu as joué avec lui il y a six ans dans la pièce de Marcel Aymé...

– Merde, c'était lui ? Je ne l'aurais jamais reconnu ; d'abord il n'avait pas de moustaches !

Et c'est ainsi que je refis la connaissance du « grand Jacques » et que nous devînmes des amis.

Philippe Bouclet, je ne le connaissais pas vraiment, quant à Maurice Vaudaux, je l'avais déjà vu passer de loin en loin dans les « lieux mal famés » que nous fréquentions tous à l'époque, mais je l'avais vu sans bien le voir... et en ce 2 octobre 1980, mes yeux s'ouvrirent lentement mais sûrement.

Tandis que je tournais *Au bon beurre* avec Roger Hanin sous la direction d'Edouard Molinaro, savourant à belles dents ce rôle d'employée effrontée et insolente au service des affreux Poissonard (Roger Hanin et Andréa Ferreol), je roucoulais tendrement avec Maurice à qui je téléphonais trois fois par jour, depuis le tournage.

Avec Hanin, c'étaient des retrouvailles puisque j'avais été sa fiancée dans un film de Jacques Poitrenaud, *Carré de dames pour un as*, que j'avais tourné peu après *Compartiment tueurs*. Pour ce rôle, on avait dû passablement me vieillir à grand renfort de perruque et de maquillage, de façon que Roger n'ait pas l'air de faire un détournement de mineure, car j'avais déjà du mal à paraître les dix-neuf ans qu'affichait ma carte d'identité.

Cela avait été un tournage idyllique, en Espagne, au cours duquel Hanin s'était montré si drôle, si attentif et si gentil que j'étais ravie de le retrouver maintenant, avec quelques années de plus, dans un rôle où, et c'est le moins que l'on puisse dire, je lui tenais la dragée haute. En trois jours, je pris autant de plaisir avec Hanin et Molinaro que j'ai pu en prendre depuis, avec d'autres et en bien plus de temps. Ce fut pour moi ce que j'ai coutume d'appeler un tournage « bissextile »... hélas, il y a bien plus de quatre ans qu'il est terminé. Et fallait-il qu'il me plaise, ce tournage ! car je n'avais alors qu'une seule idée en tête, retrouver Maurice avec lequel j'avais engagé de longues fiançailles.

Dans le même temps, Montand envisageait très sérieusement de rechanter. Il décida d'aller réfléchir à New York où l'on jouait *Nine*, une comédie musicale dont on lui proposait l'adaptation française. Il me demanda de l'accompagner, ce que j'acceptai malgré ma belle histoire naissante. Mais Maurice devait partir tourner en Tunisie, je le rejoindrais après.

A notre arrivée à New York, un bouquet de fleurs m'attendait déjà dans ma chambre de l'Algonquin Hotel, avec une carte sur laquelle je pouvais lire : « Welcome – Alien. » « Alien », c'était notre nom de code à Maurice et à moi, nom dont il m'avait affublée peu après notre rencontre, et qui était lourd de sens pour qui avait vu le film.

Dans sa chambre, Montand commençait à réfléchir à sa rentrée, prenant des notes, répétant devant

260

le miroir de la salle de bains, avec sa canne et son chapeau qui, bien sûr, faisaient partie du voyage. Dans ma chambre, je réfléchissais à ma « rentrée » à moi, qui, pour n'être pas sur une scène de théâtre, allait sérieusement engager mon existence.

Ensemble nous avions revu *A Chorus Line* pour la troisième fois. A croire qu'en revenant ici il était venu mûrir un projet qui avait peut-être bien dû commencer à le titiller au cours de notre récente escapade... C'était décidé, il ferait l'Olympia, à la seule condition que je m'engage à être présente à ses côtés, sans rien faire d'autre. A croire aussi que ce « petit côté vachement organisé » qu'il avait décelé chez moi, toujours pendant nos vacances américaines, n'était pas totalement étranger à ce désir de m'avoir près de lui pour son marathon à venir.

A notre retour, je pus m'échapper pour retrouver Maurice en Tunisie où il disposait de quelques jours sans tourner. Il loua une voiture, et nous prîmes tout doucement le chemin des écoliers qui devait s'achever trois jours plus tard à l'aéroport de Tunis. Nous roulions sur des routes défoncées, traversant des oueds qui par bonheur n'étaient pas trop grossis par les pluies de novembre, nous étions bien. Nous parlions peu, tout à notre nouveau bonheur qui se passait de commentaires.

Pensant sans doute à Montand qui m'avait déjà mitonné quelques tâches pour mon retour, je fredonnais... « J'aimerais tant voir Syracuse, l'île de Pâques et Kairouan »... quand soudain, sur la route, je vois un panneau « Kairouan 25 ».

– Regarde ! c'est dingue ! Kairouan ! C'est le même ?... On y va ?

Nous avions du temps devant nous, nous prîmes donc la route de Kairouan et, vingt minutes après, nous étions aux portes de la ville. Sur l'une des arches, à l'entrée de la médina, gigantesque dans une attitude du *Grand Escogriffe*, Montand saluait notre arrivée, plus vrai que nature, sur l'affiche qui annonçait la projection du film dans la ville. Il était là, sans doute pour me rappeler qu'il m'attendait à Paris... et ça, c'est le genre d'histoire que nous aimions bien dans la famille.

En ce temps-là, j'étais loin de m'imaginer qu'il m'attendrait encore au Bistrot des Alpines, cette fois pour me dire « Ne t'en fais pas, petit, je suis près de toi... » puisque moi, je ne pourrais désormais plus rien pour lui.

Nous avons parcouru la médina à pied et fini par échouer dans un bouge incroyable pour déjeuner. Nous étions les premiers, et nous restâmes les seuls clients de cette salle aux murs peints en rouge sang de bœuf, sur lesquels étaient accrochées une dizaine de reproductions grossières des plus célèbres toiles du Louvre. C'est sous le sourire complice d'une Joconde légèrement hémiplégique que nous avons failli mourir étouffés par le piment d'une *slata mechouïa* des plus typiquement typiques.

Le garçon, qui nous avait vus venir, avait pris notre commande dans un « gromelot » qui se voulait être du français. Nous avions néanmoins saisi au vol quelques mots clés tels que « piquon » ou « pas pour la madame », mais commis l'imprudence de répondre que nous avions l'habitude...

Encore une escale à Sidi Bousaïd et déjà se profilait à l'horizon la méchante silhouette de l'aéroport de Tunis qui me séparerait pour un temps encore de Maurice.

Octobre 1981. Depuis plusieurs mois maintenant, Maurice a définitivement abandonné son petit appartement de la rue du Rhin pour venir vivre avec Benjamin et moi rue Dauphine. Il fait à présent partie de la famille et du même coup de l'équipe de choc que nous formons, moi et moi, auprès de Montand. Durant cette période, nous avons occupé tour à tour les rôles de chauffeur, secrétaire, agent, de garde du corps et de « détaché » de presse, avec, en prime pour Maurice, la fonction de garde-malade, car Benjamin avait la jambe dans le plâtre et ne pouvait guère rejoindre seul l'Ecole alsacienne où il était maintenant élève en classe de septième.

Ah ! l'Ecole alsacienne ! Je savais bien qu'elle ne pourrait pas sortir de ma vie aussi facilement ! Au cours des deux dernières années de primaire de Benjamin rue du Pont-de-Lodi, la question du choix d'un établissement pour le secondaire s'était posée de façon aiguë, et c'est sur le conseil même du directeur du primaire que j'avais demandé un rendez-vous à celui de l'Ecole alsacienne qui n'était autre que MON cher directeur, M. Hacquard.

J'arrive devant mon école le cœur battant. Que de souvenirs flottent maintenant autour de moi. Ce n'est pas la première fois que je reviens vers mon enfance, et chaque fois c'est la même émotion. Je pousse la porte cochère du 109, rue Notre-Dame-des-Champs, j'entre sous le porche, c'est la récréation. Dominant nettement les cris et les rires des enfants, je reconnais distinctement la voix de Babinot et son langage fleuri.

Il est donc toujours là lui aussi. A mesure que je m'avance, je redeviens adolescente, et la perspective d'aller voir « le dirlot » me serre le ventre. Respire,

Catherine ! C'est ton fils que tu viens inscrire, tu n'es plus une élève, tu es une grande fille maintenant ! Je traverse la cour et je me trouve nez à nez avec Bab.

— Allégret ! qu'est-ce que tu fous là ? T'as pas changé, ma vieille !

— Salut, Marcel, dis-je, en l'embrassant, au bord des larmes. Je viens inscrire mon fils...

— Merde, ça nous rajeunit pas. Tu viens voir Hélène ?

— Après... maintenant j'ai rendez-vous avec le patron. A tout de suite.

— Tu reviens, hein ?

— Oui, oui, promis.

Je me dirige, songeuse, vers l'autre côté de la cour, vers le ravissant petit hôtel particulier qui nous faisait rêver lorsque nous étions enfants et qui abrite maintenant le bureau directorial. Hélène... Hélène Kapp, elle est donc encore là elle aussi, c'est merveilleux... Me voici dans le bureau de M. Hacquard. Il ne va pas tarder... la porte s'ouvre, il apparaît, me sourit.

— Bonjour, Catherine, me dit-il en me tendant une main amicale.

— Bonjour, monsieur le directeur, dis-je d'une voix étranglée par l'émotion. Pardonnez-moi, je suis très émue, je...

Je ne peux continuer ma phrase. Je fonds en larmes.

— Vous pleurez ?... Venez que je vous embrasse.

Je venais de gagner la moitié de l'inscription de mon fils. L'autre moitié suivit si bien que nous nous séparâmes sur l'idée qu'il serait préférable que Benjamin entrât à l'Alsacienne dès le second trimestre de façon qu'il apprît à travailler avec les méthodes de l'Ecole bien avant la sixième.

Moi, j'étais sur un petit nuage, naviguant entre mes souvenirs heureux et la joie que j'aurais à renouer, à travers mon fils, avec un passé si vivant puisque presque tous mes maîtres étaient encore en fonction. Avant de repartir, je suis allée embrasser Mme Kapp, enfin, Hélène...

Mon plus jeune fils était casé, cela nous faisait un souci de moins pour nous occuper de mon « grand » qui n'était autre que Montand, pour reprendre une expression chère à Maman : « Mon grand fils me donne quelques soucis en ce moment... »

Mais à nous il n'allait donner, dans les mois qui allaient suivre, que travail, force, joie et fierté.

29

13 octobre 1981 ! Aujourd'hui Montand a soixante ans, mais il n'a pas que ça... Il a aussi une « générale » à assurer devant tout le gratin parisien que nous avons eu un mal fou à caser dans cette salle, pour ne vexer personne. A se demander si ce public choisi venait assister à cette soirée pour voir ou pour être vu...

Montand chante depuis le 7 octobre à l'Olympia, devant des salles combles, émues, aimantes et payantes. La location est déjà bouclée jusqu'à la dernière, prévue pour le mois de janvier. Mais ce soir c'est une autre paire de manches. Pourtant tout est prêt, tout roule, la voix de Montand est parfaitement mise en valeur par Gérard Trévignon, l'ingénieur du son.

Lui, nous l'avions « emprunté » à Jonasz à l'issue de son dernier passage à l'Olympia. Nous y avions entraîné Montand après lui avoir dit qu'il fallait qu'il entende ça. Pour entendre, il avait entendu ! Il était sorti du spectacle complètement séduit, et, comme prévu, subjugué par la qualité du son.

– Je veux la même chose, Cathou, débrouille-toi, c'est lui qu'il me faut.

Et c'est ainsi que, en gagnant un fan, Michel perdit son ingénieur du son.

La salle est pleine maintenant. Le spectacle va bientôt commencer. Recroquevillée dans ma loge au balcon, je pétris la main de Maurice en tremblant lorsque j'entends les premières notes de *A pied*. Montand entre en scène, superbe dans sa nouvelle tenue de velours noir. C'est alors qu'un souffle glacial monte de la salle, enveloppe Montand sur le plateau, et me revient en pleine figure. Mais qu'est-ce qu'ils ont tous en bas ! Je les sens complètement gelés, sur la défensive, venus là « pas pour », enfin pas tous. Un peu comme s'ils attendaient, bras croisés et babines retroussées, que ce vieux débutant leur montre ce qu'il savait encore faire. Et Montand l'a parfaitement ressenti lui aussi, car c'est la première chose qu'il m'ait dite après le spectacle. Ils n'ont pas eu longtemps à attendre pour voir... « J'étais sûr de vous trouver, je n' me suis donc pas pressé, en marchant à pied, à pied... » La salle explose, c'est parti, c'est gagné.

Malheureusement Bruno Coquatrix n'est plus là pour voir ça. J'aurais tant aimé qu'il reçoive lui aussi ce cadeau, lui qui depuis le dernier passage de Montand à l'Olympia en 1968 ne rêvait que d'une chose : le revoir dans sa « maison »... Bien sûr, il y avait eu cet extraordinaire gala pour les Chiliens en 1974, cette page improvisée en quelques jours par Montand et fixée pour toujours par Chris Marker dans *La Solitude du chanteur de fond*. Ce fut une page d'amour trop vite tournée et suffisamment dense pour nous donner à tous l'envie de lire le livre tout entier.

Chaque soir, nous avons été auprès de Montand, Maurice et moi. Au début, il avait pris l'habitude de venir grignoter un petit truc vers 6 heures à la maison, puis nous le conduisions à l'Olympia vers 7 heures du soir. A mesure que nous avancions dans les représentations, il se détendait. Je ne l'avais jamais vu comme ça. Pour la première fois de sa vie il était heureux en scène, il se lâchait en coulisses. La porte de sa loge restait ouverte avant le spectacle, alors qu'autrefois il s'enfermait pour souffrir en silence. Là, il plaisantait avec ses musiciens. « La solitude du chanteur de fond » se transformait peu à peu en une histoire à plusieurs dont il demeurait bien sûr le héros, mais un héros épanoui.

Nous avons même réussi à lui faire absorber de temps en temps le célèbre toast tartare du Bar romain avec un petit verre de bordeaux dans sa loge avant le spectacle, tandis qu'il devisait joyeusement et se tenait au courant des mouvements de la salle. Il voulait que nous l'informions de la présence des personnalités. Plutôt que de lui flanquer le trac, il disait que ça le stimulait.

Avec ce spectacle, nous avons vécu de grands moments. Le voir chanter, d'abord, était en soi un bonheur chaque soir. Et, comme nous connaissions le spectacle par cœur, nous avons été probablement les seuls à percevoir un ou deux tout petits incidents particulièrement savoureux. Notamment, un soir, lorsqu'il annonça très tranquillement : « *Jacques* Baudelaire, *Les Bijoux*. » Aïe, ça partait mal ! Sans se reprendre, il enchaîne, *a cappella*, le magnifique texte de Charles Baudelaire, assis sur un haut tabouret. Brusquement, et sans doute à cause de « Jacques » Baudelaire, le trou. Fugitif, mais noir. Je sursaute en empoignant la main de Maurice et je lui murmure :

– Merde, ce coup-ci, il ne va pas s'en sortir.

Ma phrase à peine articulée, car tout cela s'est passé très vite, j'entends, médusée, et qui monte de la scène, ceci :

– Et la lampe s'étant décidée à mourir, comme le soir... trafatra fafa trafafatra vasa, sasa trafafa la bure, besese rafafa.. CETTE PEAU, COULEUR D'AMBRE.

Avec un aplomb incroyable, sans bouger un cil, et d'une voix d'une rare justesse, il venait de retomber sur ses pieds. Passé quelques secondes, les spectateurs récupérèrent leur souffle. Jusqu'ici, ils l'avaient suspendu aux lèvres de Montand, dans un silence ébloui, respectueux. Ils n'avaient rien vu, rien remarqué. Sa voix les avait cloués sur place. Maintenant, ils exultaient de plaisir.

Nous, nous avons essuyé les quelques fraîches gouttelettes qui avaient perlé sur notre front.

Plus tard, dans la loge, il nous dira, tout en se tenant la tête à deux mains et en riant franchement de l'incident :

– Oh ! putain, quand je me suis entendu dire « Jacques Baudelaire », je me suis dit : « Mais où je vais, là ! » et d'ailleurs vous avez vu, je me suis planté ! Trafa fasa sasa... quel con !

Et il riait, il riait ! Il était vraiment comme un môme !

Il y eut aussi ces fameux mercredis où il ajouta deux matinées à tarif unique pour les étudiants. Les salles étaient bourrées de jeunes gens dont la moyenne d'âge ne devait pas dépasser vingt-cinq ans. Ce n'était donc pas un public de nostalgiques mais un vrai public, tout neuf et tout à lui. Ces jours-là, j'ai vraiment retrouvé chez lui le trac des premières, peut-être plus fort même, car l'une de ses préoccupations était précisément de plaire aussi à un public jeune. « De vrais jeunes, comme il disait, pas des gens de ton âge, toi tu es vieille déjà ! » ajoutait-il gracieusement à mon intention en doublant ses propos de grimaces affreuses... Ces deux représentations, il n'a pas eu à les regretter car je crois bien que ce sont les salles les plus spontanées et les plus chaleureuses qu'il ait eues. Quant à nous, nous étions tous en larmes en coulisses.

Je ne pense pas non plus qu'il ait jamais regretté d'avoir fait descendre cet immense panneau « Solidarnosc » du haut des cintres parmi les musiciens, malgré les critiques qui lui avaient été faites. Le panneau descendait tout à la fin du spectacle, c'est tout.

Sans commentaires.

Si, un seul. On pourrait regretter que Lech Walesa se soit montré, lui, si personnellement discret, le juste mot étant en fait : absent, à la mort de Montand...

Décidément, la mémoire est un muscle fragile.

S'il est vrai que ces mois d'Olympia ont bouffé notre oxygène et un peu aussi notre vie de famille, ils ont aussi scellé entre Montand, Maurice et moi une tendresse et une complicité qui ne se démentiront jamais.

Les représentations touchent à leur fin. Déjà se dessine dans la tête de Montand l'idée d'une tournée que je suis incapable d'organiser et que je ne souhaite pas suivre.

– Tu comprends, Cathou, tout ce boulot, fichu, anéanti, c'est trop dommage !

Tu parles que c'est dommage. Mais moi je ne me sens ni la force, ni l'énergie, et encore moins les capacités pour m'occuper de la suite. C'est alors que j'appelle Charley Marouani à mon secours. Charley qui, depuis le début de cette aventure, n'a cessé de me venir en aide chaque fois que je lui demandais conseil, parce qu'ils sont, France Arnell, sa femme, et lui, simplement mes amis depuis plus de vingt ans...

Charley, c'est vraiment son truc, le music-hall, et la rencontre entre les deux hommes fonctionne à merveille. Comme j'aime beaucoup Charley, et que je ne déteste pas vraiment Montand, tout cela me rend très heureuse, et, oserai-je ajouter, nous rend un peu de liberté.

3 janvier 1982. Voilà, c'est fini, le rideau vient de tomber pour la dernière fois sur le cow-boy parti rejoindre ses plaines du Far West. Un peu démunis mais comblés, nous allons reprendre le cours habituel de notre vie.

Déjà la tournée s'organise, une cinquantaine de galas en province.

Et tandis que Montand prend la route, chez moi c'est la déroute.

Que s'est-il passé ? Qu'est-ce qui m'a pris ?

Est-ce ce petit vent de liberté qui souffle sur Lille tandis que je tourne *Jeu de quilles*, cette histoire de filles que nous avons écrite, Eliane Borras et moi, et jouée avec Evelyne Grandjean, ou ce je-ne-sais quoi de sursaut de vieille adolescente ? Toujours est-il qu'à mon retour je détruis tout, et que nous nous séparons, Maurice et moi.

Pendant les neuf mois qui vont suivre, je vais vivre des moments exaltants en rejoignant de temps en temps Montand qui est maintenant hors de nos frontières, puisque, de régionale, sa tournée est devenue internationale. Avant de s'embarquer pour le Brésil,

271

il réussira le pari incroyable de remplir à nouveau l'Olympia durant quatre semaines en plein été, de fin juillet à la mi-août, histoire de ne pas perdre le rythme...

Et Montand n'a pas fini de me faire vibrer...

Rio de Janeiro, le 31 août 1982, nous sommes dans le stade Maracanàzinho. « Quelques » spectateurs se sont réunis dans ce stade couvert, peut-être vingt mille ?... Je rappellerai que nous ne sommes pas à Lyon mais à Rio, et que Charles Baudelaire (encore lui !) et Vinicius de Moraes n'ont pas précisément le même langage...

Les Bijoux... (Encore eux !)

Je suis dans la tribune d'honneur avec Jorge Semprun qui a déjà raconté cette scène superbement, ainsi que beaucoup d'autres d'ailleurs, dans *Montand, la vie continue*. J'ai, moi, le souvenir d'une foule de plus en plus compacte qui se rapproche de Montand à mesure qu'il chante, comme si le fait d'être plus près, jusqu'à le toucher presque, pouvait les aider à comprendre le texte. Mais je sais aussi que Montand est agoraphobe : impossible qu'il ne se sente pas menacé par cette marée humaine qui respire avec lui, aspirée par sa voix ! J'ai peur. Rien ne laisse cependant transparaître le malaise qu'il doit ressentir à mesure que la vague se rapproche. « Ce mec est fou, ce mec est complètement fou », dis-je simplement en empoignant la main de Jorge qui, à n'en pas douter, pense comme moi, malgré l'éclat de rire mêlé de larmes qui suit ma réflexion.

Nous avons la consigne de quitter nos places avant la fin du spectacle, et les musiciens ont, eux, celle de continuer à jouer afin que Montand puisse quitter les lieux au plus vite, avant que la foule n'en obstrue définitivement la sortie. Une voiture attend sous le stade, tout près des vestiaires, moteur allumé, prête à partir. Nous y sommes déjà installés tandis que Montand nous rejoint maintenant, ruisselant dans son costume de scène. La foule, qui a compris qu'il ne reviendra plus, se presse déjà à l'extérieur. Un service d'ordre efficace la contient tandis que nous roulons maintenant vers l'hôtel.

– C'était comment ? demande simplement Montand.

Décidément, ce mec était complètement fou.

La prochaine étape sera davantage encore l'œuvre d'un fou. Ce n'est pas moins que le Metropolitan Opera de New York, le « Met », comme l'appellent les aficionados de l'art lyrique dont cet endroit est en quelque sorte La Mecque.

Inviter Montand au Met, c'est, de la part de sa directrice artistique, Jane Hermann, à peu près aussi anachronique que pour Pierre Bergé de demander à Dean Martin de venir chanter une semaine à l'Opéra de Paris... encore qu'il y ait des comparaisons difficiles à établir !

Toujours est-il que Jane Hermann avait caressé ce rêve depuis novembre 1981, alors qu'elle était venue entendre le *French singer* à l'Olympia, et que, soit dit en passant, elle s'était vu tout bonnement refuser l'entrée des coulisses. Dans un premier temps refoulée par un planton, elle avait demandé à me voir, invoquant le nom de Georges Beaume qui devait m'avoir fait part de sa venue et qui lui avait donné mon nom en guise de sésame universel...

Comme elle insistait, et qu'elle m'avait fait passer sa carte par Maurice qui gardait la porte avec le

« cerbère », j'y suis finalement allée. C'est sans grande conviction et avec un comportement frisant la grossièreté que je l'ai, pour finir, laissée passer en coulisses. La suite, la voici.

Jane s'est accrochée à son rêve, avec une ferveur et un esprit de persuasion dont seuls les Américains sont capables. Il faut dire que l'enjeu était grisant. Du même coup, elle nous a tous séduits, à commencer par Maman, en qui elle a fait vibrer de lointains échos de « Yiddishe Mamma ». Jane s'est révélée être une femme extraordinaire, et nous sommes devenues complices bien avant que Montand ne fasse tintinnabuler les gouttes de cristal qui ornent les lustres de cette gigantesque salle, à travers les applaudissements des spectateurs.

Sur le vol Rio-New York, le 2 septembre... Au premier étage du Boeing qui nous ramène en pays de connaissance, nous jouons au backgammon, Montand et moi.

Au Met, c'est une autre partie qui va se jouer, mais en attendant, une fois de plus, c'est ma partie qu'il ruine ! Et ça le rend très joyeux. Bien calé dans son fauteuil, Jorge Semprun rêve. Non, il ne rêve pas, il travaille. Il doit sans doute se passer et se repasser le film du stade Maracanàzinho dont l'atmosphère nous baigne tous encore, dans les derniers effluves des « caipirinhas » que nous avons joyeusement bus, Charley Marouani, lui et moi, pour fêter ça... Quel beau match !... et quelles belles pages en perspective.

Cette fois-ci, nous n'irons pas à l'Algonquin Hotel, mais au Meridien Park Hotel, sur Central Park, tout près du Met, et où Maman nous attend déjà. Pour cette aventure, elle a fait l'incroyable effort d'être parmi nous, malgré sa vue qui commence à faiblir sérieusement et le chagrin que cela lui cause de savoir qu'elle ne pourra plus profiter de tous ces moments comme « avant ». Un charter de supporters en provenance de Paris en général et de la place Dauphine en particulier ne tardera pas non plus à nous rejoindre.

Le 7 septembre 1982, quelques minutes avant le début du spectacle, Maman regagne furtivement sa place à mes côtés dans la salle, sous l'escorte de Jean-Claude Dauphin qui, bien sûr, est du voyage.

Ah... Jean-Claude Dauphin ! Bien qu'il soit le fils de Claude Dauphin, nous ne nous sommes pas connus dès l'enfance. Je l'ai rencontré sur le deuxième film de Bernard Paul, *Beau Masque*. Le tournage se déroulait au pas de charge entre Longwy et Esch-sur-Alzette, deux ravissants petits ports de pêche à la frontière luxembourgeoise... et nos conditions de salaire et de travail étaient misérables. Il a fallu tout l'esprit et toute la finesse de Jean-Claude, qui avait déjà rebaptisé le film « Beau flasque », pour que je garde malgré tout de ces instants un souvenir ému. Dire que nous avons ri sur ce tournage serait aussi faible et aussi plat que de dire d'un Botticelli que c'est joli...

Jean-Claude et moi, nous nous sommes tout de suite reconnus, nous avions les mêmes blessures... « Quand les saltimbanques, les enfants trinquent ! »

Ses plaisanteries, ses gags et ses faux caprices eurent rapidement raison de ma fragile conscience professionnelle. C'est ainsi que, par exemple, vers quatre heures de l'après-midi, il avait pris l'habitude de me réclamer son goûter. Je courais alors, entre deux prises de vues, vers la boulangerie la plus proche. Un jour, je n'ai rien pu lui rapporter de plus riant que deux modestes sablés. Lorsqu'il ouvrit le sachet, il prit une mine dégoûtée avant de le retourner et d'en vider le contenu sur le sol.

– J'aime pas les sablés ! avait-il simplement dit, tout en piétinant rageusement les malheureux biscuits.

Tandis que je me faisais engueuler pour avoir quitté le plateau sans autorisation, il jubilait alors qu'il m'avait lâchement dénoncée pendant mon absence : « Elle est partie s'acheter un goûter... »

Nos maigres cachets, nous les avons engloutis dans de mémorables parties de poker. Notre complicité, nous l'avons cultivée, notre amitié aussi. Après le tournage, nous nous sommes revus, je l'ai ramené à la maison, puis à Autheuil, et toute la famille est tombée amoureuse de ce drôle au cœur tendre, aux yeux bleu marine, à la voix gouailleuse, à l'esprit caustique, au verbe effilé, et qui voulait être enterré sous le point de penalty du stade Geoffroy-Guichard... à la grande époque de Saint-Étienne.

Il n'a guère quitté notre vie depuis, et ce soir encore c'est à son bras que Maman fait son entrée au Met.

Quelques applaudissements éclatent autour de ma mère, puis c'est bientôt toute la salle qui, debout, l'ovationne. Ça me rend malade ! Je pense à mon « kamikaze » qui, derrière le rideau, s'est chargé à bloc pour entrer en scène, et pour qui chaque minute qui passe est une charge d'énergie en moins. Maman ne sait que faire. Saluer, s'asseoir, elle opte pour un moyen terme, et s'assied en saluant discrètement. Je lui prends la main et, tandis que l'orchestre entame les premières notes de *A pied*, le public reprend son souffle.

– Je vais me faire engueuler, me glisse-t-elle à l'oreille.

C'est alors que Montand entre en scène, et qu'il ne peut commencer à chanter car les applaudissements reprennent, identiques, et que la salle, debout pour la seconde fois de la soirée, lui fait un triomphe. Et ça dure, ça dure ! C'est terrible parce que je vois le visage de Montand qui se fige en une sorte de sourire crispé. Je vois aussi qu'il est blanc, je crois même qu'il tremble.

Moi, la tête dans les mains, je ne souhaite qu'une chose, que cela cesse, tant qu'il lui reste encore un tout petit peu d'énergie. Voilà, c'est fini. Ouf ! tout peut commencer.

Et tout commença.

Deux heures plus tard, la foule était debout pour la troisième fois, et la semaine la plus joyeuse et la plus informelle du vieux Metropolitan Opera de New York était sur ses rails. Bientôt ce théâtre aurait cent ans, il ne lui manquait que cette soirée pour gagner l'universalité.

Cette épopée new-yorkaise s'est achevée le 12 septembre, et nous sommes partis pour Montréal, qui sera, pour moi, la dernière étape. Je ne suis pas restée longtemps au Québec. Juste le temps d'empoigner quelques souvenirs hétéroclites :

L'arrivée sur l'aéroport de Mirabel, dans les prémices d'un été indien qui faisait scintiller les érables, rouge grenat sur fond bleu dur, dans la pureté d'un air qui ravit nos poumons dès notre descente d'avion... Notre hôtel, ville dans la ville, sous lequel on pouvait sillonner de nombreuses galeries marchandes souterraines... Un repas au restaurant où le patron nous présenta, en guise d'amuse-gueule, une surprenante assiettée d'ailes de poulet marinées et grillées. Je suis d'ailleurs repartie avec la recette et, longtemps après, Montand me demandera encore de les lui mitonner quand il viendra chez nous... Nos « cousins » canadiens, enthousiastes et bons enfants, qui racontaient comment ils se battaient pour sauver leur patrimoine francophone dans un langage hybride truffé d'anglicismes... Et puis cet accent délicieux que j'avais piqué assez rapidement, ce qui rendait Montand fou... Et puis des bravos, encore et toujours des bravos.

30

Lorsque je suis rentrée à Paris, mon premier souci fut de remplacer le message de mon répondeur par un autre, teinté d'un lourd accent « canadzien », et ce, à l'intention exclusive de Montand dont j'étais persuadée qu'il finirait bien par tomber dessus, ce qui arriva.

Mon message fut salué par un ricanement heureux et par un traditionnel « Qu'elle est con ! », ce qui, dans son langage, signifiait simplement qu'il s'était fait avoir. Suivaient quelques paroles tendres et décousues dont il avait le secret.

J'avais dans l'idée de faire enfin monter *Trois fois rien*, la pièce que nous avions écrite, Eliane Borras et moi, un an auparavant. Cette pièce, Montand la connaissait et il l'aimait bien. Nous lui avions demandé de la lire alors que nous venions d'y mettre un point final, à Autheuil, dans mon aile.

Il était parti dans le salon, lire tranquillement, pour lui, ce que nous venions d'enfanter et que nous lui avions remis en tremblant. Il avait prévenu qu'il n'aurait aucune indulgence. Et il n'en eut aucune.

Il nous la rendit une heure après en nous demandant d'en faire la lecture avec nous, à voix haute. Nous avons passé un moment fantastique car il était formidable dans le rôle.

A mesure que nous avancions dans la lecture, nous avions du mal à garder notre sérieux. En plus des intonations rares dont il habillait son personnage, il avait inscrit çà et là, sur le manuscrit, quelques commentaires personnels inspirés par nos indications de mise en scène dont le plus fameux reste un « Ta gueule, on verra bien », qu'il avait ajouté à la suite d'un « et elles éclatent de rire ».

En attendant, ses conseils furent précieux et nous permirent de rectifier certaines choses. Notre seul regret fut qu'il n'ait plus tout à fait l'âge du personnage, car pendant un instant il eut vraiment envie du rôle.

Maurice aussi avait lu la pièce, lui aussi avait eu envie du rôle, et lui avait l'âge du rôle. *Trois fois rien* était toujours dans nos tiroirs lorsque nous sommes parties pour Lille. Mais avec l'allure que prenait ma vie personnelle au même moment, il ne fut plus question de Maurice pour la jouer, bien qu'il fût de nouveau question de la pièce.

Jérôme Hullot nous ouvrit les portes de son Petit Montparnasse, une petite salle bien à l'abri du grand théâtre où se produisait en même temps Raymond Devos. Bernard Lecoq fut le troisième personnage, quant au metteur en scène... Quant au metteur en scène !

Nous avons commencé à jouer en janvier 1983. Ma mère fut notre spectateur privilégié car, au même moment, elle tournait quelques scènes de *Thérèse Humbert* avec Marcel Bluwal dans le grand théâtre. Elle était venue en voisine assister à quelques bribes de répétitions de cette pièce qu'elle n'a jamais vue en public parce que ses yeux la trahissaient de plus en plus.

La pièce reçut l'accueil exceptionnel d'une presse unanime, mais le public eut du mal à trouver le chemin du Petit Montparnasse qui, décidément, était bien caché au fond de son impasse. En avril, nous mîmes tristement la clef sous la porte. La S.A.C.D. nous décerna le prix de l'humour Tristan-Bernard 1983, mais un peu tard, car la dernière était déjà programmée.

Ce que je retiens de ce spectacle, indépendamment de la satisfaction personnelle d'avoir été au bout de quelque chose, c'est qu'à travers lui j'ai retrouvé Maurice.

Dans l'intervalle, j'avais vendu mon petit appartement de la rue Dauphine et nous avions emménagé, Benjamin et moi, dans une ravissante maison de poupée, square Montsouris. Il est clair que ce n'est pas en changeant le décor de sa vie que l'on change sa destinée. Le manque de Maurice se faisait de plus en plus sentir, et le fait de jouer ce spectacle n'avait pas arrangé les choses, car avec lui il transportait des images de mon passé.

Neuf mois déjà que je pensais avoir mis un point final à cette histoire, neuf mois en fait que poussait en moi le désir d'aller plus loin dans la vie avec cet homme. Grâce à la précieuse complicité d'amis communs qui ont su lui faire passer quelques messages codés, je me suis assise sur mon petit orgueil et lui ai finalement tendu une main pleine de promesses qu'il a su ne pas refuser.

A partir de ce moment nous avons commencé à

partager le meilleur, le pire nous laissant encore un peu de répit avant de pointer le bout de son nez monstrueux.

Square Montsouris... Maurice est là, Maurice s'installe. Il retrouve Benjamin qui est heureux de le voir réapparaître. Cette fois, nous avons décidé de former une vraie famille. Maurice tourne avec Maurice Frydland, et son *Docteur Cornélius* l'emmène au Portugal. En France, un délicieux mois de mai redonne de la vigueur aux arbres du parc. Nous sommes follement heureux dans notre jolie maison qui prend des allures de campagne avec son rosier grimpant qui remonte le long d'un escalier en fer forgé, jusqu'au perron.

Dans la main « pleine de promesses » que j'avais tendue à Maurice, il y avait le vertigineux désir de lui donner un enfant. Et c'est ainsi que aussi facilement que ça l'avait été quatorze ans plus tôt pour Benjamin, je me retrouve enceinte. J'ai trente-huit ans, Benjamin treize.

Lorsque je m'aperçois de mon bonheur, Maurice est de nouveau au Portugal pour trois semaines. Et je ne dis rien. A personne. Même pas à Maurice lorsqu'il me téléphone. A son retour, tandis qu'il défait ses bagages en m'annonçant, un peu tristement, qu'il n'a pas eu le temps de nous trouver des cadeaux, je lui réponds très simplement que c'est sans importance, car moi, en revanche, j'ai un cadeau pour lui.

– Qu'est-ce que c'est ? me demande-t-il.
– Un enfant, lui dis-je.
– Hein ? Comment ?
– Non, je ne plaisante pas, je suis enceinte.
– Mais de qui ?

Je reconnais bien là son humour... Maintenant, nous nous regardons. Je ne connais rien de plus beau que de voir le regard de l'homme que vous aimez et qui vous aime se poser sur vous alors que vous venez de lui annoncer que vous allez lui donner un enfant. Si. Peut-être d'entendre le silence ému qui accompagne ce regard.

– Et Benjamin ?

– Benjamin ne sait rien. Je ne lui ai rien dit encore, je t'attendais. Et puis c'est trop récent, je ne veux pas lui donner de fausses joies. Il faut attendre un peu...

– Parce que ce n'est pas sûr ?

– Si, c'est sûr, le test m'a dit oui... mais c'est un peu tôt pour annoncer la nouvelle.

– Merde, et moi qui repars !

C'est vrai qu'il devait encore repartir pour quelque temps, mais maintenant nous étions deux à porter le secret de cet enfant, que, pour l'instant, nous gardions jalousement.

Il dut y avoir des vacances scolaires pendant le dernier séjour de Maurice au Portugal, car j'ai le souvenir de soirées passées à regarder la télévision avec Maman à Autheuil, allongée auprès d'elle sur son lit, tandis que Benjamin dormait dans l'aile. Ce qui m'est resté surtout, c'est le nombre de programmes que nous avons vus sur les nouvelles méthodes d'accouchement et les bébés en général. Nous suivions ça avec un certain intérêt, parfois même en ricanant franchement, ma mère percevant surtout le son de ces reportages, et moi me mordant les lèvres pour ne pas laisser tomber, anodinement et rien que pour voir sa tête : « Moi, quand j'accoucherai, ce ne sera pas dans l'eau... »

Je sais très bien ce qui me retenait. Avec cette nouvelle, et malgré la joie qu'elle en aurait certainement, car elle adorait Maurice, indépendamment du partenaire de Scrabble privilégié qu'elle avait trouvé en lui, j'allais remuer en elle le souvenir douloureux de ses échecs passés. Leur drame, à Montand et à elle, et qui avait déterminé Montand, quoi qu'il arrivât dans son existence, à n'avoir jamais d'enfant avec qui que ce soit d'autre.

Donc, je me taisais, écoutant dans mon cœur seulement cette petite vie qui n'existait encore que pour Maurice et moi.

Enfin, Maurice est rentré définitivement du Portugal et nous sommes partis en vacances d'été à Autheuil avec Benjamin, bien décidés cette fois-ci à lui annoncer la nouvelle.

Je n'ai jamais été très douée pour annoncer délicatement les choses, surtout lorsque je ne suis pas très sûre de l'effet qu'elles produiront. Nous ne savions pas si Benjamin ne vivrait pas cela comme une mise à l'écart. Après tout, j'étais sa mère, mais Maurice n'était pas son père, et même s'il supportait très bien cette situation, comment allait-il accepter ce bébé qui bousculerait tout dans ce triangle que nous formions à présent, lui, Maurice et moi ?

Je jure que si cela avait été un drame pour lui, nous aurions été prêts à renoncer à cette idée, au point que nous lui avions posé la question avant même d'envisager de mettre ce bébé en route.

Il y avait à Autheuil, pour seconder Marcelle et Georges, un jeune couple dont la femme avait eu un bébé. Les choses s'étant un peu gâtées, le couple était parti, le bébé avec, et Benjamin prenait souvent sa bicyclette pour aller les voir car il les aimait bien. Un jour que nous étions dehors sous la tonnelle, Maurice et moi, et que nous avions encore cherché

Benji tandis qu'il était une fois de plus parti chez eux rigoler avec le bébé et avec son jeune père, je le saisis au vol à son retour, et sans ménagement je lui dis :

– Où tu étais encore ?... chez Brigitte et René ? Ça suffit maintenant, j'en ai marre que tu sois toujours fourré là-bas... et si c'est le bébé qui t'attire chez eux, bientôt ça ne sera même plus la peine d'y aller, parce qu'un bébé, on va en avoir un nous aussi...

Benjamin me regarde un instant médusé, éclate en sanglots et part en courant vers l'intérieur de la maison.

– Attends, bonhomme, ne pars pas ! lui crie Maurice, déjà persuadé que j'ai déclenché un drame.

Et il poursuit :

– On en avait parlé... on ne pensait pas que ça te ferait du chagrin...

Je le rejoins, un peu désolée de ma rudesse. Il se laisse aller dans mes bras en reniflant.

– Mon bébé, mon bébé, calme-toi... Nous pensions que tu étais d'accord...

– Mais oui... Mais non... Ce n'est pas ça... mais toi, tu as une de ces façons d'annoncer les choses... Elle le sait, Mamie ?

– Non, répond Maurice, tu es le premier à qui nous le disons, et je dois dire que ta mère a encore fait très fort !...

Maintenant, nous rions tous les trois, comblés.

Benjamin enchaîne :

– On va le dire à Mamie ?

– On y va !

Nous voici tous les trois dans le salon, Benji et moi devant, Maurice légèrement en retrait. Maman est en train de crocheter, avec des yeux au bout des doigts, une de ses innombrables houppelandes.

Celle-ci est blanche, bordée de bleu porcelaine. Elle est assise, nous restons debout devant elle.

Je commence :

– Maman, nous avons quelque chose à te dire.

Nous devons avoir une drôle de voix car elle demande :

– C'est grave ?

– Non, ce n'est pas grave, enfin, je ne pense pas que ce soit grave... nous allons avoir un bébé.

C'est alors qu'elle fait une chose extraordinaire. (Ta gueule, on verra bien !...) L'œil écarquillé et la bouche grande ouverte, elle fixe un instant son petit-fils avec une mine mi-ravie mi-sidérée. Réalisant sa méprise, j'enchaîne en riant :

– Non, attends, je sais bien que Benjamin est très beau et très en avance pour son âge, mais tout de même... non, ce n'est pas lui, c'est moi, enfin c'est nous, Maurice et moi !

Quelle joie dans son regard ! Quel bonheur ! Elle enchaîne, en parlant presque à mi-voix :

– Oh... c'est formidable !

Voilà, nous avions franchi la première étape. Ce qui est curieux, c'est que je n'arrive pas à situer Montand ce jour-là...

Il fallait encore passer un cap : avertir Casta que j'allais avoir un « autre » enfant, et cela n'était pas une mince affaire. Nous avons encore attendu un peu, jusqu'à trouver le moment propice où nous pourrions le voir calmement, Maurice et moi. Vers la fin de l'été, nous sommes allés dîner chez lui, sans Benjamin. Nous étions sur la terrasse tous les qua-tre, avec Corinne, la jeune femme qui partage sa vie.

Jean-Pierre et Maurice se connaissaient depuis longtemps.

Maurice aimait bien Jean-Pierre, Jean-Pierre aimait bien Maurice, mais tout de même, de là à supporter qu'il fasse un enfant à son ex-femme... nous n'étions pas très sûrs de sa réaction. Donc, nous parlions de tout et de rien, guettant le moment propice pour lâcher la nouvelle.

De jolies bulles fraîches échappées d'une bouteille de champagne sautillent gaiement dans quatre coupes... Nous savourons un instant de silence... que je romps enfin :

– Jean-Pierre, on a un truc à te dire... j'attends un bébé.

Un certain silence. Corinne guette Jean-Pierre qui reprend son souffle, puis se lève, sa coupe à la main, et dit, en buvant à la santé de Maurice, qui, comme Corinne et moi, est maintenant debout :

– Eh bien, mon cher Maurice, te voilà entré dans le cercle très fermé des pères !

Cette audacieuse formule cachait sans doute une très grande émotion. Mais dans tous les cas, c'était sûr, elle renfermait l'approbation dont nous avions tous besoin pour que notre vie, qui était souvent commune, ce qui d'ailleurs en étonnait plus d'un, continuât de l'être, avec le même bonheur.

31

Il y a des femmes qui vivent des grossesses en solitaire, soit qu'elles aient choisi d'avoir un enfant sans père, soit que la vie ne leur ait pas fait de cadeau... Moi, je peux dire que j'ai porté ma fille avec deux pères, Benjamin et Maurice... voire parfois trois, lorsque Casta était parmi nous avec Corinne.

J'ai toujours senti que j'attendais une fille. Je ne sais pas pourquoi, nous avons toujours dit « elle » à partir du moment où je l'ai sentie vivre en moi. Et cela tombait bien. Nous voulions tous une petite fille. Ce qui tomba encore mieux, c'est que ce fut vraiment une fille.

Nous avons vécu cette grossesse dans une bulle où il n'y avait de place pour personne d'autre, sauf pour le docteur Philippe Landman qui veillait depuis longtemps sur notre santé avec une tendresse et un soin exemplaires. C'est un médecin comme on n'en voit plus guère.

Philippe Landman est plus qu'un ami, Philippe, c'est presque un parent. Je lui avais fait cent fois le récit de mon accouchement catastrophe... Lui m'assurait que depuis 1970 les choses avaient quand même évolué.

Je m'arrondissais, la chambre du bébé commençait à prendre tournure, et mes hommes s'émerveillaient de sentir les ondulations de mon ventre sous leurs mains. Nous avions choisi deux prénoms. « Clémentine », à cause de la chanson de Montand, et « Charlotte », parce que c'était le second prénom de Maman. Je tenais une forme fantastique.

Le 5 février, je me trouvais dans notre maison, dans le sous-sol à l'anglaise aménagé en cuisine. Je passais calmement le bouillon du pot-au-feu que j'avais confectionné... Brusquement, je ressens une douleur inhabituelle dans le ventre. Inhabituelle, mais tellement attendue ! Je regarde l'heure à la pendule accrochée au mur : 19 h 20...

Corinne, Jean-Pierre, Maurice et Benjamin devisaient au-dessus, dans le salon, attendant que je les convie à table. J'appelle Maurice, prétextant une bouteille à ouvrir, et lorsqu'il arrive je lui dis à mi-voix, pour ne pas ameuter toute la compagnie :

– Je crois bien que j'ai eu une contraction...

– Qu'est-ce qu'on fait ? On s'en va, alors ?

– Ah non ! moi, j'ai envie de manger mon pot-au-feu ! Je ne me suis pas cassé la tête toute la journée pour des prunes... et puis c'est beaucoup trop tôt, attendons, c'est peut-être une fausse alerte !

– En tout cas, on ne dit rien ; autrement, on va se retrouver à cinq dans le hall de la clinique !...

Et nous sommes passés à table. Maurice était assis à côté de moi et me guettait du coin de l'œil. De temps en temps je lui pinçais la cuisse lorsque survenait une contraction, mais pour le moment c'était très supportable et relativement irrégulier. Et puis le pot-au-feu était délicieux... quant à ce moment de complicité, il était grand. J'ai tout de même annoncé que je ne voulais pas me coucher trop tard parce que j'étais un peu fatiguée... Casta et Corinne partis, nous n'avons rien dit non plus à Benjamin et nous nous sommes couchés.

J'ai dormi très profondément jusqu'à 3 heures du matin, puis j'ai écouté mon ventre qui commençait à protester fermement. A 6 heures, je me suis levée. Benjamin a surgi, hirsute et excité, de sa chambre.

– Ça y est, on s'en va ?

– Non, mon chéri, tout va bien, mais c'est probablement pour aujourd'hui. Nous avons tout le temps, tu peux aller à l'école, nous te préviendrons si ça se précise.

Vers 11 heures du matin, j'ai averti Maman que nous allions partir. Je lui ai dit aussi qu'elle ne se précipite pas. Lorsque nous sommes arrivés à la clinique, nous avons vu, derrière la porte vitrée, ma petite mère qui m'attendait déjà avec... une somptueuse rose rouge à la main.

– Tu es déjà là ?

– Je voulais simplement te donner ça. Je reviendrai plus tard.

Vite un traditionnel baiser sur les lèvres, juste le temps de s'enquérir que tout est prêt pour m'accueillir, que Philippe est bien là. Bien sûr, qu'il est là ! Une visite rapide pour constater qu'il n'y a plus de contractions pour le moment.

Me voici dans une petite chambre, en attendant que se libère celle, à deux lits, que Philippe nous a promise.

Vers 21 heures, les contractions reprennent à un rythme éloquent. Pas de doute, je vais accoucher. Maurice, qui n'a pas eu le cœur d'abandonner le futur grand frère à sa solitude, n'est pas encore revenu. Lorsque, enfin, il pousse la porte de la chambre, il me trouve debout, accrochée au chambranle de la porte de la salle de bains, dans l'impossibilité de faire un pas, pliée en deux sous la violence d'une contraction. Et cela me rend très joyeuse.

Ces douleurs sont franchement jubilatoires car elles annoncent un véritable accouchement. Combien de fois ai-je rêvé à cet instant où je sentirais enfin en moi la violence d'une vie qui veut voir le jour... et combien de fois ai-je espéré vivre ce moment-là les yeux grands ouverts...

Minuit. Je vais descendre en salle de travail. Philippe est là, il sourit. Il va appeler l'anesthésiste pour la péridurale. C'est la fête ! Ce magicien arrive avec sa bonne tête de complice des moments heureux. Voilà, ça y est, il m'a piquée... quel talent ! je n'ai rien senti. Maurice suit le déroulement des opérations avec un calme sidérant. Le bas de mon corps s'engourdit juste assez pour atténuer la douleur mais reste vigilant. La péridurale d'accord, mais l'abrutissement corporel, non. Dans la salle voisine, une « collègue », moins enthousiaste que moi, hurle... Nous, nous rigolons comme des bossus. Un cri, un nouveau-né pleure, une femme sanglote... puis le silence.

Deux heures du matin... Une autre femme accouche à côté... quel défilé !

Trois heures du matin... Toujours rien, plus rien.

Merde ! Ça va pas recommencer !

7 février, 7 h 30... voici trente-six heures que j'ai ressenti ma première contraction dans les vapeurs de mon bouillon de pot-au-feu... Philippe, qui était allé prendre un peu de repos dans une pièce voisine, fait son entrée dans la salle. Je ne sens plus mes

membres tant cette table est devenue dure. Je sais ce qu'il va m'annoncer... Doucement, il me prend la main.

– Mon p'tit chou, on aura tout essayé, mais maintenant c'est beaucoup trop long, il ne se passera plus rien, alors...

– Mais, Philippe, vous m'aviez promis..., dis-je, les yeux pleins de larmes.

Puis, de mon bras libre, je cache mon visage pour essayer de contenir le flot qui s'échappe maintenant de mes yeux. Mon menton tremble comme celui d'un enfant lorsqu'il se retient de pleurer... mais je ne peux plus me retenir.

Je vais subir une césarienne, une autre césarienne. Je suis vexée, furieuse, démunie, un instant je perds de vue qu'au bout de cet échec il y a la victoire puisqu'il y a la vie. Alors, gentiment mais fermement, Philippe me gronde, comme si j'étais un enfant, et cela me calme.

Maurice part appeler Maman et Benjamin.

Changement de décor, changement de costume ! Voici le bloc, voici la chemise, voici les bottes, voici le chirurgien, voici Philippe et voici Maurice, masqué, en blouse blanche, très calme.

– Tu restes ?

– Philippe m'a autorisé. Je reste. Je suis tout près de toi.

Je ne pleure plus. Après ce petit moment de découragement, la fête bat son plein. Le magicien vient de me réinjecter du produit anesthésiant par le cathéter qui est scotché sur mon épaule. Cette fois-ci, je ne sens plus du tout le bas de mon corps, il dort. Mais ma tête pétille. C'est miraculeux. Je vais subir une césarienne complètement réveillée, je vais voir mon enfant naître, je ne serai pas venue pour rien !

Près de ma tête, sur une table, une sage-femme

installe le petit matériel pour accueillir Clémentine. Maurice est exemplaire. Le corps médical est détendu et bavarde benoîtement tandis que, d'une main sûre, et après avoir testé l'insensibilité de mon ventre, le chirurgien m'ouvre le bas-ventre. Je ne peux rien voir car dcs champs opératoires me cachent la partie impressionnante du spectacle. Maurice est assis derrière moi, sa tête est tout près de la mienne, il me tient la main. Nous sommes fascinés par ce que nous vivons maintenant.

Je sens que l'on me remue de droite à gauche, qu'une main experte cherche la tête de Clémentine. Brusquement, j'entends :

– La voilà !

– Où ? dis-je, bouleversée.

– Maurice, relève-lui la tête, demande Philippe.

... et je vois, hors de mon ventre, assise dans la main gauche de Philippe, l'autre lui soutenant la nuque, une boule de terre glaise, fessue, joufflue, ventrue, magnifique, et qui hurle, ma fille !

– Prends-la, me dit Philippe.

– Non, j'ai peur, je vais la lâcher.

– Prends-la, répète Philippe en me tendant Clémentine.

Je me relève un peu, et je reçois, contre ma poitrine nue, ce bébé qui est lc mien, cet enfant qui est le nôtre. Sa petite tête mouillée est contre ma joue. On dirait qu'elle m'embrasse. Je l'embrasse, elle est tiède, elle est douce. Maurice m'embrasse, il pleure, je pleure... Clémentine hurle...

– Pleure, mon bébé, pleure, ça fait du bien.

Allongée sur un chariot poussé par deux infirmiers, me voici enfin sur le chemin de ma chambre. Je suis euphorique. Je n'ai mal nulle part, je n'ai qu'une envie, empoigner un téléphone, appeler Montand qui est à la Colombe d'Or à Saint-Paul-de-Vence et lui dire qu'une petite Clémentine est entrée dans sa vie ce matin du 7 février à 9 h 20.

Sur le palier de l'étage, Maman, Maurice et Benjamin m'attendent. Dès l'ouverture de la porte de l'ascenseur, je commence à entonner le thème de la sirène de *Médecins de nuit*. Je ris, je suis très très énervée, je crois que je ne suis pas tout à fait dans mon état normal. Je viens d'entamer ma quarantième heure de veille sans une seule attaque de paupières...

Ma mère essaie de me calmer à l'aide de quelques « Chuuut, il faut que tu te reposes, maintenant... » mais je ne l'entends pas de cette oreille. J'ai envie de plein de choses, sauf de dormir. D'abord, je voudrais bien qu'on me donne ma fille. J'aimerais bien voir la tête qu'elle a, démaquillée. Tout à l'heure, elle avait un petit côté *Guerre du feu* avec ses traces de sébum sur le visage et sur le corps.

J'ai bien vu qu'elle avait les mêmes oreilles que son père... mais à part ça ? Maintenant, je voudrais bien voir ses yeux. Et s'ils étaient verts ? Et ses cheveux ? Non, ça j'ai vu, elle n'en a pas. Et ses doigts de pied ? et ses mains ? Maman aussi voudrait bien qu'elle remonte. Quant à Benjamin il trépigne. Long, trop long, beaucoup trop long ! Tout à l'heure, quand il est arrivé à la clinique, exsangue et défait par sa course folle à la recherche d'un taxi à 8 heures du matin sur l'avenue René-Coty, il n'a pas pu la voir naître.

Enfin, elle arrive. On l'avait mise un peu en couveuse. En couveuse ? Mais elle pèse 3,650 kg ! Pour la réchauffer ? Ah bon. On lui a donné un biberon d'eau ? Mais j'ai bien l'intention de la nourrir. Ah ! jusqu'à 16 heures ça ferait trop long... Ah bon !

Voici Benjamin assis à la place du père dans le fauteuil tout près de mon lit. Il a les traits tirés, à croire que c'est vraiment lui le père. Qu'ils sont beaux, mes enfants, dans les bras l'un de l'autre. Lui ne cesse de répéter : « Elle est belle, ma petite sœur ; hein, qu'elle est belle ? » C'est vrai qu'elle est belle.

Je suis assise dans mon lit et je déguste mon bonheur, les sens écarquillés.

Maman demande à Benjamin de lui approcher Clémentine à la lumière de la fenêtre pour qu'elle la voie « un peu ». Elle tente de capter le miracle qui se déroule sous ses yeux malades : Benjamin, le frère, quatorze ans, et Clémentine, la sœur, quelques heures... ils sont deux à présent, ses petits-enfants.

J'ai appelé Montand, qui n'en revient pas d'entendre ma voix claire lui faire le récit de la naissance de Clémentine. Il ne fait que répéter : « Et tu n'as rien senti ? oh ! c'est formidable. »

Maurice a téléphoné à sa mère, Benjamin à son père, moi à mes copines, l'après-midi s'annonce chaud.

Maurice est épuisé, moi j'épuise tout le monde. Maman veut absolument que je dorme... Je ne peux pas envisager de perdre une minute de lucidité, et puis... Clémentine a les yeux verts !

32

Juillet 1985. Depuis un mois, je me bats avec Rosa Pichenette. J'ai repris avec terreur et difficulté ce rôle créé par Cécile Magnier dans *Tailleur pour dames* au théâtre des Bouffes-Parisiens. Maman jubile de me savoir dans un Feydeau. Elle n'a jamais joué ce théâtre mais en a consommé tout le répertoire durant des soirées entières, avec Montand pour seul partenaire...

Elle est, de son côté, absorbée par le tournage de *Music-hall*, que réalise Marcel Bluwal et son seul réel souci me concernant est de comptabiliser le nombre de fous rires que nous avons eus sur le plateau la veille avec Arditi, Evrard, Darlan et les autres... Si elle avait dû publier un ouvrage sur sa carrière théâtrale, il se serait sans doute résumé à la seule évocation des fous rires pris dans les quelques spectacles qu'elle a joués, sauf peut-être lors de sa rencontre avec une certaine Lady Macbeth dans les brouillards londoniens, encore que, en cherchant bien...

La fin de son tournage approche. Elle est fatiguée. Elle ne voit pratiquement plus. Elle souffre du ventre. Elle demande que le plan de travail soit légèrement modifié afin de pouvoir subir des examens en toute tranquillité. On regroupe donc ses dernières séquences et elle regagne Autheuil, épuisée mais la conscience en paix : elle a fini son « travaillement » comme il lui plaît à dire en reprenant l'un de mes mots d'enfant.

Les résultats des examens médicaux sont terribles. On ne lui communique que la face visible de l'iceberg : cancer du côlon. Elle accueille bravement la nouvelle, avec la crédulité de ceux qui ne veulent pas mourir. C'est sérieux mais c'est opérable ; les intestins ne sont qu'un vaste réseau de tuyauterie, on coupe, on raboute et c'est reparti pour un tour ! C'est compter sans la bande de métastases qui forniquent et se reproduisent joyeusement dans son corps, jouant à saute-mouton sur son foie, son pancréas, faisant de la dentelle de son péritoine. Mais ça, c'est notre secret, à Maurice et à moi. Nous avons voulu la vérité, nous l'avons, nous la garderons pour nous le plus longtemps possible.

Montand tourne *Jean de Florette* dans le Midi et nous décidons de ne rien lui dire pour le moment. Il sait simplement que Maman a un cancer et que l'on doit l'opérer. On ne dit rien non plus à Benjamin qui a quinze ans, qui est en vacances à Autheuil et qui ne saurait plus regarder sa grand-mère autrement qu'avec dans les yeux l'angoisse de voir mourir ceux qu'on aime.

Nous sommes à la fin juillet. Il fait beau, il fait chaud, c'est l'été, un été superbe, un été terrible.

Aux Bouffes-Parisiens, on prépare la 150e... Il faut continuer à jouer. A Autheuil-sur-Eure, Clémentine va sur ses dix-huit mois... il faut continuer à rire et à vivre.

Ce matin-là, le soleil salue une fois de plus notre réveil dans la grande maison. Je suis au pied du lit de ma mère et nous papotons joyeusement. Ce doit être un lundi et je suis donc en relâche. Nous évoquons aussi son bilan médical, qui n'est pas globalement positif, comme dirait l'autre. Je lui demande si elle ne veut pas que j'appelle le « professeur Léon ». Oui, elle veut bien, mais pas tout de suite, un peu plus tard, il n'y a pas le feu... Je récupère donc le numéro de téléphone dans le « carnet bleu », je ferai ça tout à l'heure.

En attendant, nous faisons notre comptabilité hebdomadaire : « Alors, ma chérie, vous avez beaucoup ri ? » D'autres auraient plutôt dit : « Vous avez eu du monde ? », mais elle non, c'était : « Vous vous êtes marrés ? », et je lui fais le récit magnifié de nos éclats de rire, ayant bien soin de passer sous silence certains éclats de voix qui font aussi partie des joies de cette troupe...

Un peu après, je descends dans la salle à manger pour appeler le professeur. J'ai très besoin de partager mon angoisse avec cet homme pour qui j'ai un immense respect et une infinie tendresse, n'en déplaise à tous les malpensants professionnels. C'est Marina Vlady, sa compagne et mon amie, qui répond. Elle est clouée par la nouvelle et ne peut que dire : « Je te passe Léon. »

Le professeur Schwartzenberg... je ne le connais pas intimement. Je l'avais vu quelquefois au chevet de ma mère à Paul Brousse, cinq ans plus tôt, quand elle avait été opérée de la vésicule. Il venait là se ressourcer et rire entre deux patients perdus, voler une « bouif » de cigarette, respirer l'odeur de la vie, lui dont le quotidien était ponctué par la mort. Je l'avais trouvé incroyablement séduisant, simple, accessible. Il ressemblait à tout sauf à l'image que l'on peut se faire a priori d'une sommité médicale. C'est sans doute pour cela que je l'ai vite appelé « Léon ».

– Allô, bonjour Catherine, qu'est-ce qui se passe ?
– C'est Maman, cancer du côlon.
– Merde. J'arrive.

Et il est arrivé en fin d'après-midi, en compagnie de Marina. Il a retardé son départ en vacances, le temps d'organiser l'hospitalisation de Maman. Il a fallu qu'il lui fasse accepter l'éventualité d'une pastille placée sur le foie pour pouvoir intervenir localement après l'opération, au cas où il serait touché... Il a fallu promettre qu'il n'y aurait pas de poche pour dévier l'intestin... Il a fallu la jouer fine.

Trouver LE chirurgien ne fut pas non plus une mince affaire. Il ne fallait vexer personne ! Deux médecins l'avaient approchée cinq ans plus tôt pour l'épisode vésiculaire... Le choix se fixa donc sur un troisième, inconnu de nous mais recommandé par Léon.

Nous les laissons seuls un moment, Marina et moi. Lorsque je les rejoins un peu plus tard, Maman m'annonce d'un air goguenard que le lieu choisi pour son hospitalisation ne va pas me plaire... Je comprends que le sketch de la clinique château-hôtel-quatre étoiles (dont trois filantes) va recommencer... mais en moins rigolo. Il ne s'agit pas cette fois d'un combat pour la vie, mais d'une lutte contre la mort.

Elle tente timidement d'être drôle en suggérant qu'en quinze ans les choses ont peut-être changé. De mon côté, je lui propose, afin de tromper les curieux, de prévoir un petit berceau à côté de son lit. Elle trouve l'idée assez bonne.

Léon part pour la Grèce avec Marina. Il prendra des nouvelles très vite. En fait, je crois qu'ils ont passablement raccourci leurs vacances.

Nous installons Maman dans cette pétaudière où rien n'a changé. Nous prenons même un certain plaisir à constater que la lumière du cabinet de toilette ne fonctionne pas, que la bonde du lavabo est bloquée, qu'il y a un court-circuit dans la lampe de chevet, que sais-je encore... Pour son bien-être et son confort, ils ont cru bon d'hospitaliser Maman en maternité et non pas en chirurgie, car les chambres sont plus grandes. De ce fait elle voisine avec Anny Duperey, qui vient d'avoir un deuxième petit Giraudeau, ce qui est sans aucun doute un gage de tranquillité.

— Je devrais faire faire un lifting en même temps, qu'est-ce que tu en penses ?

— C'est pas con !

Et nous la laissons là, Maurice et moi, passer sa première soirée. Montand est déjà reparti dans le Midi pour assurer son tournage. Ils n'ont pas failli à leur tradition : ils ont trouvé le moyen de s'engueuler haut et fort. C'est à se demander si Montand n'a pas décidé une fois pour toutes que Maman va se faire enlever l'appendice tant il a mis d'ardeur dans son naturel ! Sans doute sa façon à lui de lutter contre les idées noires.

— Alors, si ça se gâte, nous annonce joyeusement Maman en gazouillant dans son lit, vous faites comme vous voulez. Vous me brûlez, ou bien vous m'enterrez, ça m'est complètement égal. Quoique... un bel enterrement avec plein de monde et plein de fleurs...

Et sur ces propos follement encourageants, je

m'en retourne aux Bouffes retrouver Feydeau et les siens. Le soir même, en rentrant du théâtre où Maurice m'a accompagnée et attendue chaque soir pendant toute cette période, Maman nous a laissé un message sur notre répondeur qui disait à peu près ceci :

— Allô, allô, ici les folies Belvédère, tout va bien, ne vous inquiétez pas, je voulais vous embrasser avant de dormir, demain on me change de chambre et... vous remarquerez que le téléphone fonctionne !

Le 7 août au matin, Maman a été opérée. Ainsi qu'il l'avait promis à Léon, le chirurgien nous reçoit dans son bureau et nous fait un compte rendu opératoire qui se passe de commentaires : le bilan est brutal, définitif. Le sursis se comptabilise en journées, peut-être en semaines, mais pas davantage.

Lorsque nous arrivons dans la chambre, Maurice et moi, nous trouvons Maman en conflit avec l'anesthésiste : on lui a placé sur le visage un masque à oxygène, ce qui, visiblement, ne lui plaît pas beaucoup.

— Docteur, j'en ai marre de votre carnaval ! dit-elle en tirant sur le masque.

Elle sait que nous avons vu le chirurgien. Assise auprès d'elle, je lui tiens la main.

— Maurice, tu es là ?

— Oui, Simone, je suis là.

— Catherine, ma souris, tu es là ?

— Oui, maman, je suis là... y a personne qui garde le magasin !

Elle rit, moi aussi. Puis doucement, elle dégage sa main de mon étreinte, remonte le long de mon bras, lentement, pour arriver à mon visage jusqu'à toucher mes joues... puis plus haut... les yeux... mais il n'y a pas de larmes.

– La pastille, ils l'ont mise ?

– Non, il n'y en a pas eu besoin.

– Il n'y en a plus besoin...

– Non, maman, tu n'en as PAS besoin.

Pour la première et la dernière fois, elle fait allusion à une mort qui lui semble certaine, une mort qu'elle a souhaitée même parfois quand il lui devenait trop dur de perdre la vue, de ne même pas savoir à quoi ressemble sa petite-fille, de ne pas voir cette paire d'yeux qui ont la même couleur que les siens... « Si je pouvais attraper une bonne saloperie, ça simplifierait tout ! » C'est une phrase qu'elle prononçait parfois. Elle était exaucée. La « bonne saloperie », elle l'avait, elle serait délivrée bientôt.

Nous avons entouré son hospitalisation d'une totale discrétion. C'est elle qui l'a voulu ainsi. C'est sa façon de se protéger, et nous la respectons. Elle n'a pas envie de parler de son cancer, même avec ses amis les plus intimes. Cela nous vaudra d'ailleurs d'amers reproches de certains d'entre eux, vexés sans doute de ne pas faire partie de la fête.

Seuls quelques inévitables savent qu'elle est là.

Son agent notamment, qui a l'idée de lui adresser une lettre dans laquelle il lui parle longuement du cancer de son ami Paul Meurisse, qui lui a été fatal, ainsi que de l'état de ses intestins à lui, perturbés par la présence de diverticules qui, tôt ou tard, le mèneront lui aussi sur la table d'opération ! Je commence tout d'abord par ne pas la lui lire en ne lui parlant que des chocolats qui accompagnent ce courrier. C'est vrai, le chocolat, c'est vachement bon pour le cancer du côlon !... Et puis, connaissant son

sens de l'humour, et avec toutes les précautions ora-
toires qui s'imposent, je lui organise la dégustation
de ce petit chef-d'œuvre de mauvais goût. Et nous
avons vraiment ri, tombant d'accord que l'on pourrait aussi interpréter cette missive comme un réel
message d'encouragement... si l'on n'a pas soi-
même un cancer qui risque de tourner mal... hé ! va
savoir !

Et puis il y a les visites de Montand qui continue
à nous la jouer façon appendicite... Immanquable-
ment, sous n'importe quel prétexte, pour n'importe
quelle raison, comme aux plus beaux jours de leur
vie à Autheuil, ils s'engueulent. Montand est terrible,
à tel point que nous décidons, Maurice et moi, de
lui dire la vérité. Une vérité que nous lui assenons
brutalement, de retour place Dauphine, peu avant
de le remettre dans l'avion pour Marseille, un soir
qu'il a vraiment envoyé le bouchon trop loin. C'était
sans doute un peu cruel, mais l'urgence, c'était
Maman. Et puis il leur restait peu de temps, mieux
valait le leur préserver. Il a su adoucir son comportement sans que cela lui parût suspect à elle. Il était
de nouveau très drôle... et toujours très malheureux.

Maman est restée une semaine dans cette clinique, luttant contre la fatigue qui l'envahissait,
contre le sommeil lourd de certaines gardes de nuit
(décidément rien n'avait changé), et trouvant enfin
une vraie raison pour détester le football étant
donné la proximité du Parc des Princes. Elle a dû
subir les échos d'un match et vivre les débordements
des supporters du fond de son lit, dans sa petite
chambre située au rez-de-chaussée. Au cœur de ce
désordre, il y avait heureusement Marie-Paule. Cette
infirmière a veillé sur le repos de Maman avec un
dévouement et un soin presque maternels.

En dehors des heures de football, cette partie de

la clinique nous paraissait singulièrement tranquille. Nous avons fini par apprendre ce qui lui conférait ce calme provincial. En fait, toute l'aile de chirurgie était fermée pour cause de travaux, et Maman en était l'unique pensionnaire. On n'enterre pas le dimanche, c'est vrai... mais on n'opère pas beaucoup non plus en août !

Enfin, le 15 août nous recevons l'autorisation de sortir Maman de clinique. Une chance, car un nouveau match s'annonce ! Le chirurgien nous salue, Maurice et moi, soulagé de voir partir ma mère encore vivante... nous avouant très tranquillement qu'il avait craint que le pire ne se produise sur place...

Maurice part devant dans notre voiture, je fais le chemin avec Maman dans l'ambulance. Nous rejoignons Autheuil et, quelques kilomètres avant la maison, j'ai la mauvaise idée de demander au chauffeur d'actionner la sirène, pour « amuser les gosses » !... enfin mon fils surtout car il attend sa grand-mère avec impatience. Clémentine est encore trop petite pour apprécier les joies du « pin-pon ».

Malheureusement, ils ne sont pas les seuls à attendre son retour. Devant le porche de la maison, un reporter de la presse pourrie attend son heure. Comment est-il au courant ? Personne ne pourra me le dire. Toujours est-il qu'il est là, embusqué derrière son engin diabolique, prêt à fixer pour l'éternité l'image d'une star qui se meurt. Je ne sais où j'ai trouvé la force de sauter de l'ambulance, de lui fondre dessus et de lui arracher son appareil. La colère ? Le chagrin ? En tout cas, de ce moment-là au moins, il ne reste rien.

Désormais, les heures nous sont comptées. Ce

cordon ombilical que nous n'avons jamais rompu, tout en feignant d'ignorer son existence, est en train de rétrécir comme une peau de chagrin. Le fil ténu de la vie. C'est le chewing-gum que l'on étire, tire, tire, et qui ne fera plus jamais de bulles...

Et Léon qui, pour en avoir vu des vertes et des bien trop mûres, ne se rend pas à cette idée qu'ELLE aussi va mourir.

— Ce qui m'embête, c'est que vous allez avoir du chagrin, dit-elle un jour qu'il fait très beau et qu'elle se sent bien fatiguée.

Elle a bien raison d'être embêtée.

33

Tailleur pour dames continue d'amuser les foules aux Bouffes-Parisiens. Rejoindre une troupe, des copains, du public, un personnage, si petit soit-il, quand on a un pareil chagrin, c'est décapant, ça vide la tête et, pour moi, ce n'est pas du courage, c'est de la survie. Et quand on a une vie familiale bien remplie, c'est un plus. J'ai prévenu Pierre Arditi. Je lui fais confiance, il ne dira rien. Mais il est le chef de cette troupe et je me dois de l'informer. Il faudra s'organiser pour me remplacer lorsqu'il ne sera presque plus temps... car Maurice, Léon et Marina sont formels : il ne faut pas que j'arrête de jouer. « Elle » ne comprendrait pas pourquoi je suis auprès d'elle au lieu de faire mon métier, ou plutôt, « Elle » le comprendrait si bien qu'il ne faut pas lui donner de ces sortes de preuves...

– Je te jure... je te le dirai quand il faudra que tu arrêtes, me promet Léon.

Je suis, entre ma mère et lui, le lien indispensable. Il ne la traite pas comme une malade mais comme une amie. Il ne lui fait aucune prescription importante, mais il me demande de lui suggérer d'accepter telle ou telle chose.

– Si ça vient de moi, elle va mal le prendre, dit-il, du fond de sa passion pour elle.

Et c'est ainsi que nous la conduisons à accepter une chimiothérapie à domicile. Une qui ne fasse pas tomber les cheveux, une qui ne rende pas malade, une qui soulage, tout simplement.

C'est l'occasion d'improviser quelques sketches pas tristes. Nous jouons à l'infirmière idiote et au professeur gâteux, le tout ponctué de quelques « papapon » sur l'air du générique de *Médecins de nuit*.

Léon... Léone...

Léon, qui vient de se faire opérer de la cataracte, a encore quelques petits problèmes d'accommodation... Le jeu consiste donc à baliser son parcours à l'aide de chaises enrubannées de foulards multicolores afin qu'il ne rate pas la petite marche sournoise qui mène de la chambre de Maman à son bureau, là même où elle a écrit *Adieu Volodia*.

Adieu Volodia, c'est son dernier-né à elle. Elle l'a porté en même temps que moi je portais Clémentine, et il est sorti des imprimeries Hérissey le jour où Clémentine a fait ses premiers pas. C'est aussi le jour où elle a mis le point final à son récit que sa vue s'est éteinte.

Adieu Volodia, c'est surtout le livre qui nous a fait vivre quelques-unes de ces histoires bien rondes qui ont souvent ponctué notre existence, dont celle-ci. Tandis que Maman écrivait dans son bureau, la vie continuait dans la grande maison et chacun vaquait à ses occupations. Montand, par exemple, poursuivait ses promenades quotidiennes dans le parc. Un soir, au dîner, il me montre la paume de sa main gauche dans laquelle il y avait un petit, tout petit point noir. De toute évidence, il avait récolté une écharde durant sa balade.

– Cathou, tu ne veux pas voir ce que j'ai là, ça me fait vraiment mal.

– C'est une petite écharde... Tu es courageux ?... alors je vais chercher du matériel et je te l'enlève.

Une boîte d'allumettes, un flacon d'alcool, une aiguille fine, je chausse mes lunettes et je commence à « opérer ». La paume est dure, le point discret, Montand grimace exagérément.

– Arrête, ne me fais pas rire...

Délicatement, je commence à tenter d'extraire la « chose » de sa paume. Ça résiste un peu, puis, brusquement, sous la pression de mes doigts, jaillit une énorme épine, mais, un pieu !

– La vache, elle est énorme, regarde !

Voilà, c'est fini, le sang perle un peu, Montand est soulagé. Moi je suis fière de mon travail. Après le dîner, comme chaque soir, il rejoint Maman dans sa chambre et il regarde un moment la télévision avec elle, tout en lui tenant la main. Il lui raconte comment sa fille chérie vient de lui ôter une vilaine écharde de la paume de sa main.

Tout cela aurait été d'une grande banalité si Maman, dans l'après-midi, précisément à l'heure où Montand avait rencontré cette grosse épine, n'avait pas fait surgir dans son récit la même écharde, pour l'introduire profondément dans la paume de la main gauche de l'un de ses deux héros, et ce, dans le secret de son bureau...

C'est dans cette pièce qu'elle a décidé de subir ses perfusions, répugnant à transformer son propre lit en lit d'hôpital. Le rituel est créé. Le professeur Léon arrive avec sa trousse de docteur miracle, moi, je suis l'infirmière niaise qui ne fait et ne dit que des âneries, pour le plus grand bonheur de ma mère qui rit à « gorge d'employé », comme disait Montand.

Le sketch est un genre qu'elle affectionne particulièrement ; nous en avions un très au point : la cabine de l'institut de beauté. Nous le jouions périodiquement lors de nos séances d'« épluchage ». C'est ainsi que ma mère me demandait de lui épiler les jambes à la cire :

– Ma chérie, tu n'aurais pas un petit moment pour « éplucher » ta vieille ?

– Mais comment donc !

Et elle devenait la dame plus toute jeune et un peu naïve qu'une esthéticienne peu délicate et mercantile entreprenait de la tête aux pieds dans sa cabine. Moments privilégiés que personne d'autre que moi n'a pu partager avec elle, en dehors de mes copines Eliane et Evelyne lorsqu'elles étaient à Autheuil et qu'elles faisaient partie de la distribution. J'« épluchais » ma mère, je lui faisais les ongles des pieds et des mains. Je jouais de la pince à épiler sur son visage avec des mines accablées et des propos grossiers sur l'état de sa peau. Je lui suggérais l'emploi d'une crème ou je lui vantais les mérites d'un traitement miraculeux. Ou bien encore je lui faisais une démonstration grimaçante de mouvements recommandés pour l'élasticité des tissus, mouvements qu'elle refaisait, mal bien sûr, où aurait été le plaisir autrement. Durant une bonne heure et demie nous enchaînions les banalités avec bonheur, nous passions en revue une presse de midinette que nous inventions de toutes pièces. C'étaient des moments délicieux où seuls les malheurs des princesses et la vie tumultueuse des stars avaient de l'importance pour nous.

Mais, en ce mois d'août 1985, je n'épluche plus ma mère. Je m'abreuve de sa tendresse, je suis auprès d'elle, je lui tiens compagnie, je la rudoie gentiment, et surtout j'essaie de ne rien changer à mon comportement habituel.

Elle supporte bien le traitement, c'est inespéré. J'ai beau la savoir perdue, j'ai beau ne pas croire en Dieu, je me surprends à espérer...

Un matin où Montand a annoncé son arrivée, je la force même à se lever et à se laver les cheveux. J'appuie sur le bouton de la coquetterie et ça marche. Je la revois, debout dans la baignoire, chancelant sous la douche, le corps amaigri et couturé. On dirait un petit oiseau. Je l'attends, son peignoir à la main. Je l'aide à sortir, je la frictionne, je la bouchonne, je la coiffe, jamais nous n'avons été si proches. Je suis la mère, elle est la fille. Ce moment est presque doux malgré sa désespérance. Elle enfile une chemise de nuit fraîche et regagne son lit, épuisée mais fière d'elle et heureuse.

Je rejoins Maurice et je pleure enfin un bon coup.

Clémentine gambade dans le parc avec Lydia.
Lydia !
Elle nous est arrivée de son Autriche natale fin juin. Au pair pour quatre mois, elle s'est retrouvée propulsée dans notre malheur sans avoir même eu le temps de visiter la tour Eiffel. Entre le moment où nous l'avions engagée et son arrivée, nous avons vendu notre maison du square Montsouris, j'ai été engagée au théâtre, et ma mère a « attrapé le cancer »... Elle n'a pas vu grand-chose des vacances que nous devions passer en Bretagne ! Du haut de ses dix-huit ans, elle a empoigné la situation avec une énergie magnifique. Bien d'autres auraient pris la

fuite à sa place ; elle, elle a prolongé son séjour de deux mois.

Clémentine, qui s'exprime déjà très bien, a enrichi son vocabulaire de quelques « *bitte, bitte* [1] » qu'elle profère en battant des mains lorsqu'elle veut quelque chose, ce qui amuse beaucoup sa « Mémé ».

Il y a entre cette femme et cette petite, toute petite fille, une relation extraordinaire, une complicité, presque une connivence. Clémentine veut toujours venir la voir, la toucher, lui parler. Maman ne s'y fait pas. Elle trouve qu'elle n'est pas un spectacle rigolo pour une enfant. Mais Clémentine ne peut se passer de ses visites matinales à sa grand-mère. Et le soir, quand vient l'heure du coucher, elle file vers le grand escalier en appelant « Mémé, Mémé ».

Grâce à Lydia, la vie de Clémentine est un peu entre parenthèses dans cette maison. Elle sillonne la campagne normande à la poursuite de cette solide montagnarde autrichienne qui l'entraîne avec elle en lui tressant des couronnes de fleurs et en la nourrissant de noisettes et de mûres.

Septembre est là, la vie continue. Clémentine pousse, Lydia fait des progrès en français, Benjamin, avec l'insouciance de ses quinze ans, fait des progrès en tennis et pense à sa rentrée scolaire dans un nouvel établissement. Nous emménagerons prochainement dans notre nouvelle maison au bord du bois de Vincennes.

Moi, je tiens le coup grâce à l'amour que me prodiguent Maurice et Jean-Pierre. Grâce au théâtre.

Maman est mieux. Elle descend de temps en temps déjeuner avec nous à la salle à manger.

1. « S'il vous plaît », en allemand.

Montand tourne toujours. A présent, il sait.

Léon et Marina sont de plus en plus là. Maman a fini par leur proposer l'hospitalité afin d'éviter à Léon trop d'allées et venues. Maintenant il doit se lever une heure plus tôt pour commencer ses visites entre 6 et 7 heures à Villejuif... ce qui le met en bas du lit vers 5 heures du matin : c'est la vie de château ! Yvette Etievant dit de lui que c'est le « dernier saint laïc ». On ne saurait mieux définir cet homme tellement mal considéré par certains.

Marina passe des heures auprès de Maman. Elle lui fait le récit de sa vie avec et sans Vladimir Vissotsky... Un jour, en fin d'après-midi, Maman me déclare, sur le ton mutin de quelqu'un qui va dire une grosse bêtise :

– Je crois que j'ai appuyé sur un bouton terrible avec Marina, je lui ai suggéré d'écrire tout ce qu'elle me raconte... Maintenant je n'ai qu'une trouille, c'est qu'elle vienne me lire ce qu'elle écrit !

Et cela nous fait rire comme de vraies pestes, un peu méchamment peut-être... mais sans intention de nuire, car, en ces moments difficiles, mieux valait rire de tout.

Toujours est-il qu'aujourd'hui ce livre existe et qu'il est vraiment très beau. Maman aurait sûrement aimé que Marina le lui lise.

Septembre avance. Nous avons vécu ce que l'on appelle « le mieux du plus mal ». Brusquement, l'état de Maman s'aggrave. Son ventre enfle. Elle a beaucoup de mal à respirer. Il faut lui faire des ponctions pour la soulager. Elle ne prend plus personne au téléphone.

Un matin, Léon m'appelle :

– Ecoute, je crois qu'il lui faudrait une infirmière

à demeure parce qu'elle est trop orgueilleuse pour emmerder tout le temps Marcelle. Mais elle en aurait vraiment besoin. Je n'ose pas le lui proposer, elle va m'envoyer balader. Il vaudrait mieux que ça vienne de toi. Mais débrouille-toi pour qu'elle ne sache pas que je suis dans le coup, pour que ce soit elle qui m'en parle. J'ai la personne idéale sous la main.

J'appelle donc Maman de Paris, comme chaque matin, l'air de rien. Moi, elle me prend au téléphone. Je lui suggère, sur la pointe des pieds, de se faire aider par quelqu'un, en insistant sur le fait que Marcelle n'est plus toute jeune pour monter et descendre les escaliers comme ça, à longueur de journée. Elle finit par admettre que c'est sans doute une bonne idée mais qu'il faudrait en parler à Léon. Lui connaîtra quelqu'un de bien...

— Tu veux que je lui pose la question ? risquai-je timidement.

— Oui, allez, tiens, fais donc ça !

Je rappelle Léon pour lui signaler que notre petit complot a parfaitement fonctionné. J'ose également une question personnelle :

— Et moi, qu'est-ce que je fais ? Je me fais remplacer ?

Manière pudique et détournée de demander : « Est-ce que c'est l'heure ? »

— Non, je te l'ai déjà dit, elle n'aimerait pas ça ; il n'y a rien qui presse.

Léon ne voulait pas qu'elle meure ; il n'a jamais voulu que quiconque mourût, mais elle, il ne pensait pas qu'elle pourrait mourir comme ça, il le refusait en bloc, comme un enfant têtu.

Une infirmière irlandaise est venue s'installer à Autheuil.

Elle a pris place dans le bureau de Maman. Elle a dormi dans ce qui fut son lit de soins.

Le dimanche 29 septembre, Léon m'a appelée dans la matinée. Ce n'était pas brillant, mais Montand allait venir la voir comme chaque semaine, alors elle reprendrait des forces... J'avais une matinée à assurer au théâtre, nous parlerions plus tard, quand je serais arrivée à Autheuil.

Nous avons dû nous croiser sur l'autoroute, Montand et moi. Lui repartait vers *Jean de Florette* par le dernier avion, moi j'allais vers mon chagrin, toujours conduite par Maurice. Nous sommes arrivés à Autheuil un peu avant l'heure du dîner. J'ai demandé à la voir.

– Elle doit dormir. La visite de Montand l'a fatiguée, elle a fait tant d'efforts... Il l'a fait rigoler, tu sais.

Oui, je le sais, car Montand est l'homme le plus drôle que je connaisse.

Nous sommes montés dans sa chambre. La lumière était éteinte. Nous nous sommes approchés de son lit, elle dormait, lovée dans les oreillers qu'elle avait réclamés pour soutenir son ventre.

– Simone, Catherine est là, dit Léon.

Maman grommelle :

– Je suis fatiguée, foutez-moi la paix !

Dans un pauvre sursaut d'humour, je dis :

– Tout va bien, elle râle !... Maman, je viendrai te voir plus tard, repose-toi.

Et je lui dépose un baiser sur le front.

Nous passons à table.

– Je vais appeler Arditi. Il faut que je me fasse remplacer, je ne jouerai pas mardi.

– Attends demain, je te dirai ce que j'en pense, risque Léon.

– Je pense que tu as raison, me dit Marina.

Elle, elle regardait la mort en face. Après le dîner, Léon est remonté voir Maman, seul. J'ai appelé Pierre.

Lorsque Léon est redescendu, il avait l'air préoccupé, Maman souffrait.

– Alors, qu'est-ce qu'on fait ?

– Demain, je te dirai demain. Je serai à même de te donner un pronostic plus affiné. Demain.

Nous étions épuisés. Avant de nous coucher, nous sommes retournés la voir. Nous avons ouvert la porte de sa chambre. Seul un rai de lumière provenant du couloir éclairait le lit. Léon a fait asseoir ma mère et l'a fait boire. Je ne voyais que ses yeux, grands ouverts, en pleine lumière. Ses yeux verts, transparents, perdus. Elle n'a rien dit d'autre que : « Je suis fatiguée. » Je l'ai embrassée. Nous avons quitté la chambre. J'ai voulu aller m'habiller plus chaudement pour passer la nuit auprès d'elle sur le fauteuil. On m'en a empêchée.

– Tu la verras demain, elle sera mieux, plus reposée. Et puis si elle sait que tu as fait ça, elle ne sera pas contente...

A cette minute, je dois être la seule à savoir que c'est sa dernière nuit. Plus tard, j'apprendrai par Maurice qu'elle lui avait dit un jour à mon propos :

– Je ne veux pas qu'elle voie sa vieille mère mourir.

34

La mort de ma mère, c'est d'abord l'odeur du lait de toilette que j'ai passé sur mon visage ce matin-là. C'est aussi la couleur bleue de la lotion avec laquelle j'ai rafraîchi ma peau, ce sont des gestes incroyablement lents et appliqués : le gel-contour de l'œil, la crème de jour, la brosse qui crisse dans les cheveux, le dentifrice...

Il est 7 h 10 ; il doit y avoir déjà un bon quart d'heure que Marcelle a frappé à notre porte :

– Catherine, il faudrait que tu descendes, je crois que ça ne va pas très bien...

Il me semble qu'en ne me précipitant pas auprès d'elle j'augmente ses chances, je suspends le temps...

Elle est dans les bras du médecin de campagne appelé en catastrophe. L'infirmière nous explique que, quand Léon a quitté la maison ce matin vers 5 heures, elle dormait paisiblement, elle ne semblait pas aller plus mal. C'est seulement vers 6 heures qu'elle a commencé à étouffer. Elle a demandé qu'on la lève. Elle voulait être assise par terre, sur quelque chose de dur. Et pendant ce temps-là je dormais ! Elle n'a pas voulu que l'infirmière vienne me chercher.

Ses yeux sont ouverts, son regard est aigu. Elle remue les lèvres comme un poisson qu'on aurait sorti de l'eau. Pas un son ne sort de sa bouche. Le médecin s'affole. Je suis muette au pied du lit, anormalement calme. Je murmure simplement :

– Mais, elle s'en va, là.

Le jeune médecin lui passe le tensiomètre autour du bras, pompe avec l'énergie du désespoir à la recherche d'un pouls qui se désagrège. Je me rapproche d'elle. Je n'ai pas peur. Je prends sa main dans la mienne. Une main tout abandonnée au bout d'un bras maigre. Mes yeux fouillent son regard dans l'espoir d'y lire quelque chose, un message d'amour destiné à moi seule.

Je ne dis rien. Je ne veux pas la déranger. Son regard se voile.

Le petit poisson remue de moins en moins les lèvres. Le médecin perd de plus en plus contenance. Un dernier réflexe professionnel le fait se saisir d'une lampe de poche et braquer un rayon menaçant sur les pupilles vaincues de ma mère : Que faisiez-vous dans la nuit du 29 au 30 septembre ? semble demander la lampe. Question sans réponse. Ma mère vient de mourir ce 30 septembre 1985 dans sa « belle maison d'Autheuil ». Il est 7 h 29, il fait très beau ce matin-là, et je suis orpheline.

Je ferme ses yeux, stupide.

Lorsque j'entends Marina articuler de sa voix enfantine : « Mais pourquoi vous n'êtes pas venus me chercher ? » c'est comme si la foudre s'abattait sur notre intimité. Je pourrais exploser, mais, devant son air hirsute, ses yeux pleins de larmes, je ne sais que dire :

– Mais, Marina, à quoi ça aurait servi ?

Quand est-elle entrée ? Je ne sais pas. J'ai le sentiment de revenir d'un moment d'absence ; c'est comme si le film se remettait en route après un arrêt sur image. L'infirmière, qui semble sortir du mur, va mettre un peu d'ordre dans le bureau ; le médecin rédige le certificat de décès et s'éclipse après m'avoir serré chaleureusement la main. Lorsqu'il ouvre la porte, j'aperçois Maurice dans l'antichambre. Il attend, pudiquement. Et si j'allais pleurer un bon coup dans ses bras ? Je le rejoins, il m'enlace de toute sa tendresse.

Quelqu'un a dit que les grandes douleurs étaient muettes, je serais tentée d'ajouter : ... et sèches ! J'aurais envie de hurler, j'ai mal dans tout le corps, mais je ne parviens pas à pleurer, pas encore. Et puis il y a des urgences : Montand, Benjamin, Clémentine, Casta... prévenir, organiser... préserver... tenir ! Avertir Léon, Maurice s'en charge.

Pendant ce temps nous restons dans la chambre avec l'infirmière, Marina et moi, pour préparer Maman. Pourquoi l'avons-nous assise ? Je ne sais plus. Ce que je sais, c'est que j'ai entendu comme un grognement sortir de la bouche de ma mère, quelque chose qui ressemblait à un retour de la vie.

– Tu es sûre qu'elle est morte ?

– Mais oui, ma chérie.

– Mais ce bruit ?

– C'est normal, c'est l'air... je connais bien ça, tu sais.

Elle me sourit. Dans ce sourire-là je comprends à quel point la mort lui est tristement familière. Sa présence me rassure. C'est sans doute pour cela que je n'insiste pas pour participer à la toilette. Marina m'engage avec tendresse à profiter de la chance que j'ai de ne pas être obligée d'accomplir ces gestes-là. Elle l'a fait pour sa mère, sa sœur, elle connaît ça

318

par cœur... Et puis Simone n'aurait pas aimé que je voie ça... et c'est son meilleur argument. Elle me demande simplement deux foulards et de quoi l'habiller. Sans hésiter, je vais chercher dans le placard de Maman cet ensemble pantalon en velours éponge blanc que nous avions acheté ensemble chez Sonia Rykiel, une des rares fois où nous étions parties en expédition punitive en filles.

En effet, après l'épisode « vésicule biliaire » cinq ans plus tôt, une fois remise de ses maux et de sa grosse peur, elle avait parfois ce qu'elle appelait elle-même des accès de futilité : par exemple, il nous arrivait de procéder à un sacrifice rituel de courrier durant lequel nous jetions aux flammes dévorantes et purificatrices tout ce qui pouvait ressembler de près ou de loin à une pétition, un tract, une future B.A., bref, tout ce qui pourrait se révéler polluant pour la santé morale de la convalescente qu'elle était.

C'était encore l'occasion d'un sketch où je lui faisais remarquer son manque évident de générosité. Maman reconnaissait les faits en m'assurant qu'elle n'y pouvait rien, que c'était dans sa nature, que finalement elle était mauvaise, qu'elle manquait en effet totalement de générosité, mais qu'il ne faudrait en parler à personne car ce serait très mauvais pour son image de marque...

A certains égards, et après avoir eu si peur pour sa vie, elle pensait réellement qu'elle pouvait bien s'occuper un peu d'elle maintenant. Elle avait recouvré la santé, elle avait cessé de boire, la maladie et la sobriété lui avaient rendu une silhouette sur laquelle sa mémoire avait refusé de s'attarder jusqu'alors... elle redevenait coquette, elle était superbe. Elle avait brusquement envie d'abandonner les cache-poussière de madame Rosa pour des choses plus délicates, et c'est ainsi que nous nous étions retrouvées chez la fée Rykiel...

J'ouvre son placard. Une bombe de Shalimar m'explose au visage. Je décroche l'ensemble blanc que nous avions acheté toutes deux et qui lui va si bien, et puis aussi, pour qu'elle n'ait pas froid après, dans la boîte, ce qu'elle s'amusait à appeler sa houppelande... C'était en fait une sorte de châle très intelligent puisqu'il ne glissait jamais des épaules grâce aux deux cordelières qui le maintenaient à la base de son cou. C'était un de ses ouvrages maison, délicatement crocheté dans ce mohair blanc, bordé de bleu porcelaine, mohair qui aurait dû devenir couverture... lorsque l'esprit et l'imagination firent le reste. Dans le tiroir de la commode, je prends deux foulards, je les remets à Marina, et je descends rejoindre Maurice dans le salon.

– Tu as eu Léon ?
– Oui, c'est fait.
– Qu'est-ce qu'il a dit ?
– Il n'arrêtait pas de répéter « merde... merde, merde », puis il a dit « j'arrive » (un temps). Ivan Levaï a téléphoné... il voulait vérifier ce qu'il venait d'apprendre par le téléphone rouge.
– Le téléphone rouge ? Mais ce n'est pas vrai ! Qui a bien pu téléphoner la nouvelle ? C'est dégueulasse !
– Ne t'énerve pas ; il va rappeler.

Le téléphone rouge ! Cette sournoise petite invention de la station Europe n° 1 qui offre cinq cents francs à qui débusquera le « scoop » du jour ! Mais tout de même, on n'agit pas à la légère ! On se renseigne avant de divulguer... et voilà pourquoi Ivan, que le chagrin n'a pas encore terrassé, vient aux nouvelles...

Mon urgence à moi, c'est de trouver Montand. Il n'est plus à son hôtel, il n'est pas encore arrivé sur le tournage... 9 h 20... Ivan rappelle. Il me demande ce que je compte faire. La question me laisse sans voix ! Je compte d'abord trouver Montand qui ne sait toujours pas.

Non, mais avec la presse !... Qu'est-ce que je compte faire « au niveau » des médias ? Ah ! oui, bien sûr ! Mais où ai-je donc la tête, la presse, bien sûr ! Eh bien, je ne sais pas, moi. En fait c'est la première fois que ma mère meurt et je ne sais pas très bien comment m'y prendre... avec la presse. Sans doute un communiqué à l'A.F.P., mais plus tard, quand j'aurai parlé avec Montand. Et puis qui joindre à l'A.F.P. ? Et c'est quoi, d'abord, le numéro ? Je ne sais rien de tout ça, moi, et puis je n'ai pas le temps de chercher, il faut que je trouve Montand ! Ce qui serait bien, c'est qu'Ivan me rappelle, pour me dire comment m'y prendre et qui joindre. Il va m'aider, lui, mon ami Ivan que je connais depuis si longtemps... depuis bien avant qu'il ne devienne Levaï ; de toute façon, je ne ferai rien avant qu'il ne me rappelle. Ivan me promet de voir ça tout de suite.

9 h 40. Enfin je trouve Montand. Il est très calme :

– Hier soir, quand je suis parti, j'ai eu l'impression qu'elle entrait en agonie... Mais tu sais, je l'ai fait rigoler dimanche...

– Oui, je sais, Léon nous l'a dit.

– Elle a souffert ?

– Non, je ne pense pas.

– Tu étais avec elle ?

– Oui, bien sûr.

– Mon chéri, je t'embrasse, je file à l'aéroport. J'arrive. Je t'embrasse, petit.

La veille au soir, nous étions donc deux à savoir qu'elle allait mourir.

Marina nous a rejoints. Nous lui parlons d'Ivan qui ne rappelle toujours pas...

– On devrait tout de même se brancher sur Europe...

– Non, tu crois qu'il ferait une chose pareille ? Je lui ai dit que je ne réussissais pas à joindre Montand... et puis, il a promis de rappeler...

– Ma chérie..., me lance Marina avec tout le doute du monde dans le regard.

Maurice s'empare du poste à transistors de Maman. Il est à la même place, au pied de son fauteuil, prêt à retransmettre une de ces « Radioscopies » qui faisaient sa joie quand elle crochetait l'un de ses ouvrages. Nous regardons la radio. La boîte rectangulaire nous prodigue des conseils de beauté, nous distille des odeurs de café et des vapeurs de nouilles entrecoupées du gentil babil de Michel Drucker qui anime, comme chaque matin, son émission de variétés en public.

A 9 h 50, c'est l'horreur : la nouvelle tombe sous la forme d'un flash spécial de la bouche d'Ivan Levaï qui fait irruption dans le studio. Toute ma vie j'aurai dans l'oreille le « Ooooh ! » de stupeur du public présent à l'émission ce jour-là. Toute ma vie aussi, j'éprouverai le chagrin d'avoir eu à cet instant le sentiment d'être trahie. Au bulletin de 10 heures Ivan récidive : il aligne les éloges, mais aussi quelques inexactitudes, avec le brio qu'on lui connaît. Décidément la matinée est rude.

A dix minutes près, Montand, qui pratiquait le zapping d'ondes, risquait d'apprendre la mort de sa femme par la radio. La France entière allait être au courant de la disparition de ma mère avant même que je n'aie eu le temps de prévenir ses amis, ses proches et ce qui lui restait de famille. Voilà qui me confronte d'emblée à la réalité du jour : il y a des fois où il vaudrait mieux être la fille du plombier ! Une star venait de disparaître, il fallait faire face, on pleurerait sa mère plus tard. A ce moment précis, je n'aurais d'ailleurs pas été capable de pleurer, sauf peut-être de rage.

Maintenant qu'Ivan a allumé la mèche, il faut faire vite, ça explose dans tous les coins ! Benjamin, que je croyais protégé derrière les murs de l'école, est désormais à la merci de n'importe quel retardataire. Appeler l'école, le soustraire à cette éventuelle pollution. Casta est en Corse et cherche un avion pour rentrer au plus tôt, c'est donc Jean-Claude Dauphin, encore lui !, qui va récupérer Benjamin à l'école.

Le téléphone n'arrête plus de sonner, et je m'entends répondre à un journaliste de l'A.F.P. qui veut recueillir une impression à chaud (ce qui peut faire rire en parlant d'un mort !) : « Elle est morte comme elle a vécu, courageusement. » En raccrochant, je me demande si je ne suis pas devenue brusquement idiote. Mais qui pourrait prendre garde à mon hébétude, à mon chagrin, à part mes tout proches, mes tout tendres ? Certainement pas les curieux qui se pressent maintenant le long de la propriété, ni les guignols qui sacrifient au rituel nécrophage de la déclaration télévisée devant le portail de la maison avant d'en franchir le seuil... sans parler de ceux qui escaladent carrément les clôtures, téléobjectif au poing, afin de saisir le choc des photos à défaut du poids des « maux ».

Il a fallu faire garder les abords de la propriété par les gendarmes, et Montand n'a pu accéder chez lui qu'en rusant, coupant à travers champs par le fond du parc... sous l'escorte agile et efficace de Bernard Kouchner qui, tel un Indien blond sur le sentier de la guerre, lui a ouvert un chemin sûr à travers les herbes hautes. Tout cela pour un « téléphone rouge », pour l'obsession du « scoop »... Un scoop que j'aurais de bon cœur réservé à mon ami s'il avait eu le courage de me faire confiance. Décidément, l'amitié n'est plus ce qu'elle était.

De vrais amis arrivent maintenant, un peu avant Montand, furtifs, discrets, défaits. Colette et François Perier sont là les premiers. A cette époque, François joue au théâtre *L'âge de Monsieur est avancé*. Il me serre dans ses bras avec une infinie tendresse, puis :

– Tu te rends compte !... quel tact !

– Oui, hein ? Nous faire ça un lundi !

– Un jour de relâche ! Quel talent !

Le ton était donné, et ce fut le premier des éclats de rire qui ponctuèrent cette longue journée.

Je suis sûre que, chez les « gens normaux », un jour comme ça on n'écoute pas la radio, on n'allume pas la télévision, on prend le deuil, on reste digne. Chez nous, impossible d'échapper à sa propre histoire ! Nous avons écouté la radio, nous avons allumé la télé et vu (entre autres) avec stupeur, trônant au centre d'un panel intellectuello-nécrologique, Lise London, la vraie, celle dont Maman avait tenu le rôle dans *L'Aveu* que Costa Gavras avait mis en scène d'après le livre d'Arthur London. Et Lise London témoignait comme si elle avait bien connu Maman, comme si elles avaient été de vraies amies, mélangeant visiblement la réalité et la fiction.

Incroyable ! Tellement incroyable que François

324

Perier, décidément très en forme, a bondi de son fauteuil en s'écriant :

– Mais ce n'est pas possible, elle va descendre là !... Simone !...

Et nous avons éclaté de rire même si nous savions que plus jamais elle ne sortirait de sa chambre pour nous crier du haut de l'escalier :

– Hé ! Mettez la 2, c'est pas vrai ce qu'on entend là.

L'humour du désespoir. C'est une des choses que j'ai apprises au contact de Montand. Je l'ai toujours vu refuser ce qu'il devait considérer comme une certaine complaisance dans la douleur. Il la refusait avec parfois même un certain irrespect. Il disait que ces êtres chers qui sont « partis » sont des gens avec lesquels on a tellement rigolé que le meilleur signe d'amour et de respect que l'on peut leur adresser par-delà la mort, c'est de se marrer avec la famille et les copains, sur le dos de n'importe qui, même du cher disparu, pourvu qu'on se marre, et qu'à un moment quelqu'un finisse par dire : « Si elle ou il nous voit, elle ou il doit bien rigoler... » Quel dommage qu'au jour de sa propre mort il n'ait plus été là pour donner le ton !...

L'histoire ne précise pas, pour finir, combien de centimètres cubes de larmes se sont échappés des yeux de ces adeptes de l'humour du désespoir lorsque le rideau est tombé... mais nous, nous le savons.

La journée était partie assez fort avec la première visite des employés des Pompes funèbres générales d'Evreux que nous avions choisies par hasard dans l'annuaire, leur annonce étant la plus visible des pages jaunes, et leur logo assez séduisant.

Deux messieurs sont arrivés, avec les gueules de

l'emploi et un superbe catalogue, pour nous présenter les modèles de cercueils disponibles. Nous les avons reçus, Maurice et moi. Montand n'était pas encore arrivé, c'était le début de la matinée. Et nous avons tout commenté, de la matière aux formes en passant par les prix, le confort, les couleurs des habillages, le poids, les poignées, bref, nous avons opté pour quelque chose de « sobre, mais de bon goût, pas trop tape-à-l'œil : bien, quoi ». Ils ont dû nous prendre pour des fous, ou bien pour des monstres.

Les choses se sont encore un peu gâtées lorsqu'ils ont voulu nous proposer différentes formes d'embaumement... Cela m'a permis de souligner que, sa vie durant, ma mère avait toujours manifesté une certaine répugnance pour le lifting... Quant à leur procédé de conservation du corps qui consistait à vider le sang du mort pour le remplacer par un produit qui retardait sa décomposition, surtout par ces chaleurs, car il fallait bien reconnaître, n'est-ce pas, que nous avions une très belle arrière-saison... j'ai dû leur préciser que des piqûres, des transfusions et autres bricolages, ma mère en avait reçu pas mal ces derniers temps et que nous souhaitions lui en éviter une dernière... Par conséquent, un peu de neige carbonique ferait tout aussi bien l'affaire. Toutes ces considérations, émises sur un mode extrêmement disert, ont achevé de dérouter nos deux compères qui sont repartis assez mal à l'aise.

Entre-temps, la nouvelle de l'identité de la défunte avait franchi l'Iton pour rejoindre les bords de la Seine... et c'est ainsi que M. Chapillon, directeur des P.F.G., entra dans notre vie. Nous fîmes tout d'abord sa connaissance par téléphone, puis il nous rejoignit à Autheuil afin de régler les modalités de la cérémonie. Mon obsession était que les choses fussent terminées le plus vite possible, ce qui fut fait.

De mémoire de vivant, jamais on ne vit enterrement s'organiser aussi vite et aussi bien. Je me dois de rendre hommage à M. Chapillon pour sa constance, sa patience et son extraordinaire efficacité. Mais le récit ne serait pas totalement fidèle si je négligeais l'épisode du caveau de famille au cours duquel on évoqua, bien évidemment, notre mort à tous. Face à cette éventualité, Montand ne résista pas au plaisir de délirer grossièrement sur le coût des travaux, l'ordre d'inscription sur la dalle et la grosseur des caractères employés... tout comme s'il s'agissait du générique d'un film. Nous pleurions... de rire. A tel point que M. Chapillon dut nous rappeler à l'ordre en nous faisant remarquer que nous n'étions pas là pour plaisanter et que nous perdions un temps précieux... Et, tout comme si nous étions à l'école, cela ne nous facilita pas la tâche pour nous calmer.

Enfin, on se calma, rendez-vous pris pour le lendemain au Père-Lachaise, non loin de la rue de la Mare[1]... Quant à nous, nous avions passé la première épreuve avec succès puisque nous avions ri... et que Maman, qui reposait non loin de nous, avait sans doute bien rigolé elle aussi... si toutefois elle nous avait entendus...

1. Lieu où se situe l'action de *Adieu Volodia*.

35

Le matin du 1er octobre, nous nous levons très tôt, Maurice, Benjamin et moi. L'enterrement étant prévu à 13 heures à Paris, nous avions peu de temps pour nous trouver une tenue de circonstance. Evreux nous accueille donc dans l'une de ses meilleures boutiques. Pour Benjamin, un beau blazer écossais sombre, pour Maurice une veste gris anthracite, et pour moi... une robe imprimée bleu dur... avec plein de fleurs... pour profaner le malheur, comme dirait Romain Gary dans *Clair de femme*.

Ce qui est incroyable, c'est qu'en faisant ces achats nous avions la sensation de nous choisir des tenues de scène. Je crois que nous n'étions pas dans notre état normal. A aucun moment nous n'avons souhaité, et ce, sans nous concerter, afficher notre deuil. Nous avons préféré faire comme si nous avions tous les trois besoin d'une tenue proprette dans notre garde-robe, et c'est donc dans cet esprit-là que nous avons choisi. En ce qui me concerne, j'ai un peu raté mon coup : je n'ai jamais pu remettre ma robe, sauf une fois, pour un tournage, après quoi je l'ai lâchement abandonnée sur un portant dans la loge des costumes. Ce qui tendrait à prouver que je ne me suis jamais familiarisée avec mon rôle d'orpheline.

Mais revenons à cette journée du 1er octobre. Il fait superbe. Je suis dans la salle de bains, je finis de me préparer. Je suis perplexe quant à mon paraître : il va bien s'en trouver quelques-uns pour trouver que « tout de même, une robe à fleurs pour enterrer sa mère... » Tant pis ! Je suis sûre qu'elle la trouvera jolie, ma robe, elle ! C'est pour toutes les fois où elle trouvait que mes tenues, pourtant parfaitement « in », étaient directement inspirées du folklore vestimentaire de la rue Saint-Denis : cuissardes, bas noirs et autres jupes un peu trop courtes. Elle disait : « Finalement, vous leur avez tout piqué, aux putes ! »

– Eh bien, maman, réjouis-toi, aujourd'hui j'ai l'air d'une vraie jeune fille.

Je ne mettrai pas de bijoux.

Les bijoux. Je repense à la façon dont ma mère m'a donné les siens quelque temps avant de mourir. Je suis dans sa chambre, assise au pied de son lit. Il y a un bon moment que nous bavardons, sans doute lui ai-je raconté les derniers potins de loge des Bouffes-Parisiens. C'est doux, c'est chaleureux, c'est tendre, ce n'est pas triste. Il ne faut pas être triste. Pourquoi être triste d'ailleurs ? Elle semble aller bien.

Au moment où je vais quitter la chambre, elle m'arrête :

– Tiens, ma chérie, tu ne veux pas ouvrir le placard là... bon, regarde tout en bas... dans un coin il devrait y avoir ma petite trousse T.W.A. très vieille et très moche... Tu l'as trouvée ? C'est ma quincaillerie... Ouvre. Bon alors, si tout ça tourne mal, tu sais où c'est, maintenant, c'est toujours ça de pris !

Un peu sidérée par la brutalité de ses propos, je bafouille :

– Elle est rigolote, celle-là. T'en as pas une autre pour éclairer ma journée ?

– Quoi, on ne sait jamais, mieux vaut prévoir...

Elle m'enveloppe d'un paisible sourire, puis enchaîne, faussement sévère :

– ....mais, dans l'immédiat, tu poses et tu fermes la porte du placard !

– C'est ça, on verra ça plus tard !

Je te tiens, tu me tiens par la barbichette, le premier de nous deux qui rira aura une tapette...

Et je sors par le fond !

Je ne mettrai pas de bijoux. Je rassemble mes cheveux en catogan, je fixe le reste des mèches avec du gel. Je descends l'escalier du grenier, je passe devant la porte de la chambre de ma mère. Je sais qu'elle est là, derrière cette porte, couchée dans sa boîte capitonnée, emmitouflée dans sa-houppe-lande-en-mohair-blanc-bordé-de-bleu-porcelaine. Je sais que le couvercle est fermé. Je sais que je n'ai pas envie de voir cette boîte sur ces tréteaux. Pourtant quelque chose me travaille, les bijoux.

Si j'attends qu'elle soit sortie pour aller les chercher, j'aurai le sentiment de lui piquer quelque chose en douce. Pas de doute, il faut que je fasse cela devant elle ! Il faut qu'elle me voie. J'entre donc.

Le cercueil tient une grande place entre le lit et la cheminée.

Je vais droit au placard, je récupère mon cadeau. Avant de quitter la chambre et afin de m'assurer qu'elle a bien tout vu, je tape sur le couvercle de la boîte avec la petite trousse en disant :

– Allez, hein, on fait comme on a dit !... Merci, ma vieille !

Je remonte dans la salle de bains du grenier. Le cœur battant, je fais coulisser la fermeture Eclair de la petite trousse T.W.A. très vieille et très moche. La lumière joue avec le cœur en brillant de ma mère. Je lui ai toujours vu ce bijou autour du cou, sauf lorsqu'elle tournait *Rude journée pour la reine* et qu'elle interprétait le rôle d'une femme de ménage... Ça aurait fait désordre. C'est d'ailleurs comme ça qu'elle a perdu la version originale de ce bijou que Montand lui avait offert à New York. Pour le préserver, elle l'avait enveloppé dans un mouchoir en papier et posé sur sa table de nuit, au milieu d'autres mouchoirs en papier... La fée du logis est passée par là... La suite est horriblement logique : le ménage a été fait de façon scrupuleusement honnête, et la poubelle a englouti le cœur en brillant.

Maman, désespérée et terrifiée par son erreur, a fait refaire le cœur dans un solitaire que lui avait également offert Montand mais qui était moins chargé d'histoire. Des années sont passées sans que personne se rende compte de la supercherie. Personne... sauf moi qui avais tellement contemplé l'autre que je me suis aperçue que celui-ci était légèrement différent, peut-être un peu plus gros. Je l'avais dit à Maman qui s'était affolée à l'idée que Montand, lui aussi, s'en aperçût.

Par un beau jour d'été, beaucoup plus tard, alors que nous déjeunions dans le jardin à Autheuil, Montand a négligemment laissé tomber au beau milieu d'un commentaire politique : « ... C'est pas mon cœur, ça... » Nous étions stupéfaites. Il a simplement ajouté qu'il s'en était aperçu depuis longtemps mais qu'il n'avait pas eu l'occasion de le faire remarquer.

Il a dit ça froidement, et Maman s'est mise à pleurer.

Nous n'avons plus jamais reparlé du cœur. Je crois qu'il a eu beaucoup de peine de la disparition de cet objet. Maman a continué à porter ce pendentif avec autant de tendresse que s'il s'était agi de l'original. Quant à moi, je tiens aujourd'hui dans le creux de ma main l'un des rares sujets de complicité féminine jamais partagés avec elle. Le flash-back se dissipe, des sensations surgissent. Un zéphyr de Shalimar flotte dans l'air. Je fixe la chaîne autour de mon cou. Ma mère est là, tout contre moi.

Je fais bien de mettre ce bijou.

Comment exprimer la terreur qui vous envahit en voyant passer le cercueil qui emporte votre mère ? En fait c'est la première fois que je vois la mort d'aussi près, et cette mort préfigure aussi la mienne puisque c'est ma mère qui s'en va. Je monte en première ligne. Logique. Rude, mais logique. Quelque chose en moi a dû effacer cette image car j'ai un mal fou à retrouver la cohérence ordonnée de ces moments-là.

Je sais encore dans ma chair que c'était insoutenable, solennel et beau malgré l'horreur de la situation. Je sais aussi que Clémentine était en sécurité avec Lydia, loin des larmes, des croque-morts et des photographes.

Pour la circonstance, Montand a fait ouvrir les portes à double battant qui se font face dans le hall. L'une donne sur le parc, face à l'allée d'arbres. L'autre, sur le devant de la maison, dévoile un perron surplombant quelques marches et une pelouse.

Pour garder la pelouse, un muret en pierre, surmonté d'un balcon à colonnes, encadre une grille en fer forgé blanc que je vois ouverte pour la première fois.

C'est dans ce décor exactement, adossés à cette perspective grandiose, qu'ils avaient posé pour les plus belles photos de leur premier reportage, dans cette maison qui devait abriter près de trente-cinq ans de passion et de turbulences. Je ne crois pas avoir jamais revu ces portes ouvertes jusqu'à ce jour.

Montand aurait toujours voulu faire entrer les invités par là. Maman ne voulait pas, c'était mieux par la cuisine. Aujourd'hui, c'est elle qui sort par la grande porte.

Je suis pétrifiée. J'ai froid malgré le soleil qui inonde maintenant la pièce. Le cercueil descend lentement le grand escalier. Je ne regarde pas, j'entends seulement. Voilà, ça y est, ils passent devant nous, empruntant la haie d'amour que nous leur faisons dans le hall baigné de lumière. Dehors, les appareils photo cliquettent. Attention à la marche !

Nous hésitons un peu à suivre, puis nous nous décidons, Montand et moi d'abord, puis Benjamin et Maurice, suivis par ce qu'il est convenu d'appeler « la plus stricte intimité ». Nous nous engouffrons dans quelques voitures pour former le convoi en direction du Père-Lachaise. Sur le perron, Marcelle et Georges, Fatima et Raoul, regardent partir tristement celle qui fut pour eux tantôt « Madame » tantôt « patron d' gauche »...

Nous roulons sur l'autoroute de l'Ouest, en petit convoi, avec pour consigne de ne pas couper la file. Nous roulons juste derrière la voiture mortuaire qui est simple et de bon goût, telle qu'aurait pu la choisir ma mère, si, pour un jour, elle s'était intéressée à la chose automobile. C'est un break Citroën gris métallisé, à peine déguisé en corbillard.

Nous, nous sommes dans la voiture de Jean-Louis. Montand est assis devant à côté de Pedro, son chauffeur. Je suis derrière, avec Benjamin et Maurice. Je suis dans une espèce de coma depuis que j'ai laissé derrière moi la grande maison blanche éventrée par ses portes à double battant. Loin aussi de cette fraîche vision de l'allée de platanes sur le petit pont de bois qui enjambe le ru qui ne coule plus comme avant.

Rien. Plus rien que ces bornes sur l'autoroute et ce silence qui a un nouveau goût : celui de l'absence irrémédiable. Je regarde fixement la nuque de Montand, raide et marquée de profonds sillons comme celle des paysans. Je pose simplement ma main sur son épaule, près du cou, et je serre tendrement.

– Elle me caressait souvent la nuque quand je conduisais, dit-il en réprimant un sanglot.

Les kilomètres défilent, et avec eux un morceau d'enfance me salue au passage à la hauteur de Bonnières, là où il y avait l'usine Singer, là où, bien évidemment, on fabriquait les singes... chose que j'ai toujours fait croire que je croyais à celui qui voulait me le faire croire, ce même Montand qui en ce moment refaisait dans sa tête le chemin à l'envers.

Nous avions informé les plus proches qu'ils pourraient pénétrer dans le cimetière par la porte Gambetta, les autres portes étant fermées afin de préserver les autres tombes d'un massacre inévitable par trop d'affluence. C'est Jean-Claude Dauphin et Patrice Chéreau qui furent les gardiens du Temple, et je dois dire qu'ils se sont acquittés de cette tâche ingrate avec beaucoup de gentillesse et d'efficacité.

Nous, les privilégiés, nous avions la possibilité de suivre le fourgon en voiture jusqu'au bout. Dès les abords de la place Gambetta les trottoirs étaient envahis de gens qui brandissaient la une de *Libé*, un gigantesque « SIMONE » au-dessus d'une voluptueuse photo représentant Maman dans *Macadam*, et en légende ce texte qui la résumait toute : « LA NOSTALGIE COMMENCE AUJOURD'HUI. Morte hier d'un cancer à l'âge de soixante-quatre ans, Simone Signoret était plus qu'une star. Elle engagea sa beauté dans le cinéma et mit un peu de beauté dans les engagements de l'époque. Jeune, elle fut notamment Casque d'or ; vieillissante, elle était devenue une formidable présence. »

Certains avaient des fleurs, d'autres se signaient, beaucoup pleuraient, d'autres encore saluaient de la main comme pour dire au revoir. Tout ce monde recueilli dans un même esprit de respect et d'amour. Quelle belle manif' ! Une foule silencieuse et dense qui forçait l'admiration de Montand au point qu'il laissa échapper :

– Regarde, Cathou, c'est formidable, qu'est-ce qu'elle va être contente !

Le fait est que c'était beau et digne et presque plus triste. Nous étions fiers. Plus nous approchions du cimetière, plus la foule était compacte et dense, et plus Montand s'émerveillait.

Après, tout est allé très vite. Dès que nous avons passé la porte du cimetière, même en roulant au pas, nous en avons vite rejoint le haut, à la hauteur du crématorium.

Le maître de cérémonie fait stopper le convoi. Nous descendons de voiture. Dans mon brouillard, je reconnais quelques têtes alentour. Brusquement, un homme sort avec difficulté du groupe des intimes. Il se jette dans mes bras, il sanglote. C'est mon père.

– Qui c'est ? me demande Montand, visiblement mécontent.

Et je m'entends lui répondre, avec une intonation incroyablement proche de celle de ma mère et avec ses mots à elle :

– C'est le père Allégret.

C'est la dernière fois que j'ai vu mon père vivant. Il venait dire un dernier adieu à celle avec qui il avait partagé près de dix ans de sa vie et de sa carrière quarante ans plus tôt, et Montand ne le supportait toujours pas ; c'était magnifique !

Ils ont sorti le cercueil de chêne clair du fourgon. Ils l'ont porté au bord de la tombe, puis descendu à l'aide d'une corde au fond du trou. Nous avons été invités à nous approcher pour un ultime regard. Montand et moi devant. Lydia, la sœur de Montand, se cramponnait à mon bras. Je l'ai suppliée de me lâcher, de ne pas me toucher. A cet instant précis, je n'aurais pas supporté que quiconque me touchât, c'était physique, personne n'était autorisé à se mêler de cela. Je ne pleure pas. Je suis vivante, je marche, qu'on me laisse. Je ne sais même plus qui je suis, ni où je suis. C'est complètement irréel, encore un moment qui ne m'appartient pas.

Je suis simplement près, très près de Montand. Nous voici au bord du trou, au bord du gouffre. Je l'entends murmurer :

– Prends-moi par le bras, Cathou.

Ce que je fais comme un automate. C'est fou comme il tremble. Tout son corps tremble. Un instant j'ai peur qu'il ne tombe dans la fosse. Il prend une rose rouge, l'embrasse et la jette sur le cercueil. Je fais de même. Pas le temps de pleurer, de se recueillir, il faut partir, échapper à la foule. Je serais bien restée un peu, moi. J'aurais bien vu les copains, j'aurais bien aimé, j'aurais bien voulu... Papa ? où est Papa ? Seulement voilà, il est temps pour moi de réaliser que, si je n'ai pas toujours pu profiter de ma mère de son vivant, je viens aussi, à cet instant précis, d'être privée de sa mort, dépossédée.

Nous remontons dans la voiture et je suis totalement incapable de dire quelle voiture. Nous voici sur le chemin du retour, croisant la même foule anonyme qui se prépare à jouir de son chagrin, elle, sous l'œil ébloui de Montand, qui ne se lasse toujours pas de voir autant de monde.

Allez, roulez, petit bolide, il faut rentrer maintenant. Le cortège s'est considérablement restreint. En fait, il n'y a plus que Montand, Benjamin, Maurice et moi roulant tristement sur l'autoroute de l'Ouest vers la grande maison vide.

Arrivée à Autheuil, je réalise que tout s'est réellement passé très vite. Il n'est que deux heures et demie et une petite faim nous chatouille l'estomac. Nous grignotons, sur un coin de la table de la salle à manger, un morceau de poulet froid, reste du buffet non-stop organisé la veille à la hâte et avec génie par Marcelle et sur lequel des visiteurs, plus ou moins souhaités, plus ou moins émus et plus ou moins polis, s'étaient jetés avec appétit.

Dans la soirée, Jean-Claude Dauphin nous a rejoints. Il est resté un peu au cimetière après notre départ. Nous faisons le compte des absents et des présents. Nous tentons quelques quolibets, mais le cœur n'y est pas. Ce soir, dans cette maison privée à jamais de son âme, nous nous sentons réellement orphelins. Montand s'est abîmé devant la télé dans sa chambre. Je vais le voir. Je m'allonge dans ses bras. Je pleure. Il me console. Pour une fois je n'ai pas peur, pour une fois il me parle comme un père, et, pour un instant, il me rend ma mère.

36

Le lendemain, Montand s'envole pour le Midi. Le chagrin en bandoulière, il part rejoindre Jean de Florette et Manon des sources sous le soleil de la Provence. En ce qui me concerne, j'attendrai un peu pour reprendre ma place au théâtre ; entre certains journalistes de la presse à sensation et quelques spectateurs qui se précipitent aux caisses pour voir l'orpheline de près, les abords des Bouffes-Parisiens ne sont pas sûrs, mieux vaut attendre que les choses se calment un peu.

Ces quelques jours de répit ne vont pas être de trop. Montand est reparti vers son travail en nous laissant en charge de quelques formalités dans le quartier du Père-Lachaise... Il avait dit : « Faites ce que vous voulez, faites pour le mieux et ce sera bien comme ça. Je n'irai pas la voir là-bas, et puis de toute façon, pour moi, elle n'est pas là-bas. »

C'est à Vincennes, très tôt le matin, dans la nouvelle maison, où nous avons emménagé au lendemain de l'enterrement, que M. Chapillon (le roi du réveillon) vient nous rendre visite en compagnie d'un acolyte qui travaille, lui, pour la maison Rébillon (marbres et cotillons en tout genre). Le moment est venu de se décider sur le style du caveau, le « look » de la tombe pour être plus précis. Un caveau, ça se construit comme une maison. Il existe des architectes pour cela. Mais on ne peut pas faire n'importe quoi. Le projet de sépulture doit recevoir l'approbation de M. le conservateur du Père-Lachaise. C'est tout juste s'il ne faut pas un permis de construire et l'accord des Bâtiments de France !

Alors, quel genre souhaitons-nous ? Une fois de plus nous sommes tentés de glisser dans le mauvais goût : opterons-nous pour quelque chose de grandiose en marbre, ou bien pour le genre mausolée surmonté d'une gigantesque statue à l'effigie de Casque d'or... en bronze par exemple ? Hé ! pourquoi pas ! ça ne manquerait pas de chic. Mais M. Paul, nouveau venu dans notre histoire, ne semble pas goûter notre forme d'humour. Bon. Non... De la pierre, de la pierre, et rien d'autre. Simple mais de bon goût. C'est difficile de choisir pour les autres. Il faudrait pouvoir décider de cela avant, cela éviterait bien des erreurs, et d'ailleurs il y a des gens qui ont ce don de l'organisation.

Nous devons donc nous rendre ensemble dans le bureau de l'architecte pour lui faire part de nos désirs. J'ai bien une idée...

Quand j'étais plus jeune, j'allais souvent me promener dans le cimetière de Saint-Paul-de-Vence. Je ne sais pas pourquoi, j'ai toujours aimé cet endroit planté au bout du village. Et je revois cette tombe qui m'a toujours fascinée : des dalles carrées en pierre blanche posées à même le sol. Combien ? Je ne sais pas. Peut-être six ou neuf. Pour la préserver des pas des visiteurs, simplement une chaîne, soutenue en quatre ou six points par des porte-anneaux de faible hauteur. Je serais incapable de dire s'il y avait une inscription, tout comme je ne saurais évoquer le nom de la famille qu'elle abrite. Peut-être même que dans la réalité elle n'est pas du tout comme cela, mais ce que je sais, c'est que, dans la mémoire qui me baigne à cet instant, elle paresse à l'ombre de grands cyprès et elle distille tout autour d'elle un tel effluve de paix et de douceur, quelque chose de si peu triste, qu'on pourrait presque avoir envie de mourir un tout petit peu pour y dormir une nuit ou deux, et puis revenir, oh oui, s'il te plaît, revenir !

Mon évocation ne semble pas convaincre l'architecte de la maison Rébillon. Enfin, il va plancher.

Et pour la couleur de l'inscription, alors, que fait-on ? Je ne sais pas, je ne sais plus. Sépia ! Qu'est-ce que vous en pensez ? Ce serait joli avec la pierre blanche. Vous ne savez pas si cela va être possible ? Bon, alors sépia, avec deux croissants ! Je dis n'importe quoi, de toute façon je pleure maintenant. C'est malin ! Qu'est-ce que j'avais besoin de convoquer mon enfance à un rendez-vous aussi macabre ! Des dalles de la tombe à celles de la terrasse de la Colombe d'Or il n'y a pas loin, d'ailleurs elles sont faites de la même pierre. Je cours vers ma mère, des colombes blanches s'envolent au-dessus de ma tête, je porte une petite robe à bretelles avec des bateaux bleus, c'est l'été, Titine Roux sourit, j'ai quatre ans et je suis heureuse.

Mais cette visite à l'architecte des profondeurs n'a pas été la plus joyeuse que nous ayons eu à accomplir durant cette période. Nous avons eu beaucoup mieux : un matin, M. Chapillon nous téléphone pour nous annoncer que nous ne pourrions pas conserver l'emplacement qui nous avait été attribué pour la construction du caveau. En effet, au cours des premiers travaux d'excavation, les maçons-fossoyeurs se sont rendu compte qu'à l'endroit même où devait s'élever notre résidence tertiaire une jolie source s'égayait profond sous terre.

Montand, dans sa grande générosité, avait commandé une grande maison pour quatre, envisageant qu'un jour viendrait où nous les rejoindrions, Maman et lui... et la présence de cette source rendait l'achèvement des travaux impossible. Pour l'instant, Maman attendait dans une fosse commune à l'entrée du cimetière.

Décidément, l'esprit familial n'avait pas tardé à se manifester ! Après tout, il n'y avait pas de raison pour que Maman, qui était la championne des histoires bien rondes, ne nous fît pas un petit clin d'œil en faisant batifoler une source sous ses pieds, puisque Montand, lui, tournait Manon, Manon des sources. Et l'aspect poétique et légèrement surnaturel de l'événement adoucit un peu la tristesse du moment.

Nous avions insisté pour qu'elle fût le plus près possible de son ami Claude Dauphin tout en restant accessible aux passants qui auraient souhaité la saluer. On nous assura que l'on ferait le nécessaire pour retrouver un autre endroit tout aussi convivial. Bientôt on nous informa que nous avions de la chance : on nous avait trouvé un autre emplacement, mieux que le précédent !

C'est alors que j'eus l'idée de demander l'autorisation de planter un arbre. C'est Mme Rosa qui me le demandait soudain, sous son grand chapeau, s'en allant pique-niquer, portée à bras d'homme dans son fauteuil : « Quand je serai morte, je veux qu'on m'enterre sous un arbre... »

Je voulais un saule, un saule pleureur. Le saule me fut refusé à cause de son goût prononcé pour

342

l'eau qu'il allait traquer n'importe où à l'aide de ses longues racines musclées, ce qui, en effet, risquait de provoquer certains dégâts dans le cimetière vu la nature des sols. On me proposa un bouleau, un bouleau argenté. Oui. Pourquoi pas, tant que ce n'est pas un arbre de cimetière !

Nous avions souhaité aussi qu'il y ait un banc près de la tombe pour que ceux qui auraient envie de converser un peu avec elle puissent s'y arrêter un instant. Tout cela dans le plus pur style tchékhovien. Mais, tout de même, il ne fallait pas confondre cimetière et jardin public ! Et pourquoi pas un tas de sable aussi ! Un tas de sable, non, mais un samovar...

Vint le jour où les travaux furent achevés.

Entre-temps, nous étions allés rejoindre Montand dans le Midi pour son anniversaire. Nous n'étions jamais que le 13 octobre, la tombe de Maman était encore béante, et nous n'avions pas voulu le laisser seul ce jour-là. Nous avons donc « fait charter » avec Benjamin, Dauphin, Casta, les Kouchner, les Semprun, Maurice et moi, Clémentine restant à la garde de sa Mamie Hélène, à Vincennes.

Mine de rien, ça vous avait un petit air de fête, ce déjeuner sur la terrasse en plein soleil, et nous étions presque joyeux en trinquant sur l'air de « Allez, tiens, encore un que Simone n'aura pas ! ». Après le déjeuner, chacun s'est retiré dans sa chambre. Montand m'a montré la pile de lettres auxquelles il s'efforçait de répondre un peu chaque jour. Il était bouleversé par tant de témoignages dont certains étaient réellement magnifiques. Sa secrétaire s'étant pudiquement et discrètement éclipsée pendant ces quelques heures d'intimité familiale et amicale, je débrouillai pour lui certains problèmes d'accord de participe. Puis j'ai rejoint Maurice.

Le temps s'écoulait doucement, mais sûrement. Je regardais avec angoisse ce téléphone qu'il fallait absolument que j'utilise avant la fin de la journée : le 13 octobre, c'était aussi l'anniversaire de mon père. Car ma mère, qui n'a jamais voulu croire à l'astrologie, qui a toujours affiché un matérialisme obstiné, qui a toujours flirté avec les signes du destin en les appelant des coïncidences, n'avait rien trouvé de mieux, pour faire sa vie de femme, que d'épouser deux hommes, deux Yves, tous deux nés le 13 octobre. Merci, maman, maintenant il faut que j'appelle l'autre, mon père génétique qui a quatre-vingts ans aujourd'hui !

La sonnerie retentit. C'est Michèle – la cousine – qui décroche et me dit : « Je te passe ton père. » A l'autre bout du fil un vieux bonhomme, pas vraiment de bonne humeur, toussote et se plaint du temps qu'il fait dans les brumes des Yvelines. Et je m'entends lui dire cette horreur : « Ecoute, papa, ça suffit ! Tu as quatre-vingts balais aujourd'hui, et tu es vivant, toi ! »

Je n'aurais pas dû. Si j'avais réalisé que je l'avais vu pour la dernière fois derrière le cercueil de ma mère, je ne lui aurais sans doute pas dit cela. Mais pour l'instant il m'était physiquement insupportable d'entendre cette vieille bête se plaindre de ses bronches le jour de ses quatre-vingts ans, alors que douze jours plus tôt j'avais enterré ma mère qui n'avait que soixante-quatre ans !

J'ai abrégé la conversation. J'étais folle de rage. Et puis j'étais mal dans cette chambre ; je n'avais qu'une seule envie : rentrer à Vincennes, chez nous, retrouver Clémentine, retrouver la vie. Regarder devant. Devant ! Pas derrière.

Novembre. J'ai repris ma place au théâtre. Le soir de mon retour, les copains de la troupe, la direction et la production s'étaient mobilisés pour me faire un accueil digne des grands soirs de générale. La petite loge des Bouffes-Parisiens croulait sous les cadeaux, les messages d'encouragement et les fleurs... et les bouquets de Maurice et de Clémentine, celui de Benjamin ou de son père n'étaient pas parmi les plus moches. Pierre Arditi, quant à lui, avait déposé sur ma table de maquillage l'un de ses fétiches : une fragile fleur en porcelaine bleue avec une tige et des feuilles en argent plantées dans un petit pot lui aussi en argent. Ce soir-là, je me suis vraiment sentie aimée et accueillie.

Novembre encore. C'est la dernière ligne droite. Tout est prêt pour placer Maman dans son ultime demeure. Nous voici dans notre chambre, Maurice et moi. Demain matin nous partons de bonne heure, nous avons rendez-vous à 8 heures au Père-Lachaise... Allongée à ses côtés, je regarde fixement le petit bouquet de fleurs séchées qui trône dans son support sur la commode. Je me dis qu'il serait bien avec Maman. C'est mon bouquet de mariée. Fabrication maison. Les roses qui ornaient l'unique rosier de notre maison square Montsouris... les premières roses de mai, cueillies avec amour et émotion au matin du 28 mai 1984, disposées en bouquet rond au centre d'un napperon en dentelle de papier et entourées d'un ruban de satin blanc, précieux reste de l'un des cadeaux de naissance reçus deux mois et demi plus tôt pour l'arrivée de Clémentine...
Comme dans la chanson de Brassens, nous avions

tenu, Maurice et moi, à nous marier en présence de nos enfants et en très petit comité. C'est donc en compagnie de Clémentine portée dans un sac kangourou par son frère Benjamin, et assistés de quatre témoins chers à notre cœur, Christine et Jacques Weber, Maïté et Bernard Dieuleveut, mais en l'absence de nos parents... que nous nous allâmes épouser à la mairie du quatorzième arrondissement.

Le maire, qui nous avait repérés, Jacques et moi, a cru pendant un instant qu'il allait nous marier ensemble, puis, ce léger malentendu dissipé, s'est informé de ce que nous étions bien au complet en prononçant la même phrase que le maire de La Ciotat qui nous avait mariés, Amidou et moi, pour le cinéma dans *Smic, Smac, Smoc* :

– Vous n'attendez plus personne ?

Non, non, nous n'attendions plus personne. Nous étions heureux, nous nous épousions pour nous, pour nous seuls. Nous avions simplement fait imprimer quelques faire-part qui disaient : « Clémentine et Benjamin ont la joie de pouvoir (enfin) vous annoncer le mariage de Catherine et Maurice le 28 mai 1984 à la mairie du 14e arrondissement dans une plus que stricte intimité mais néanmoins dans la joie et la bonne humeur. »

– A quoi tu penses ? me demande Maurice.
– A rien... Je me disais simplement que j'aurais bien envie de faire un truc mais je ne voudrais pas que tu le prennes mal. J'ai envie de donner mon bouquet de mariée à Maman demain, j'ai envie qu'il soit avec elle, c'est ce que nous avons de plus proche de nous et je voudrais bien qu'il reste avec elle.
– C'est drôle, c'est justement ce que j'étais en train de me dire.

– Tu vois ! Finalement on devrait peut-être se marier...

– Finalement, oui !

8 h 30 au Père-Lachaise. Nous sommes aussi peu nombreux que le jour de notre mariage. M. Chapillon, M. Paul, M. le conservateur du cimetière, Maurice, moi... Madame le commissaire du onzième arrondissement. Mais oui, bien sûr ! car, dans le cas qui nous préoccupe ce matin, il s'agit d'abord d'une exhumation. On ne peut pas changer un cercueil d'emplacement sans la présence d'un officier ministériel. Celle-là, dans le genre femme flic, est beaucoup moins gracieuse que Miou-Miou dans le même rôle.

Et voici que tout recommence. Nous sommes de nouveau derrière le cercueil et nous marchons vers un trou. Sans fleurs ni couronnes. Et ce cercueil derrière lequel je marche est bien celui de ma mère, mais cette fois-ci il n'y a plus la foule, il n'y a plus Montand, il n'y a plus les copains. Il n'y a que Maurice et moi, moi qui me cramponne à son bras en tenant bien serré le petit bouquet du bonheur.

Et personne autour de nous ne réalise que pour lui et moi c'est aujourd'hui que nous enterrons vraiment Maman. Pour eux, c'est une formalité, le boulot a déjà été fait le 1er octobre, c'est du passé tout cela. Et d'ailleurs, à ce propos, si je voulais jeter un coup d'œil sur l'inscription, sur la couleur de l'inscription, ce serait bien parce qu'ils sont un peu pressés ce matin... Et moi qui suis là, qui traîne, qui me recueille devant cette tombe en serrant ce bouquet ridicule et fané... non, pas fané ! séché, s'il vous plaît !

Oui, donc, la couleur, ça va ? les caractères, c'est

bien ? Je sanglote au bord du trou, Maurice me prend dans ses bras. Je sanglote dans ses bras. Ni pudeur, ni retenue. C'est le chagrin à l'état brut, violent, cruel, impossible à contenir. Cette boîte au fond de ce trou qui contient le corps de ma Maman, ma Maman qui est morte.

Je jette le bouquet qui tombe en plein milieu du couvercle, là même où d'autres mettent des croix ou des crucifix. Je relève enfin la tête et je lis à travers mes larmes, gravé sur la pierre blanche dans des caractères sépia de toute beauté :

SIMONE SIGNORET
1921-1985

37

Maintenant, il va falloir mettre un peu d'ordre dans notre vie. Ne pas perdre de vue qu'elle continue, la vie. Dans notre malheur, nous avons déjà la chance d'avoir déménagé, et les indésirables ont beaucoup de mal à nous retrouver.

Moi aussi, j'ai un mal fou à me retrouver ; les mois passent, et plus ils passent, moins je me sens bien.

Benjamin n'est pas très frais non plus. Il lui arrive même de sécher les cours pour aller au Père-Lachaise parler à sa grand-mère, lui demander pardon de n'avoir pas lu ses livres, ou pleurer, tout simplement.

Un jour, en rangeant sa chambre, je trouve, accrochée sur un grand portrait de Maman posé près de son lit, une feuille de classeur sur laquelle il a inscrit :

« Je voulais simplement te dire que ton visage et ton sourire resteront près de moi sur mon chemin. Te dire que c'était pour de vrai, tout ce qu'on s'est dit, tout ce qu'on a fait, que c'était pas pour de faux, que c'était bien. Mais surtout jamais regretter, même si ça fait mal, c'est gagné, tous ces moments, tous ces mêmes matins.

« Je ne vais pas te dire que faut pas pleurer, y a

vraiment pas de quoi s'en priver, tout ce qu'on n'a pas loupé le valait bien.

« Peut-être on se retrouvera, peut-être que, peut-être pas, mais sache qu'ici-bas je suis là. Ça restera comme une lumière qui me tiendra chaud dans mes hivers, un petit feu de toi qui ne s'éteint pas. »

Nous sommes retournés à Autheuil, et Maman me saute au cœur à chaque bouton de porte, à chaque objet, à chaque bouchée de rillettes. Et ce parfum qui flotte dans l'air. Ce Shalimar de Guerlain qui a tout imprégné... sans compter celui qui flotte parfois dans des lieux où elle n'a jamais mis les pieds.

Et Clémentine qui la cherche, qui veut toujours aller dans sa chambre, et que j'ai emmenée dans sa chambre pour qu'elle voie bien qu'elle n'est plus là.

Il faut croire qu'il existait une relation extrêmement forte entre elles deux. Un peu comme si ma mère, avec Clémentine, rattrapait un certain temps perdu...

A la mort de Maman, nous avons commis une grave erreur. Nous ne l'avons pas dit à Clémentine. Même si pour elle ce mot de mort ne devait rien évoquer, c'était un mot nouveau, différent du verbe partir que nous avons bêtement employé à la place. Nous avons voulu la préserver, elle n'a donc rien su, rien vu. Après l'enterrement, quand elle passait devant la chambre de sa grand-mère, elle répétait inlassablement : « Mémé ? Mémé ? » « Mais non, Clémentine, tu sais bien qu'elle n'est plus là, Mémé, elle est partie ! » Et, pour qu'elle voie bien que sa Mémé n'était plus là, je lui ouvrais la porte de la chambre... « Eh oui, partie, Mémé... », disait-elle tristement, et nous passions à autre chose.

Six mois plus tard, vers le mois de février – Clémentine a alors deux ans –, Lydia a rejoint son Autriche natale. Une autre a pris sa place, française, mythomane et totalement inefficace. Clémentine devient anorexique et ne va pratiquement plus à la selle. Elle dort mal. Elle qui reconnaît toute sa famille sur les photos qui traînent dans la maison refuse obstinément d'y reconnaître sa grand-mère. Elle se contente de dire : « Non, pas belle, la dame », en secouant la tête.

Un soir, alors que nous parlons d'elle à table avec cette soi-disant nurse, nous apprenons que, souvent, lorsqu'elles se promènent dans le bois de Vincennes, Clémentine se met à courir après des silhouettes aux cheveux courts et gris en criant « Mémé », alors que c'est un mot qu'elle ne prononce plus à la maison. Cette pauvre fille ne nous avait rien dit, jugeant sans doute la chose de peu d'importance.

Le lendemain, j'appelle le docteur G., le pédiatre de Clémentine. Nous avons une confiance immense en cet homme qui fait partie, lui aussi, d'une race de médecins en voie de disparition. Toujours disponible, toujours à l'écoute, il soigne aussi bien les angoisses des parents que les maux des enfants. Et je lui raconte.

– Qu'est-ce que vous lui avez dit quand sa grand-mère est morte ?

– Eh bien... je lui ai dit qu'elle était partie...

– Voilà, ne cherchez pas ! Clémentine sait que les gens qui partent disent au revoir, et surtout qu'ils reviennent ! Et elle ne comprend plus. Elle est à un âge où elle classe, et il lui manque un élément. C'est ce qui explique qu'elle ne veuille pas reconnaître sa grand-mère sur les photos. Elle lui en veut. Elle est fâchée et elle est malheureuse.

– Alors, qu'est-ce qu'on fait maintenant ?

– Emmenez-la au cimetière.

Devant mon silence accablé, il poursuit :

– Oui, je sais, cela vous paraît sans doute violent, mais cela ne le sera que pour vous. Ce sera salutaire pour elle, elle pourra situer sa grand-mère, elle comprendra pourquoi elle n'est pas revenue. Faites ça un jour où il fait beau, allez-y avec votre mari et Benjamin, faites ça en famille, et tenez-moi au courant.

Nous avons scruté le ciel et nous avons choisi une belle journée d'hiver pour nous rendre au Père-Lachaise. Nous sommes partis tous les quatre en disant à la petite que nous allions lui montrer où était sa Mémé. En arrivant près de la tombe, nous voyons un peu plus loin deux dames aux cheveux courts et gris, de dos. Clémentine les voit aussi et joyeusement s'écrie « Mémé » en les montrant du doigt.

– Non, mon bébé, ce n'est pas Mémé...

Et, tout en la conduisant sur la tombe de sa grand-mère :

– Tu vois, Mémé elle est là... couchée sous les fleurs... elle est morte.

Clémentine lève vers nous ses grands yeux verts.

– Là ?

– Oui, là, tu vois, couchée sous la terre, tu comprends ?

– Oui... pourquoi elle est morte ?

– Elle était très malade, tu sais, alors elle est morte.

Et nous sommes repartis. Durant le chemin du retour, assise à l'arrière de la voiture à côté de son frère, elle n'a cessé de répéter :

– Eh oui, elle est morte, Mémé ; elle est couchée sous les fleurs, on ne la reverra plus.

Depuis ce jour, tout est rentré dans l'ordre. Nous parlons souvent de Maman avec Clémentine.

Maintenant elle comprend pourquoi je suis triste parfois et pourquoi je pleure encore sans raison.

Un matin, avant de partir pour l'école, je la vois plongée dans un abîme de réflexions devant une photo qui nous représente Maman, Montand et moi, au pied d'un avion.

– Qu'est-ce que tu regardes ?

– Rien, je regarde... Qui c'est ? me demande-t-elle en désignant la petite fille que j'étais à neuf ans.

– Ne fais pas la bête, tu vois bien que c'est moi.

– Oui, et là, c'est Mémé et là, Montand... ?

Elle devient tout à coup très songeuse.

– Oui... à quoi tu penses, dis-moi ?

– Je voudrais être toi quand tu étais petite pour pouvoir aller me promener en avion avec Mémé et Montand.

Moi aussi.

Ça m'embête de penser qu'elle ne la verra pas grandir, qu'elle ne l'entendra pas pousser. Ça oui, ça m'embête.

Elle nous a laissés seuls, plantés devant l'immensité de son absence, privés de sa sévérité, de son indéfectible savoir, de son épuisante mémoire. Elle nous a livrés au chagrin populaire, à la prose niaise de certains qui, pour nous consoler de notre peine, nous racontaient les leurs.

Je suis clouée par le chagrin face à ce paysage que ma mère a regardé tant de fois : le bocage normand. Sa pluie, ses nuages, son soleil aussi parfois, ce capricieux soleil qui nous faisait dire, en plein mois de mai, que, pour un temps de Toussaint, nous n'avions pas trop à nous plaindre.

En mourant, ma mère m'a redonné l'enfance. En ce mois de mai 1986, je viens d'avoir quarante ans et je pleure comme une enfant tout en respirant son odeur, comme lorsque j'étais petite et que je me vautrais dans sa penderie, la tête enfouie dans son manteau de loutre, pour la retrouver quand son absence me devenait insupportable.

Un gros chagrin d'enfant inconsolable. Je regarde Clémentine qui ne réalise pas la chance qu'elle a de pouvoir prononcer ces deux syllabes magiques : MA-MAN. Je la regarde, et je sens que je vais tomber malade.

Malade d'envie, de jalousie.

Lentement, mais sûrement, je sombre dans une sorte de schizophrénie. Je ne peux plus faire un geste avec Clémentine sans qu'aussitôt « quelqu'un » vienne s'interposer entre elle et moi, entre mon amour pour elle et le souvenir de ma mère. Que je la coiffe ou que je l'habille, que je prenne un bain avec elle ou que nous roulions sur le lit en chahutant, c'est toujours la même voix qui revient dans ma tête et qui me harcèle : « Est-ce que ta mère a jamais eu ces gestes avec toi ? et de ces moments-là, combien en as-tu vécus avec ta mère ? » Il y a « moi » qui fais, et « moi » qui pose des questions. Il y a surtout « moi » qui connais les réponses et qui réalise peu à peu que la mère qui me manque à présent n'est pas celle qui est morte, mais celle qui m'a manqué toute ma vie.

Clémentine doit subir mes angoisses telle une éponge qu'on tremperait dans un liquide malfaisant, car nos relations se détériorent jusqu'à atteindre un point paroxystique. Je ne la supporte plus. De toute façon, dès que je l'approche, elle se raidit. Seul son père peut obtenir quelque chose d'elle. Son regard vert, qui n'est pas sans me rappeler un « certain regard », semble me juger sans cesse. Je suis en plein cauchemar. Jusqu'à son contact qui me devient douloureux, et j'ai mal partout ; j'ai mal au cœur, j'ai mal à l'âme, je me sens perdue, désespérée. Cette petite fille que j'aime d'un amour absolu, violent, me renvoie soudain l'image de ma propre misère. Je suis en train de lui faire payer chèrement mes soins attentifs, ma présence et ma tendresse pour elle.

Par bonheur, je suis consciente de ce que je vis maintenant comme une horreur, et je réussis à en parler à Maurice. Il accueille ces aveux sans surprise. Il a perçu ce poison qui peu à peu me pourrit le cœur. Il comprend aussi. Il salue mon courage d'exprimer une telle réalité, et surtout il me rassure. « C'est déjà bien de le dire, tu dois te sentir mieux... Non, tu n'es pas un monstre puisque tu en parles... » Quant à moi, je ne dois pas m'arrêter là. Il faut que j'exorcise ce mal.

« Je viens vous dire que je ne reviendrai plus. Je sais ce que je voulais savoir : je pleure la mère que je n'ai jamais eue. » Voilà ce que j'ai lâché sur le divan du psychanalyste au début de la deuxième et dernière séance de l'analyse que j'avais entreprise au début de l'hiver 1986, lorsque j'avais décidé de me reprendre en main dans ma grande misère psychologique.

Je passais mon temps à regarder derrière moi, au point de ne plus réussir à voir avec bonheur ce qui était devant : la vraie vie, mon mari et mes enfants qui m'aimaient et que j'aimais. J'allais si mal que je pensais que seule une halte chez un psychanalyste pouvait maintenant me sauver. Je ne devais cependant pas être très convaincue d'avoir fait le bon choix car, dès le jour de ma deuxième séance, j'en retirais ces impressions, jetées à la hâte, dans la salle d'attente, sur un cahier d'écolier : « 12 janvier. Moins 12°. Dehors, brr, froid, froid. Drôle de temps pour aller se "faire laver la tête" et risquer de ressortir les cheveux mouillés... des larmes de souvenir.

Me voici chez le "head-shrinker[1]", comme disait Maman de ceux qui font profession de vous sortir de vos angoisses.

Deuxième séance... et pour le moment, pas d'angoisse dans ce salon d'attente où les cendriers débordent. J'observe à la dérobée. A ma gauche, un genre de physique à la Folon, mais en châtain clair. Il attend son tour, qui sera avant le mien.

Chez le dentiste, on devine sans peine que son compagnon de salon d'attente souffre probablement d'une carie ou d'un quelconque problème dentaire facile à cerner, à réparer. Mais ici, chez le "coiffeur pour drames", les hypothèses sont plus vastes.

Mieux vaut d'ailleurs ne pas en faire car... clic clac, la porte s'ouvre : une dame. Elle vient se coller juste à côté de moi, cette blondasse ! Sept chaises vides, bien au calme, non plaf ! elle choisit LA chaise près de moi, avec vue imprenable sur mon intimité. Je me tourne et je réinstalle mon bureau de fortune.

Aujourd'hui, je suis au bord de me demander ce que je fous là. Il fait beau, je suis bien. Il me semble avoir déjà compris que je pleurais une mère que je

1. « Rétrécisseur de tête ». Aux Etats-Unis, c'est ainsi que ceux qui sont contre la psychanalyse appellent les psy, en référence aux Jivaros réducteurs de têtes.

n'avais pas eue. A travers ma fille, j'essaie de revivre ma mère... »

J'avais donc fait cette découverte qui me paraissait d'importance, mais qui n'eut pas l'heur de plaire à ce disciple de Lacan qui avait, selon l'usage, à peine desserré les dents, mais suffisamment grommelé pour que j'interprétasse ses borborygmes comme une large désapprobation. « Mmmm oui... c'est un peu simple, Mmmm... »

Je ne prononçais plus une parole, toute à la joie de cette clef que j'avais en main. Il ne me manquait que la serrure et je savais déjà qu'il ne l'avait pas en magasin. J'attendais, tout en comptant les poutres qui ornaient le plafond de son cabinet, qu'il me congédiât. « Bien... C'est tout pour aujourd'hui. » Il me donna un autre rendez-vous, que j'ai accepté, un peu lâchement, sur le moment.

Je commençais à concevoir une certaine antipathie pour cet homme, qui, déjà, n'avait su me dire que « oui... oui... » lors de notre première entrevue au cours de laquelle je n'avais pas réussi à achever une phrase, tant je pleurais. Dans ces conditions, il me paraissait difficile de continuer.

Je suis pourtant revenue... Mais je ne suis pas allée plus loin que le seuil de son salon d'attente, car cette fois-là six des sept chaises disponibles étaient occupées, sans compter l'attente en perspective, cela faisait aussi six paires d'yeux dont j'étais sûre, au risque de paraître prétentieuse, qu'au moins deux d'entre elles allaient me reconnaître et faire la relation entre ma présence en ces lieux et la disparition de ma mère. Ce n'était pas exactement ce que je recherchais dans l'immédiat.

En face de chez ce psy, il y avait un excellent salon de coiffure. Pour le prix d'une séance, j'avais la possibilité de changer de tête et, en plus, de repartir avec les cheveux secs. Je ne me suis donc pas privée de ce luxe inestimable. J'ai laissé mes idées noires dans le bac de lavage et quelques pointes de mon existence sur le carrelage du salon de coiffure. Et, tout doucettement, je décidai de réapprendre à vivre.

38

31 janvier 1987. Mon père est mort. C'est étrange, je ne peux pas dire que la nouvelle de sa disparition ait provoqué quelque chose de concret en moi. Mon père est mort ; qu'est-ce que ça va changer à ma vie hormis une idée ? Il était vivant, il ne l'est plus. Mais pour qui vivait-il ? Et puis, qu'est-ce que la notion de père signifie pour moi ? Une notion. Mon idée de père est morte.

PA-PA. Deux syllabes que j'ai à peine prononcées dans ma vie.

Lorsque Maurice est venu me prévenir au dernier étage de la maison de Vincennes où nous vivions, il était bouleversé. Il a dit : « C'est ton père. »

– Ah... oui, il fallait que ça arrive...

Ce samedi-là, mon père s'est éteint sans bruit, et rien ne bouge en moi. Dans l'après-midi, j'ai sillonné Vincennes avec Marie à la recherche d'une jupe noire et d'un pull, pour faire une orpheline présentable. Peut-être aussi pour affirmer le deuil que je portais depuis longtemps déjà au fond de moi.

Le lendemain, nous sommes partis, Maurice, Benjamin et moi, pour le voir. Nous avons rejoint cette propriété des Yvelines où il vivait depuis trente ans et dont j'ai eu du mal à retrouver le chemin. Jacky, un jeune vieil ami de la famille, nous a ouvert la porte, et nous sommes entrés dans cette maison où je n'avais pas remis les pieds depuis près de dix ans. Rien, ou presque, n'avait changé.

Il y avait un peu plus de poussière, un peu plus d'humidité, mais les meubles étaient toujours à la même place. Il y avait toujours cette même odeur d'huile pour le bain et de tabac mêlés qui embaumait l'air. Et puis surtout il y avait toujours Michèle. Michèle la cousine, Michèle Cordoue, sa femme, ma belle-mère, son dernier, son unique ? amour.

Elle était là, plantée au milieu du salon, titubant dans son rêve et dans son chagrin. Ses grands yeux verts, plus grands et plus fixes que jamais, balayaient le vide. Je l'ai embrassée. Elle était raide, ailleurs, hagarde. Bien sûr, j'ai eu l'impression qu'elle me reprochait quelque chose ; mais je n'avais rien à me reprocher. Parfois les histoires d'amour tournent mal, ou ne tournent pas du tout. Entre mon père et moi, c'est un peu ce qu'il s'est passé.

Jacky n'était guère plus bavard. A croire qu'il avait, lui, quelque chose à se reprocher. Peut-être sentait-il confusément qu'à cet instant précis je lui en voulais de m'avoir volé mon père puisqu'il vivait à ses côtés, dans une autre maison, mais sur la même propriété, et qu'il l'avait eu « à lui » bien plus que moi.

A cet instant précis, je les haïssais tous de ne pas m'avoir avertie qu'il allait si mal ; j'avais l'impression qu'après m'avoir volé sa vie on me volait sa mort, et que le même cirque recommençait : après ma mère, mon père... et à ce moment-là, je ne savais pas que ce n'était pas encore fini... je veux parler du vol de mes morts. Je suis entrée dans sa chambre.

Il était couché dans son lit, il était superbe, et, comme tous les morts bien élevés, il semblait dormir. Je me suis approchée de lui, j'ai caressé sa joue, son front, je l'ai embrassé et je me suis mise à pleurer. C'était doux la tiédeur de mes larmes qui tombaient sur mes mains glacées, doux et chaud de ressentir enfin cette peine. Je ne pouvais que répéter « salaud... salaud » tout en continuant à caresser sa joue du revers de ma main. Sa peau était glacée, mais ça ne me faisait pas peur. J'avais déjà beaucoup embrassé ma mère.

J'ai simplement demandé s'il n'avait rien dit pour moi, s'il n'avait pas demandé à me voir... Et devant l'absence de réponse, transpercée maintenant par cette paire d'yeux clairs qui me fixaient d'un air incertain, j'ai compris qu'il était mort tout seul et j'ai eu envie de partir.

Quelques jours plus tard, nous avions rendez-vous au crématorium de Villeneuve-Saint-Georges. Notre tendre ami Jean-Claude Dauphin, qui n'a jamais raté une « fête de famille », était une fois de plus à nos côtés. En présence de quelques très rares intimes dont Pierre Prévert, sa femme et sa fille, et de quelques survivants de la branche Allégret, dont la tante Valentine... que je reconnus à peine, nous allions assister à la crémation de cet homme qui fut mon père. Mais le convoi n'arrivait pas. Comme d'habitude, Papa était en retard. C'est devenu insupportable d'attendre. Au bout d'une grosse heure, j'en ai eu marre, et nous sommes partis, Maurice, Jean-Claude, Benjamin et moi.

Encore un rendez-vous manqué.

39

C'est en 1986, sur le trajet qui nous menait vers le pays d'enfance de ma mère, que l'idée m'est venue de commencer ces lignes, et c'est probablement là que j'achèverai ces pages. Partir d'un lieu où elle avait fini sa vie pour atteindre celui où elle l'avait commencée, quel drôle de voyage à la recherche du temps perdu...

Ce n'est pas la première fois que nous faisons ce chemin, et chaque fois c'est la même émotion. Être encore une fois ses yeux... Pouvoir lui raconter le village, le port, la mer et cette sérénité à perte de vue.

C'est vrai que le seul caprice que j'aie fait au moment de la mort de Maman a été pour recevoir ce terrain magique en bord de mer. Pour le reste, je me suis laissé faire. Ce terrain, ils l'avaient acquis, Montand et elle, lors d'une tournée à travers la France que Montand avait effectuée trente ans plus tôt.

Un petit morceau d'enfance souvent décrit par Maman dans *La Nostalgie*, deux fois sauvé des promoteurs par ma vigilance lorsque Montand avait le sentiment de « trop » posséder qui ne serve à rien. Car Maman et Montand n'avaient pas une âme de bâtisseurs. Construire devait leur sembler une aventure insurmontable. Et puis ils avaient déjà Autheuil... et pour Maman, posséder un peu de Saint-Gildas, c'était suffisant puisqu'elle avait sa mémoire...

Ce coin de paradis sur la presqu'île de Rhuys, où il ne se passe pas une seule journée sans que le soleil ait la politesse de montrer le bout de son nez, lui chauffait le cœur, en pensée. Et voilà qu'à présent il était à nous, ce morceau d'histoire, et nous venions de décider d'y inscrire la nôtre.

Voir Clémentine courir sur ces rochers où pas même la mer n'avait eu le pouvoir d'effacer les pas de Maman, des pas dans lesquels elle glisserait les siens comme en pays de connaissance, pour y trouver un peu de sa force ; se dire que peut-être la crevette qu'elle rapporterait fièrement dans son seau lui glisserait dans l'oreille, juste avant qu'elle ne la remette à l'eau : « Alors, ça recommence ? Ma parole, c'est de famille... ta grand-mère déjà... », tout cela nous apparaissait comme le lien indispensable à notre existence, une boucle qui devait elle aussi se boucler. Et, de même que certains s'appliquent à élever dans les cimetières d'imposantes statues à la gloire de leurs chers disparus, nous avons fait construire, sur les lieux de l'enfance de ma mère, une maison qui porte le nom évocateur de « Ker Volodia ».

Et, tandis que sa belle maison d'Autheuil était plus ou moins violée, et que, quoi qu'il soit advenu dans cette maison, nous étions sûrs qu'elle ne s'y sentirait plus très à l'aise, nous lui avons élevé ce coin de paix, jamais profané, toujours visité par des gens qui n'avaient pour elle qu'amour et respect, et je crois bien qu'elle nous y a suivis.

De toute façon, Autheuil, sans nous être officiellement interdite, nous était devenue tellement étrangère qu'il était temps de nous organiser un lieu à nous, où il serait possible de ne prendre nos repas que lorsque notre estomac nous ferait des signes de détresse (et non pas à heure fixe), loin d'un personnel asservi et totalement frappé d'amnésie, et où, surtout, nous aurions la faculté de transporter notre histoire, qui était riche et joyeuse et non pas carnavalesque.

C'est donc sur ce terrain, envahi par la lande depuis plus de trente ans, que « Ker Volodia » est sortie de terre, vierge de passé mais habitée de mémoire.

Tandis que la maison balbutie, se frayant un passage à travers le granit, tandis aussi que les elfes, si nombreux en Bretagne, assistent avec bienveillance à la construction de ce « mausolée », nous trouvons refuge aux Venêtes, un hôtel construit à fleur d'eau sur la pointe d'Arradon. Décrire cet endroit, parler de ses propriétaires, pourrait à soi seul faire l'objet d'un long récit. Disons simplement que le « hasard » a fait que nous nous sommes aimés, les frères Tixier, Clémentine, Benjamin et nous, et que nous avons trouvé dans ce lieu autant d'amitié que de plaisir.

A celui qui a parcouru le monde sans jamais s'arrêter à la pointe d'Arradon, je peux dire qu'il n'a rien vu, rien connu des beautés de ce monde. Le golfe du Morbihan, avec autant de perruques bouclées sur la tête qu'il a d'îles sur le dos, enveloppé par cette lumière qui change au gré de l'humeur du promeneur mélancolique qui parcourt ses rives ou qui contemple ses eaux... Il se dégage de ce paysage force et douceur, mystère et magie. Autant de sortilèges dont un cœur chaviré a besoin pour se remettre.

Nous avons élu domicile aux Venêtes durant les vacances de Pâques 1987. De cette façon, nous étions près de Saint-Gildas et nous pouvions suivre l'avancement de nos travaux sans avoir le sentiment d'être de passage. Jacques et Henri Tixier nous choyaient avec tous les égards dus à des cousins issus des brumes parisiennes. Clémentine et Hélène, sa grand-mère paternelle, sillonnaient les plages par la côte, à la rencontre de quelques crabes migrateurs dont les ancêtres auraient, semble-t-il, bien connu ma mère.

Ce séjour était doux, presque mélancolique, si nous songions que bientôt nous aurions nous aussi un « chez-nous » en Bretagne et qu'il nous faudrait quitter Arradon et ses onguents magiques. Un soir de mai où nous étions allés dîner « en ville », nous avons trouvé, à notre retour, une nuée de papillons jaunes collés sur notre porte de chambre. Tous ces messages portaient la mention « Urgent », avec toutefois une précision qui avait son importance : « Benjamin va bien. » Il n'empêche que cela sentait quand même le drame, car il nous était demandé de rappeler au plus vite la gendarmerie de Pontchartrain. Pontchartrain, c'est tout près des Mousseaux... dans les Yvelines : à n'en pas douter, il était arrivé quelque chose de grave.

Dans notre chambre, un pot de cerises à l'eau-de-vie confectionnées par Mme Tixier mère nous attendait, avec deux petites cuillères et deux verres... Nous les connaissions déjà, ces cerises... et elles étaient excellentes. Elles furent les bienvenues lorsque j'entendis, de la bouche du gendarme qui était de garde à cette heure tardive, que l'on avait découvert le corps sans vie de Michèle la cousine, Michèle ma belle-mère, gisant dans sa baignoire la tête la première, terrassée par une crise cardiaque au moment où, probablement, elle voulait se faire couler un bain.

40

Vincennes et la rue Louis-Besquel commençaient à nous peser. Décidément, ces murs avaient vu couler bien trop de larmes. Nous y avions emménagé au lendemain de l'enterrement de ma mère, puis mon père avait suivi, puis Michèle... et d'autres encore, qui, pour n'avoir pas fait partie de notre famille, n'avaient pas moins fait partie de notre vie.

Nous avons donc commencé à chercher une autre maison, laissant des dossiers dans les agences, dossiers qui mentionnaient tous les mêmes critères : plain-pied, jardin, lumière, calme...

Et, tandis que nous visitions différents produits pas vraiment convaincants, nous avions mis en vente la maison de mon père dont Michèle la cousine venait de me faire don... en mourant. C'était devenu, au fil des années, une ruine. Une ruine sympathique, mais une ruine. Presque de plain-pied, plantée sur un joli terrain calme et arboré, tout près de Paris et très proche de Montfort-l'Amaury... Il paraissait difficile de ne pas trouver d'acquéreur pour cette ferme du XVIIIᵉ siècle.

Il a fallu tout le doigté de Maurice et toute la stupéfaction de Casta devant mon envie d'ailleurs pour que je réalise enfin que ce que je cherchais, je l'avais déjà. J'avais des excuses ; mon besoin de changer d'air était si fort qu'il me fallait de l'inédit. Et puis, à force de faire visiter la maison et d'avoir un mal fou à la quitter après les visites, je me suis réveillée, et j'ai plongé.

Le 2 septembre 1989, jour de la Saint-Gilles – Gilles, mon frère mort dans un accident de voiture à l'âge de dix-neuf ans, Gilles, le fils chéri de mon père qui vécut dans cette maison bien plus que moi –, nous avons emménagé dans les gravats.

Avant de commencer les travaux, il fallut vider la maison. Nous allions aux Mousseaux, Maurice et moi, vider les placards, trier des papiers ; c'était l'hiver, et la nuit tombait de bonne heure. Il n'y avait plus d'électricité et plus de téléphone dans cette maison que Michèle, sa dernière habitante, avait quittée presque deux ans plus tôt. Plus de chauffage non plus. Rien, plus rien que des meubles couverts de taches d'humidité, des murs voilés de toiles d'araignées, et de la poussière dont la seule évocation me pique encore le nez aujourd'hui.

Lorsque la nuit commençait à tomber et que nous n'y voyions plus suffisamment pour continuer notre ouvrage, nous nous laissions tomber sur le vieux canapé recouvert de toile verte devant la cheminée, un canapé que j'avais toujours vu là et sur lequel tant de chiens et de joyeux fêtards s'étaient déjà vautrés. J'allais dans ce qui fut une cuisine et je prenais avec délices la boîte à thé de mon père, sa théière, une casserole, et, comme il restait un peu de gaz, je nous confectionnais un thé dont je suis sûre que nous serions incapables d'absorber la moindre goutte aujourd'hui. Mais là, devant la grande cheminée où d'immenses flammes dévoraient déjà certains vestiges du passé, emmitouflés dans de vieux pulls, nous savourions, avec un peu d'avance, le bonheur d'être à la campagne, loin de toutes formes de pollution.

C'est ainsi que je suis partie à la recherche d'un passé totalement décomposé.

Au rez-de-chaussée se trouvait la chambre de mon père. Il y régnait un désordre indescriptible. Par terre et sur les tables de nuit, autour du lit que personne n'avait pris soin de refaire depuis sa mort, se trouvait un nombre incalculable d'ordonnances et de boîtes de médicaments pas toujours entamées. Dans la bibliothèque, beaucoup de livres, dont je savais que mon père les avait tous lus, étaient entassés, blanchis par la poussière.

Dans le placard, sous la bibliothèque, j'ai trouvé un classeur qui renfermait de nombreux papiers, vieux de plus de quarante ans. J'ai ouvert le classeur et j'ai cherché. Qu'est-ce que je cherchais au juste ? Un signe, une trace, un souvenir de mon passage dans sa vie. Il n'y avait rien. Pas une lettre, pas une photo, rien qui puisse me dire que j'avais compté pour lui.

Brusquement, une écriture que je connaissais bien m'attire l'œil. Je sors le document et je découvre, verts sur blanc jauni, les mots que ma mère a alignés dans une lettre destinée à mon père le 24 décembre 1944... C'était une lettre d'amour, une lettre où elle lui disait que le temps était long sans lui. Mon cœur battait. Cette lettre, au moins, il l'avait conservée parmi une liasse impressionnante de lettres de Michèle. C'était fou de retrouver là des traces de leur amour, maintenant qu'ils n'étaient plus là ni l'un ni l'autre.

Au premier étage, dans ce qui fut la chambre de Gilles, le spectacle était incroyable. J'ai toujours entendu Michèle dire que rien n'avait été bougé depuis la mort de Gilles ; je sais même que cette pièce était en quelque sorte interdite. Seul mon père venait s'y réfugier souvent la nuit pour écrire, sur cette table en bois sombre qui occupe le milieu de la pièce, et sur laquelle quelques feuillets sont encore dispersés.

J'ouvre le tiroir de la table, il renferme une pile de cahiers d'écolier portant la mention « Gilles Allégret. Philosophie », écrite à l'encre verte. J'ai déjà vu cette écriture quelque part dans la maison... Ça y est, je sais. Il y a, en bas, dans le salon, un vieux coffret en cuir dans lequel sont enfermées des lettres d'amour passionnées non signées, et adressées à Michèle. Et brusquement, cela me saute au visage, ces lettres sont de Gilles. De toute évidence, il a brûlé pour elle d'un amour fou et sans retour tout au long de sa courte vie. Je ne sais pas si mon père a jamais perçu sa passion. Mais c'est dans cette chambre qu'il devait venir pleurer tout seul son fils mort.

Je referme le tiroir, bouleversée d'avoir percé le secret de mon frère disparu, ce frère que j'ai si peu connu mais que j'aimerais tant avoir auprès de moi aujourd'hui. La chambre respire. Dans un coin de la pièce, un vieil ours en peluche jaune et râpé me tend les bras. Je regarde ce lit où Gilles a dormi et, au-dessus de sa tête, les deux petits anges en bois sculpté qui me sourient à travers des lambeaux de toiles d'araignées.

Des placards masquent les soupentes. J'ouvre. Sous des piles de journaux grignotés par les souris, j'avise une valise. Elle est lourde. J'appelle Maurice, j'ai suffisamment fait de découvertes en solitaire. Nous tirons sur la poignée pour extraire la valise de la soupente. Des cadavres de bouteilles roulent à nos pieds. Clic, une serrure saute, clac, l'autre suit. Beaucoup de papiers... un scénario... quelques photos... une clef... ce doit être une clef de loge car elle porte un numéro... un projet de contrat adressé à Mademoiselle Simone Signoret...

Cette valise renferme tout le passé de ma mère ! Enfin, celui qu'elle a laissé derrière elle, en même temps que moi, lorsqu'elle est partie vivre avec Montand. Les photos, c'est moi, à trois jours, le scénario, c'est celui de *Manège*, il est annoté de la main de mon père... Quant au contrat, c'est incroyable ! il contient des propositions concernant un film qu'elle devra tourner « prochainement » sous la direction de mon père et qui aura pour titre *Casque d'or*. Un contrat datant de 1948 ! Ce film, elle l'a effectivement tourné, mais en 1951 et sous la direction de Jacques Becker, alors qu'elle vivait déjà avec Montand...

J'ai le vertige, je ne comprends plus rien à rien. Au fond de la valise, il y a aussi des documents datant de l'époque de la vraie Casque d'or... Je ne saurai jamais la vérité. Peut-être, d'ailleurs, n'y a-t-il aucune vérité particulière à connaître à ce sujet, mais à cet instant j'ai très envie de pleurer car j'imagine le chagrin de mon père...

De la soupente, nous extirpons encore un gros trieur métallique que nous décidons de descendre dans le salon pour mieux l'explorer auprès de la cheminée, car le jour commence à tomber. Le feu brûle. Accroupie près du foyer, j'examine les documents que j'ai sortis en vrac du trieur. C'est fou ce que mon père était ordonné « avant ». « Avant », c'est avant ce sombre jour de juillet 1955 où Gilles a trouvé la mort, contre un arbre, sur les rives de l'Arc, dans cet accident de voiture dont je lis maintenant le constat en tremblant. Ah, voici des photos ! C'est Gilles. Gilles à tous les âges. Gilles avec Papa, avec Michèle, Gilles, Gilles, Gilles, toujours Gilles ! J'en ai marre de Gilles. Brusquement et pour un instant je le déteste et je jette tout au feu : Gilles, sa vie et sa mort.

J'ai occupé le reste du temps que nous avons passé à vider cette maison à tenter de retrouver un petit bout de moi. Il y a bien cette photo qui trône au-dessus de la glace dans le séjour à côté d'une photo de Gilles, mais après, plus rien. Il me semble maintenant que la vie de mon père s'est arrêtée le jour où son fils est mort. Il a survécu, c'est tout.

J'ai retrouvé des traces du passé de mon père... dont un bulletin scolaire de la classe de première B, alors qu'il était élève à l'Ecole alsacienne, et des cartes aussi, beaucoup de cartes, dont l'une, portant un n° 6, atteste qu'il est membre de l'« Opposition communiste de gauche » ! et cela me fait sourire enfin, tout comme me fait sourire cette minuscule dent de lait, retrouvée au fond d'un porte-monnaie en cuir noir, et qui ne peut en aucun cas m'avoir appartenu.

Dans les derniers jours, craignant que la cheminée ne s'emballe, nous avons allumé un immense feu dans le jardin. Jacky, qui habite toujours la petite maison, nous aide à trier et à brûler. Et moi, je continue à vider le vide. Il en est passé des années sous nos doigts, et combien de souvenirs aussi... qui ne m'évoquaient rien ! Jacky nous raconte mon père, mon père dont je porte maintenant un vieux pull irlandais sur le dos, ce père que j'ai recherché désespérément à travers toute la maison en ne rencontrant que le mari de ma mère, celui de Michèle, et le père de Gilles. Mais cela ne fait rien. Je sais qu'il a existé et je découvre peu à peu qu'il a réellement compté pour moi.

Nous allons rebâtir ta maison, elle revivra comme lorsque j'étais petite, les rares fois où j'y suis venue et où ça rigolait dans tous les coins. Ici, il y aura de nouveau des fêtes, nous rattraperons le temps perdu, et tu seras fier de moi, Papa !

41

6 septembre 1989, 9 heures du matin. Le soleil inonde la cour de l'école Saint-Louis, 7, rue de la Moutière, à Montfort-l'Amaury. Dans la cour, des parents émus aux larmes assistent à la rentrée en cours préparatoire de leurs chers petits. Nous, nous sommes venus en force pour ce grand jour. Il y a Hélène, qui a gardé sa petite fille le plus longtemps possible loin des gravats qui jonchent encore le sol de notre cuisine, Benjamin et Valérie, Valérie qui est souvent aux côtés de Benjamin depuis quelque temps, et puis bien sûr le papa qui couve la blondeur de sa petite avec une certaine émotion, et la maman, qui n'en mène pas large, toute remuée à l'idée qu'une petite Clémentine va « partir dans la vie », sous ses yeux, et à quelques mètres de l'auberge de la Moutière, là même où elle s'endormait sur la banquette quand son Papa à elle y faisait la fête...

Quant à Clémentine, du haut de ses cinq ans et demi, elle tient fermement la poignée de son premier cartable tout en piaffant d'impatience. Depuis cet après-midi de juin dernier, où nous l'avons inscrite et où Mme Bellanger, la directrice, nous a conviés dans une classe de C.P., afin que Clémentine fasse la connaissance de sa future maîtresse, elle n'attend que ce grand jour.

M. Bellanger, le directeur, s'est avancé. Sous la statue de Saint-Louis qui veille sur ses enfants du haut de sa niche ensoleillée, d'une voix forte et bien placée, dont je suis persuadée que Clémentine ne l'oubliera jamais, il prononce tout d'abord un petit discours à l'intention des nouveaux parents d'élèves que nous sommes.

Puis il accueille les petits élèves et procède à l'appel, en demandant aux enfants de bien vouloir se ranger auprès de leur maîtresse quand ils entendront leur nom. Certains pleurent, d'autres sourient et partent fièrement après avoir embrassé leurs parents.

Clémentine trouve le temps un peu long, car elle ne s'appelle pas « Audaux », mais Vaudaux, et que V, c'est bien loin du A... Enfin son nom retentit. Et c'est sans un baiser, sans même un regard, qu'elle jaillit de la couronne d'amour que son père lui avait faite de ses deux bras autour des épaules.

Les deux classes de C.P. sont maintenant formées. Elles vont quitter la cour sous la conduite de leurs maîtresses, et s'engouffrer dans le couloir qui mène à ce lieu magique et privé qu'est une première salle de classe. La voix de M. Bellanger s'élève encore pour nous dire :

– Vous pouvez les applaudir, ils l'ont bien mérité !

Quant à nous, je crois bien que nous pleurons.

Il n'y a pas de hasard. Ce n'est pas un hasard si je me retrouve aujourd'hui, vivant dans cette maison qui fut celle de mon père. Même si je prétendais avoir résolu tous mes problèmes en me rendant chez le coiffeur, juste en face de chez l'analyste dont j'avais fui le cabinet, il m'en restait un, et de taille : mon père.

J'avais bien perçu quelques signes annonciateurs du chemin qu'il me restait encore à parcourir lorsque je vidais la maison avec Maurice ; cette quête effrénée de « quelque chose de moi » s'est révélée peu à peu être une course folle à la poursuite de mon père. Le drame, c'est qu'il n'était plus là et que je n'avais aucun point de repère, rien même contre quoi lutter.

Et puis, depuis que nous avions emménagé, je ne disais plus « mon père » mais « Papa », tout simplement, tout tendrement. Peu à peu des images remontaient à la surface, dans la cuisine, dans le salon, dehors...

Et de nouveau je décidai de me faire aider, mais cette fois-ci je pris une adresse auprès de deux « docteuses » de mes amies, qui elles, assurément, n'en voulaient qu'à mon bien-être. Et c'est ainsi que je fis la connaissance d'H.L.P. Oui, il y a bien B.H.V., ou B.H.L..., moi, j'ai rencontré H.L.P. « Achelpé ! »

Il fallait que j'entreprenne ce travail.

Il le fallait absolument parce que Clémentine allait grandir et que, si je n'y prenais pas garde, j'allais me retrouver bientôt face à une adolescente pour qui je ne pourrais rien parce que j'étais moi-même complètement cassée.

Il le fallait pour Benjamin, qui avait lui aussi quelques comptes à régler et qui venait de me gratifier, dans sa vingtième année, d'une crise d'adolescence tardive avec tout le folklore que cela implique.

Il le fallait aussi pour Valérie, si je voulais faire un jour une belle-mère fréquentable...

Il le fallait encore pour Maurice, qui est le meilleur des hommes, car je savais que les meilleures choses pouvaient avoir une fin...

Enfin et surtout, il le fallait pour moi et pour moi seule, mais ça, c'est « Achelpé » qui me le souffla et, ma foi, ce n'était pas une bête idée.

J'entrepris donc, avec lui, un travail de psycho-thérapie qui dura une année. Durant cette année, j'ai appris à vivre avec mes démons, à apprivoiser mes fantômes, et j'ai entrepris une collaboration amicale et constructive avec tout ce petit monde. Mes « Imagos », comme disait Achelpé, étaient très présentes ; je les ai donc présentées à mon mari (qui les connaissait déjà un peu) et c'est souvent qu'elles ont déjeuné à notre table.

Au bout de ce chemin, il y avait un grand retour auprès de moi. Il y avait surtout le pardon absolu et définitif que j'ai accordé à ma mère et par là même à mon père, puisqu'il n'était pas coupable. Il y avait aussi celui que je me suis accordé, vaste, généreux et bouleversant pardon au travers duquel j'ai découvert que je n'étais coupable de rien et que Clémentine était venue au monde pour me le dire, et pour me réparer.

Il était temps pour moi d'apprendre toutes ces choses de ma vie, car le 9 novembre 1991 n'était plus très loin, et l'hiver se révélerait rude, très rude. Heureusement pour nous que j'avais engrangé suf-fisamment de force, car, à la mort de Montand et dans les temps qui ont suivi, il me restait encore beaucoup à voir et à entendre.

Heureusement aussi que nous avions « Ker Volo-dia » où, à force d'amour et de patience, Maurice, Clémentine, Benjamin, Valérie et tous ceux qui y furent les bienvenus m'ont aidée à ramasser les peti-tes pierres qui venaient de retomber de mon édifice.

Là, tout en regardant la mer, je salue une dernière fois tous ceux qui m'ont accompagnée tout au long de ce récit.

Orpheline mais adulte, amputée mais réparée, je sais aujourd'hui ceci :

« *La vida es un carnaval con careta de carton,*
Quien no la lleva en la cara la lleva en el corazón. [1] »

« Ker Volodia », 26 août 1993.

1. « La vie est un carnaval avec masque de carton, celui qui ne le porte pas sur son visage le porte sur son cœur. » Vieil adage espagnol cher à Jorge Semprun, que Montand avait tenu à voir figurer dans son programme de l'Olympia 1981.

Grands romans

ADLER Philippe

Bonjour la galère !
868/1

Les amies de ma femme
439/3

Mais qu'est-ce qu'elles veulent
les bonnes femmes ? Quand il
rentre chez lui, Albert aimerait
que Victoire s'occupe de lui mais
rien à faire : les copines d'abord.
Jusqu'au jour où Victoire se fait
la malle et où ce sont ses
copines qui consolent Albert.

ANDREWS™ Virginia C.

Fleurs captives

Dans un immense et ténébreux
grenier, quatre enfants vivent
séquestrés. Pour oublier leur
détresse, ils font de leur prison le
royaume de leurs jeux, le refuge
de leur tendresse, à l'abri du
monde. Mais le temps passe et le
grenier devient un enfer. Et le
seul désir de ces enfants devenus adolescents est désormais de
s'évader... à n'importe quel prix.

Fleurs captives
1165/4
- Pétales au vent
1237/4
- Bouquet d'épines
1350/4
- Les racines du passé
1818/5
- Le jardin des ombres
2526/4

La saga de Heaven
- Les enfants des collines
2727/5

C'est l'envers de l'Amérique :
la misère à deux pas de l'opu-
lence. Dans la cabane sordide
où elle vit avec ses quatre frères
et sœurs, Heaven se demande

comment ses parents ont eu
l'idée de lui donner ce prénom :
«Paradis». Un jour, elle appren-
dra le secret de sa naissance.

- L'ange de la nuit
2870/5
- Cœurs maudits
2971/5
- Un visage du paradis
3119/5
- Le labyrinthe des songes
3234/6

Ma douce Audrina
1578/4

Etrange existence que celle
d'Audrina ! Sur cette petite fille
de sept ans, pèse l'ombre d'une
autre : sa sœur aînée, morte il y a
bien longtemps dans des circons-
tances tragiques et qu'elle est
chargée de faire revivre.

Aurore

Un terrible secret pèse sur la
naissance d'Aurore. Brutalement séparée des siens, humi-
liée, trompée, elle devra payer
pour les péchés que d'autres
ont commis. Car sur elle et sur
sa fille Christie, plane la malé-
diction des Cutler...

Aurore
3464/5
- Les secrets de l'aube
3580/5
- L'enfant du crépuscule
3723/6
- Les démons de la nuit
3772/6
- Avant l'aurore
3899/5

ARCHER Jeffrey
Le souffle du temps
4058/9

ASHWORTH Sherry
Calories story
3964/5 Inédit

ATTANÉ Chantal
Le propre du bouc
3337/2

AVRIL Nicole
Monsieur de Lyon
1049/2

La disgrâce
1344/3

Isabelle est heureuse, jusqu'au
jour où elle découvre qu'elle est
laide. A cette disgrâce qui la
frappe, elle survivra, lucide,
dure, hostile, adulte soudain.

Jeanne
1879/3

Don Juan aujourd'hui pourrait-il
être une femme ? La belle
Jeanne a appris, d'homme en
homme, à jouir d'une existence
qu'elle sait toujours menacée.

L'été de la Saint-Valentin
2038/1
La première alliance
2168/3
Sur la peau du Diable
2707/4
Dans les jardins
de mon père
3000/2
Il y a longtemps
que je t'aime
3506/3

L'amour impossible entre
Antoine, 14 ans, et Pauline, sa
belle-mère.

BACH Richard
Jonathan Livingston
le goéland
1562/1 Illustré
Illusions/Le Messie
récalcitrant
2111/1
Un pont sur l'infini
2270/4

Grands romans

BELLETTO René
Le revenant
2841/5
Sur la terre comme au ciel
2943/5
La machine
3080/6
L'Enfer
3150/5

BERBEROVA Nina
Le laquais et la putain
2850/1
Astachev à Paris
2941/2
La résurrection de Mozart
3064/1
C'est moi qui souligne
3190/8
L'accompagnatrice
3362/4
De cape et de larmes
3426/1

TERROIR

Romans et histoires vraies
d'une France paysanne
qui nous redonne le goût
de nos racines.

BRIAND Charles
De mère inconnue
3591/2
Le destin d'Olga, placée comme
domestique chez des paysans
angevins et enceinte à 14 ans.

CLANCIER G.-E.
Le pain noir
651/3

GEORGY Guy
La folle avoine
3391/4
Orphelin, Guy-Noël vit chez sa
grand-mère, une vieille dame
qui connaît tout le folklore et
les légendes du pays sarladais.

Roquenval
3679/1
A la mémoire de
Schliemann
3898/1

BERGER Thomas
Little Big Man
3281/8

BEYALA Calixthe
C'est le soleil qui m'a
brûlée
2512/2
Le petit prince de
Belleville
3552/3
Maman a un amant
3981/3
Loukoum, douze ans, est un
Africain de Belleville, gouailleur
et tendre comme tous les
gamins de Paris. Mais voilà que

JEURY Michel
Le vrai goût de la vie
2946/4
Une odeur d'herbe folle
3103/5
Le soir du vent fou
3394/5
Un soir de 1934, alors que souffle
le vent fou, un feu de brous-
sailles se propage rapidement et
détruit la maison du maire...

LAUSSAC Colette
Le sorcier des truffes
3606/1

MASSE Ludovic
Les Grégoire
Histoire nostalgique et tendre
d'une famille, entre Conflent et
Vallespir, en Catalogne françai-
se, au début du siècle.

- Le livret de famille
3653/5
- Fumées de village
3787/5
- La fleur de la jeunesse
3879/5

sa mère décide soudain
s'émanciper. Non contente
vouloir apprendre à lire et
écrire, elle prend un amant,
Blanc par-dessus le marché
Décidément, la liberté de
femmes, c'est rien de bon...

BLAKE Michael
Danse avec les loups
2958/4

BORY Jean-Louis
Mon village à l'heure
allemande
81/4

BOUDARD Alphonse
Saint Frédo
3962/3

BRAVO Christine
Avenida B.
3044/3

PONÇON Jean-Claude
Revenir à Malassise
3806/3

SOUMY Jean-Guy
Les moissons délaissées
3720/6
Mars 1860. Un jeune Limousin
quitte son village natal pour
aller travailler à Paris, dans les
immenses chantiers ouverts par
Haussmann. Chaque année, la
pauvreté contraint les gens de
la Creuse à délaisser les moissons... Histoire d'une famille et
d'une région au siècle dernier.

VIGNER Alain
L'arcandier
3625/4

VIOLLIER Yves
Par un si long détour
3739/4

Grands romans

BROUILLET Chrystine
Marie LaFlamme
- Marie LaFlamme
3838/6

En 1662, à Nantes, la mère de Marie est condamnée au bûcher. Pour sauver sa fille, elle lui fait épouser un riche et cruel armateur, Geoffroy de St Arnaud. Mais Marie aime Simon et pour conquérir sa liberté, elle est prête à tout. Même à s'embarquer pour la Nouvelle-France, qui va devenir le Canada...

- Nouvelle-France
3839/6
- La renarde
3840/6

BYRNE Beverly
Gitana
3938/8

CAILHOL Alain
Immaculada
3766/4 Inédit

Histoire d'un écrivain paumé, en proie au mal de vivre. Un humour désespéré teinte ce premier roman d'un auteur bordelais de vingt ans, qui s'inscrit dans la lignée de Djian.

CALFAN Nicole
La femme en clef de sol
3991/2

CAMPBELL Naomi
Swan
3827/6

CATO Nancy
Lady F.
2603/4
Tous nos jours sont des adieux
3154/8
Sucre brun
3749/6
Marigold
3837/2

CHAMSON André
La Superbe
3269/7
La tour de Constance
3342/7

CHEDID Andrée
La maison sans racines
2065/2
Le sixième jour
2529/3

Le choléra frappe Le Caire. Ignorante et superstitieuse, la population préfère cacher les malades car, lorsqu'une ambulance vient les chercher, ils ne reviennent plus. L'instituteur l'a dit : «Le sixième jour, si le choléra ne t'a pas tué, tu es guéri.»

Le sommeil délivré
2636/3
L'autre
2730/3
Les marches de sable
2886/3
L'enfant multiple
2970/3
Le survivant
3171/2
La cité fertile
3319/1
La femme en rouge
3769/1

CLANCIER Georges-Emmanuel
Le pain noir
651/3

Le pain noir, c'est celui des pauvres, si dur, que même les chiens n'en veulent pas. Placée à huit ans comme domestique chez des patrons avares, Cathie n'en connaîtra pas d'autre. Récit d'une enfance en pays Limousin, au siècle dernier.

CLERC Christine
Jacques, Edouard, Charles, Philippe et les autres
3828/5

CLÉMENT Catherine
Pour l'amour de l'Inde
3896/8

Le roman vrai des amours de Nehru et de Lady Edwina Mountbatten, l'une des plus grandes dames de l'aristocratie anglaise, femme du dernier des vice-rois des Indes britanniques.

COCTEAU Jean
Orphée
2172/1

COLETTE
Le blé en herbe
2/1

COLOMBANI Marie-Françoise
Donne-moi la main, on traverse
2881/5
Derniers désirs
3460/2

COLLARD Cyril
Cinéaste, musicien, il a adapté à l'écran et interprété lui-même son second roman Les nuits fauves.
Le film 4 fois primé, a été élu meilleur film de l'année aux Césars 1993. Quelques jours plus tôt Cyril Collard mourait du sida.
Les nuits fauves
2993/3
Condamné amour
3501/4
Cyril Collard : la passion
3590/4 (par J.-P. Guerand & M. Moriconi)
L'ange sauvage (Carnets)
3791/3

CONROY Pat
Le Prince des marées
2641/5 & 2642/5
Le Grand Santini
3155/8

CORMAN Avery
Kramer contre Kramer
1044/3

Grands romans

Grands romans

Photocomposition Assistance 44-Bouguenais
Achevé d'imprimer en Europe (France)
par Brodard et Taupin à La Flèche (Sarthe)
le 11 septembre 1995. 1847M-5
Dépôt légal sept. 1995. ISBN 2-277-24000-1

Éditions J'ai lu
27, rue Cassette, 75006 Paris
Diffusion France et étranger : Flammarion